Jennifer Brown

HATE LIST

Callenbach

© Uitgeverij Callenbach – Utrecht, 2012
www.uitgeverijcallenbach.nl

Eerder uitgegeven door Little, Brown and Company
onder de titel *Hate List* © 2009
© Tekst Jennifer Brown
Vertaling Ernst Bergboer
Omslagontwerp Tamar de Klijn
ISBN 978 90 266 0398 3
ISBN e-book 978 90 266 0420 1
NUR 285

Voor Scott

We'll show the world they were wrong
And teach them all to sing along
Nickelback

Deel één

1

Uit de *Garvin County Sun-Tribune*, 3 mei 2008
door Angela Dash

*H*uiveringwekkend. Dat is het beeld dat medewerkers van het forensisch team schetsen van wat zij aantroffen in de aula van de Garvin High School. Zij doen onderzoek naar de identiteit van de slachtoffers van het bloedbad dat daar vrijdagochtend werd aangericht.

'Onze mensen nemen elk detail onder de loep,' zegt Pam Marone, leider van het onderzoek. 'Inmiddels krijgen we een steeds duidelijker beeld van wat zich hier gisterochtend heeft afgespeeld. Het is zwaar. Ook onze meest ervaren mensen kregen het te kwaad op het moment dat zij naar binnen gingen. Dit is heel verschrikkelijk.'

Bij de schietpartij, die meteen na de eerste bel plaatsvond, zijn ten minste zes leerlingen omgekomen en verscheidene andere gewond geraakt.

Valerie Leftman (16) was de laatste die werd neergeschoten voordat de vermoedelijke dader, Nick Levil, de hand aan zichzelf sloeg.

Valerie werd van dichtbij in haar dij geraakt en is zwaargewond. Ze is geopereerd, maar volgens een vertegenwoordiger van het Garvin County General is haar toestand kritiek. Een ambulancebroeder liet een verslaggever die ter plaatse was weten dat er veel bloed lag. 'Hij moet haar in een slagader hebben geraakt.'

Volgens de verklaring van een dienstdoende verpleegkundige bij de Spoedeisende Hulp in het ziekenhuis heeft Valerie 'veel geluk' gehad. 'Er is een goede kans dat ze het zal halen, maar we zijn voorzichtig. Zeker nu er zo veel mensen met haar willen praten.'

Getuigenverklaringen verschillen. Sommigen zeggen dat Valerie een van de slachtoffers is, anderen noemen haar een held, weer anderen zeggen dat zij met Nick Levil plannen heeft gesmeed om een aantal leerlingen aan wie zij beiden een hekel hadden om te brengen.

Jane Keller, een van de leerlingen die getuige waren van de schietpartij, had de indruk dat het op Valerie geloste schot een ongeluk was. 'Het leek of ze struikelde en tegen hem aan viel, maar dat weet ik niet zeker,' vertelde zij verslaggevers ter plaatse. 'Ik weet wel dat het daarna heel snel voorbij was. En doordat zij tegen hem aan viel, kregen anderen de kans om weg te komen.'

De politie houdt er rekening mee dat het schot dat Valerie trof mogelijk geen ongeluk, maar een mislukte dubbele zelfmoordpoging was. Het politieonderzoek naar de toedracht en de aanleiding van de schietpartij op de Garvin High School is in volle gang. Er zijn aanwijzingen dat Valerie en Nick Levil met elkaar spraken over zelfmoord; bronnen uit de onmiddellijke omgeving van het stel hebben het ook over moord.

'Ze hadden het vaak over de dood,' zo liet Mason Markum, een goede vriend van zowel Valerie als Nick Levil, weten. 'Nick meer dan Valerie, maar ja, Valerie ook. Iedereen dacht dat het een soort spel was, maar kennelijk bedoelden ze het serieuzer dan we dachten. Ik kan het nog altijd niet geloven. Ik bedoel: ik heb Nick een paar uur geleden nog gesproken en hij heeft niets gezegd, geen woord. Niet hierover.'

Of Valerie nu per ongeluk of met opzet is verwond, de politie is er vrijwel zeker van dat Nick Levil, na eerst een half dozijn medescholieren te hebben afgeslacht, weloverwogen zelfmoord pleegde. 'Ooggetuigen van het drama verklaren dat hij, nadat hij Valerie had neergeschoten, het pistool tegen zijn hoofd zette en de trekker overhaalde,' aldus Marone. Nick Levil overleed ter plekke. 'Dat was gewoon een opluchting,' zegt Jane Keller. 'Sommige kinderen juichten zelfs. Dat is niet helemaal oké, vind ik, maar ik begrijp het wel. Het was dood- en doodeng.' De betrokkenheid van Valerie bij de schietpartij wordt onderzocht. Van haar familieleden is vooralsnog niemand beschikbaar voor commentaar en de politie wil op dit moment alleen kwijt dat zij haar 'graag willen spreken'.

Ik heb al drie keer de snooze-knop ingedrukt en nu staat mijn moeder op mijn deur te bonzen. Ik moet mijn bed uit. Zo gaat dat iedere ochtend. Maar dit is geen gewone ochtend. Dit is de ochtend waarop ik mezelf aan ga pakken en mijn leven weer op de rit moet zien te krijgen. Maar met moeders is het nou eenmaal zo dat oude gewoonten langzaam slijten – als de snooze-knop op de wekker het alleen niet voor elkaar krijgt, moet er maar weer geschreeuwd en op een deur gebonsd worden, wat voor ochtend het ook is.

Maar in plaats van geschreeuw klinkt nu het bevende stemmetje dat ik de laatste tijd wel vaker hoor. Het stemmetje dat me vertelt dat mam niet weet of ik nou gewoon dwarslig of dat ze er rekening mee moet houden dat ze zo meteen 112 zal moeten bellen. 'Valerie!' smeekt ze. 'Je moet echt opstaan nu. De school is al heel soepel geweest; je mag terugkomen. Verknoei het nou niet meteen de eerste dag al!'

Alsof ik er blij mee moet zijn dat ik weer naar school mag; dat ik weer door die galmende, holle gangen rond de aula mag lopen, waar de wereld zoals ik die kende in mei in elkaar gestort is. Alsof ik niet iedere nacht nachtmerries over die plek heb en badend in het zweet en huilend wakker word, verschrikkelijk opgelucht dat ik gewoon veilig in mijn eigen kamer lig.

Op school weten ze nog altijd niet of ze me nou als een held of als een misdadiger moeten zien. Ik kan het hun amper kwalijk nemen. Ik ben er zelf ook niet uit. Ben ik de kwade genius die het hele idee om de halve school neer te maaien in gang heeft gezet, of ben ik de held die zichzelf heeft opgeofferd en een eind aan de moordpartij heeft gemaakt? Er zijn dagen geweest dat ik me beide voelde. Op andere dagen voel ik niets. Het is zo verschrikkelijk verwarrend allemaal.

Het schoolbestuur heeft in de zomer geprobeerd me te huldigen. Waanzin was dat. Ik wil helemaal geen held zijn. Ik dacht helemaal niets op het moment dat ik tussen Nick en Jessica in sprong. Echt niet. Zeker niet zoiets als: dit is mijn kans! Nu kan ik dat wicht redden dat me altijd uitlacht, me Dooie Dame noemt, en zelf neergeschoten worden. Als een echte held. Natuurlijk: het was in alle opzichten een dappere daad, maar in mijn geval... nou ja, niemand weet wat 'ie ermee aan moet.

Ik heb geweigerd om naar die huldiging te gaan. Ik zei tegen mijn moeder dat mijn been te veel pijn deed, dat ik slaap nodig had en dat het sowieso een krankzinnig idee was. 'Echt iets voor school,' zei ik tegen haar, 'om zoiets lams te verzinnen. En ik wil er niet heen, al kreeg ik geld toe.'

De waarheid is dat ik het alleen bij de gedachte aan die huldiging al in mijn broek deed. Ik was doodsbang om iedereen onder ogen te komen. Bang dat ze geloofden wat er in de kranten over me geschreven werd, wat er over me werd uitgezonden: dat ik een moordenaar was. Dat ik, ook al zeiden ze het niet hardop, in hun ogen zou lezen: jij had jezelf ook van kant moeten maken, net als hij. Of, erger nog, dat ze zouden vinden dat ik heel erg moedig was, een van die mensen die zichzelf wegcijferen. Dan had ik me nog ellendiger gevoeld; per slot van rekening heeft mijn vriend ze vermoord en kennelijk gedacht dat ik hen ook dood wilde hebben. Ik was de blinde kip die niets in de gaten had, in wie het geen moment is opgekomen dat de jongen van wie ik hield echt van plan was om de hele school om zeep te helpen, ook al had hij me dat bijna dagelijks verteld. Want daar komt het toch op neer. Maar als ik mijn mond opendeed om mijn moeder dat te vertellen, kwam er niets anders uit dan: *het is zo lam. Ik ga er niet heen, niet naar zoiets, al kreeg ik geld toe.* Oude gewoonten slijten bij iedereen langzaam, denk ik.

Meneer Angerson, de directeur, is uiteindelijk die avond maar bij ons thuis gekomen. Hij heeft met mijn moeder aan de keukentafel zitten praten over... geen idee: God, bestemming, trauma, weet ik veel. Hij is lang blijven plakken; ik weet zeker dat dat was omdat hij hoopte dat ik van mijn kamer zou komen, zou glimlachen, zou zeggen hoe trots ik op mijn school was en dat ik met alle plezier een menselijk schild voor Jessica Campbell, het Volmaakte Dametje, was geweest. Misschien verwachtte hij ook wel een verontschuldiging. Dat had ik best willen doen, als ik maar geweten had hoe. Maar tot dusverre is het me niet gelukt om woorden te vinden die groot genoeg zijn voor iets wat zo moeilijk is.

Terwijl meneer Angerson aan de keukentafel op me wachtte, zette ik de muziek harder, kroop nog dieper onder de dekens en liet hem wachten. Ik ben mijn kamer niet uit gekomen, ook niet toen mijn moeder op de deur bonsde en me met haar 'gezelschapsstem' smeekte om toch vooral beleefd te zijn en naar beneden te komen.

'Valerie, alsjeblieft!' siste ze, met haar hoofd om het hoekje van mijn slaapkamerdeur.

Ik gaf geen sjoege en trok de dekens nog wat verder over mijn hoofd. Het was niet dat ik het niet wilde; ik kon het gewoon niet. Maar dat zal mam nooit begrijpen. Hoe meer mensen mij 'vergeven', des te minder ik me schuldig hoef te voelen. Zo ziet zij het. Ik zie het anders... voor mij is het precies andersom.

Na een hele poos zag ik in het slaapkamerraam de weerschijn van de koplampen van een auto. Ik ging rechtop zitten en keek naar onze oprit. Meneer Angerson reed weg. Een paar minuten later klopte mam opnieuw op mijn deur.

'Wat?' riep ik.

Ze deed de deur open en kwam binnen, onzeker en nerveus, als een pasgeboren hertje, zoiets. Haar gezicht was rood en gezwollen en haar neus zat hopeloos verstopt. In haar handen had ze een of andere stomme medaille en een bedankbrief van het schoolbestuur.

'Ze geven jou niet de schuld,' zei ze. 'En ze willen dat je dat weet. Ze willen dat je terugkomt. Ze zijn je heel dankbaar voor wat je gedaan hebt.' Mam drukte me de medaille en de brief in de handen. Ik wierp een vlugge blik op de brief en zag dat niet meer dan een stuk of tien leerkrachten hem ondertekend hadden. En dat meneer Kline er natuurlijk niet bij was. Voor de honderdduizendste keer na de schietpartij werd ik overspoeld door een enorm schuldgevoel: Kline was zo'n leraar die de brief vast en zeker ondertekend had, maar hij kon dat niet meer. Hij was dood. We staarden elkaar een lange minuut aan. Ik wist dat mijn moeder op een geste van waardering hoopte; iets wat haar het gevoel zou geven dat, nu de school verder wilde met mij, ik dat ook kon. Wij allemaal, misschien.

'Eh, ja, mam,' begon ik en ik gaf haar de medaille en de brief terug. 'Dat, eh... dat is heel mooi.' Ik probeerde een glimlach te forceren om het wat geloofwaardiger te maken allemaal, maar dat lukte me niet. Wat nou als ik er nog helemaal niet aan toe was om de draad weer op te pakken? Wat nou als die medaille me eraan herinnerde dat de jongen, die ik meer dan wie ook in de wereld had vertrouwd, mensen had neergeschoten, mij, zichzelf? Waarom begreep ze niet dat het, in dat licht, te pijnlijk was om het 'dankjewel' van school te accepteren? Alsof ik op dat moment geen andere emoties had dan dankbaarheid. Dankbaarheid dat ik nog leefde. Dankbaarheid dat mij was vergeving was geschonken. Dankbaarheid voor de erkenning dat een aantal leerlingen van Garvin hun leven aan mij te danken had.

De waarheid is dat ik op de meeste dagen geen greintje dankbaarheid voel, hoe ik ook mijn best doe. Op de meeste dagen heb ik geen idee wat ik voel. Soms ben ik verdrietig of opgelucht, soms verward, soms voel ik me niet begrepen. En boos ben ik, heel vaak boos. Wat erger is, ik weet niet op wie ik het meest kwaad ben: op mezelf, op Nick, op mijn ouders, op de school, op de hele wereld. En dan is er nog de boosheid die me het meest verscheurt: woede op de leerlingen die gestorven zijn.

15

'Val,' zei ze met een smekende blik in haar ogen.

'Nee, echt,' stelde ik haar gerust. 'Het is cool. Ben gewoon moe, meer niet, mam. Heus. Mijn been...'

Ik duwde mijn hoofd dieper in het kussen en schikte de dekens opnieuw rond mijn lijf.

Mam droop af met gebogen hoofd en hangende schouders. Ik wist dat ze bij ons volgende bezoek aan dokter Hieler haar best zou doen om een hele heisa van 'mijn reactie' te maken. Ik zag hem al zitten in zijn stoel: 'Nou, Val, dan moesten we het maar eens over die medaille hebben...'

Ik wist dat mam de medaille en de brief in een archiefdoos zou stoppen, bij alle andere kinderspullen van mij die ze in de loop der jaren heeft bewaard. Werkjes van de kleuterschool, rapporten van de basisschool, een brief waarin ik word bedankt voor het stoppen van een schietpartij op mijn middelbare school. Voor mam passen die spulletjes op de een of andere manier bij elkaar.

Het was mams manier om uiting te geven aan de koppige hoop die ze koesterde. De hoop dat het op een dag weer 'goed' zou gaan met me, ook al kon ze zich waarschijnlijk niet herinneren wanneer het voor het laatst goed met me ging. Ik ook niet. Was dat voor de schietpartij? Voordat Jeremy Nicks leven binnenstapte? Voordat pap en mam een hekel aan elkaar kregen en ik op zoek ging naar iemand, naar iets, om me van die nare sfeer thuis te verlossen? Was dat heel lang geleden, toen ik nog een beugel had, pastelkleurige sweaters droeg, naar de Top 40 luisterde en dacht dat het leven leuk was?

De wekker gaat opnieuw; ik graai ernaar en stoot het klokje per ongeluk op de grond.

16

'Valerie, kom op!' schreeuwt mijn moeder. Ik stel me voor hoe ze daar staat, de telefoon in haar hand, een vinger zwevend boven de 1. 'De school begint over een uur. Opstaan!' Ik sla mijn armen om mijn kussen en staar naar de paarden op het behang van mijn kamer. Altijd als ik het moeilijk heb, als klein meisje al, lig ik op bed naar die paarden te staren en stel ik me voor hoe ik op de rug spring van een ervan en wegrijd. Gewoon weg, in galop, met wapperende haren, op een paard dat nooit moe wordt, nooit honger krijgt, zonder ooit nog ergens op de wereld iemand tegen te komen. Met voor me een vlakte van eindeloze mogelijkheden, op weg naar de eeuwigheid.

Nu zijn die paarden niets anders meer dan een flets motiefje op kinderbehang. Ze brengen me nergens. Dat kunnen ze niet. Nu weet ik dat ze dat ook nooit gekund hebben en dat stemt me verdrietig. Alsof mijn hele leven een grote, duffe droom was.

Ik hoor klikgeluiden bij de deurknop en kreun. Natuurlijk, de sleutel. Op een bepaald moment heeft dokter Hieler, die anders altijd helemaal aan mijn kant staat, mijn moeder toestemming gegeven om een sleutel te gebruiken en mijn kamer binnen te gaan wanneer zij dat nodig vindt. *Voor het geval dat*, weet je. *Uit voorzorg*, weet je. *Want dat hele suïcideverhaal speelt ook nog mee*, weet je. Nu valt ze gewoon binnen wanneer ik niet reageer op haar kloppen, met de telefoon in haar hand voor het geval ze me op mijn bloemige vloerkleed vinden zal, midden in een plas bloed en met een verzameling scheermesjes om me heen.

Ik zie de klink omlaaggaan. Ik kan niets anders doen dan toekijken vanaf mijn kussen. Ze komt voorzichtig binnen. Ik had gelijk. Ze heeft de telefoon bij zich.

'Goed dat je wakker bent,' zegt ze. Ze glimlacht en banjert

naar het venster. Ze strekt een hand uit en trekt de luxaflex omhoog. Ik knipper tegen het helle ochtendlicht. 'Je draagt een mantelpakje,' constateer ik, mijn ogen afschermend met mijn onderarm.

Ze reikt met haar vrije hand omlaag en strijkt de camelkleurige rok glad over haar heupen. Ze doet het aarzelend, alsof het voor het eerst is dat ze een rok draagt. Even lijkt ze net zo onzeker als ik ben en dat vind ik naar voor haar. 'Ja,' zegt ze, met dezelfde hand ook voorzichtig het haar in haar nek wat opduwend. 'Ik dacht: als jij weer naar school gaat, moest ik maar eens proberen weer fulltime op kantoor aan de slag te gaan.'

Ik hijs mezelf overeind. Mijn achterhoofd voelt plat aan van het liggen en mijn been tintelt een beetje. Afwezig wrijf ik onder de dekens over de buts in mijn dij. 'Op mijn eerste dag al?'

Ze komt op me af stommelen, met grote passen haar in camelkleurige pumps gestoken voeten over stapels kleding tillend. 'Nou... ja. Ik ben al maanden thuis. Dokter Hieler vindt het een goed idee dat ik weer aan het werk ga. Na school kom ik je ophalen.' Ze komt op het randje van mijn bed zitten en streelt over mijn haar. 'Je redt je wel.'

'Hoe weet je dat zo zeker?' vraag ik. 'Waarom denk je dat ik me wel red? Dat kun je helemaal niet weten. In mei ging het ook niet goed met me en toen had je niks in de gaten.'

Ik sleep mezelf het bed uit. Het lijkt of er een band om mijn borstkas knelt en ik heb het gevoel dat ik elk moment in tranen kan uitbarsten.

Daar zit ze, de telefoon tegen haar borst geklemd. 'Dat weet ik gewoon, Valerie. Die dag komt niet meer terug, lieverd. Nick... hij is er niet meer. Probeer je niet op te winden, maar...'

Te laat. Ik ben al zo gespannen als een veer. Hoe langer ze op de rand van dat bed zit en mijn haar streelt, net als toen ik klein was, en ik de parfum ruik die ik haar 'kantoorgeurtje' noem, hoe feller de werkelijkheid tot me doordringt. Ik moet weer naar school.

'We waren het erover eens dat dit het beste was, Valerie. Weet je nog?' zegt ze. 'We zaten in de kamer bij dokter Hieler en vonden dat vluchten voor ons gezin geen optie is. Daar was jij het mee eens. Je zei dat je niet wilde dat Frankie moest boeten voor wat er is gebeurd. En je vader heeft zijn bedrijf... Dat achterlaten en helemaal opnieuw beginnen zou een enorme financiële last betekenen...' Ze haalt haar schouders op en schudt haar hoofd.

'Mam...' begin ik, maar er schiet me geen enkel goed argument te binnen. Ze heeft gelijk. Ik ben het die gezegd heeft dat het niet eerlijk is als Frankie al zijn vrienden achter moet laten. Dat het niet eerlijk is als Frankie naar een andere stad moet verhuizen, van school moet veranderen, alleen maar omdat hij mijn broertje is. Dat het niet eerlijk is als pap met het hele gezin naar een andere stad moet verhuizen en hij dan een nieuw advocatenkantoor zou moeten opbouwen, nadat hij zo hard gewerkt heeft om op poten te zetten wat hij nu heeft. Telkens als dat idee ter sprake kwam klemde hij kwaad zijn kaken op elkaar. Ik ben het die gezegd heeft dat ik niet thuis wil zitten met een privédocent of, erger nog, in het laatste jaar van school wisselen. Dat ik het vertik om er als een dief in de nacht vandoor te gaan, terwijl ik niets misdaan heb.

'Bovendien, ik sta toch al bekend als de bonte hond,' zei ik, met mijn vingertoppen over de leuning van dokter Hielers sofa wrijvend. 'Iedereen in de hele wereld kent me.

Het is zinloos om een school te zoeken waar niemand me kent. Denk je eens in hoe ik er op een nieuwe school meteen uit zou liggen. Op Garvin weet ik in elk geval wat me te wachten staat. En als ik van Garvin wegga, denkt iedereen helemaal dat ik schuldig ben.'

'Het zal zwaar worden,' waarschuwde dokter Hieler. 'Je zult heel wat monsters moeten verslaan.'

Ik haalde mijn schouders op. 'Alsof dat nieuw is. Ik kan ze wel aan.'

'Zeker weten?' vroeg dokter Hieler, me met toegeknepen ogen sceptisch aankijkend.

Ik knikte. 'Het zou niet eerlijk zijn als ik weg moet. Ik kan dit wel aan. En als het toch te erg is, kan ik aan het eind van het semester altijd nog veranderen. Maar ik red het wel. Ik ben niet bang.'

Dat was toen we de hele zomer nog voor ons hadden, oneindig lang. Toen 'teruggaan' nog een idee was, niet de werkelijkheid. Als idee heb ik er nog steeds vertrouwen in. De enige schuld die ik heb, is dat ik van Nick heb gehouden en een bloedhekel had aan de lui die ons het leven zo zuur maakten. Ik piekerde er toen niet over om me stilletjes uit de voeten te maken en me te verstoppen voor mensen die denken dat ik ook aan iets anders schuldig ben. Maar nu komt het erop aan. Nu moet ik dat idee in praktijk brengen en daar zie ik meer dan alleen maar heel erg tegenop: ik ben doodsbang.

'Je hebt de hele zomer tijd gehad om iets anders te bedenken,' zegt mam, die nog altijd op mijn bed zit.

Ik klem mijn kaken op elkaar en keer me om naar de kast. Ik gris een schoon slipje en een bh uit een la en grabbel op de grond naar een spijkerbroek en een T-shirt.

'Goed dan. Ik maak me klaar,' zeg ik.

Ik kan niet zeggen dat ze glimlacht. Ze doet iets wat erop lijkt, maar het is of ze pijn heeft. Ze maakt een paar keer aanstalten om naar de deur te lopen, hakt dan kennelijk toch de knoop door en beent er daadwerkelijk op af, de telefoon stijf in haar beide handen gekneld. Ik vraag me af of ze het toestel mee naar haar werk zal nemen, met een vinger op de 1.

'Goed dan. Ik wacht beneden op je.'

Ik trek een willekeurige gekreukte spijkerbroek en een verfrommeld T-shirt aan; hoe het eruitziet boeit me niet. Of ik nu wel of niet netjes gekleed ben: het zal geen enkel verschil maken voor hoe ik me voel of voor het aantal argwanende blikken dat op me gericht zal zijn. Ik stommel de badkamer in en haal een borstel door mijn haar, dat ik al minstens vier dagen niet gewassen heb. Om make-up maak ik me niet druk. Geen idee ook waar ik die spullen gelaten heb. Ik ben tijdens de afgelopen zomer nou niet bepaald vaak uit geweest. Meestal kon ik geen stap verzetten.

Ik schiet een paar gympen aan en grijp mijn rugzak – een nieuwe, die mam een paar dagen geleden heeft gekocht en die leeg is blijven staan op de plaats waar zij hem had neergezet, tot ze hem uiteindelijk zelf maar heeft ingepakt. Mijn oude rugzak, de bebloede, is waarschijnlijk in de vuilnisbak beland, samen met Nicks *Flogging Molly* T-shirt dat ze in mijn kast gevonden en weggegooid heeft in de tijd dat ik in het ziekenhuis lag. Ik huilde toen ik bij thuiskomst ontdekte dat 'ie verdwenen was en heb haar een bitch genoemd. Daar begreep ze toen helemaal niets van. Maar dat shirt was niet van Nick de Moordenaar, het was van Nick, de jongen die me verraste met kaartjes voor het concert van *Flogging Molly* in de *Closet*. Nick, de jongen die me op zijn schouders nam toen ze *Factory Girls* speelden. Nick, de jongen die voorstelde om het geld dat we nog overhadden bij elkaar te leggen en samen een T-shirt te kopen. Nick, de jongen die het shirt aantrok en mee naar huis nam maar het daar uitdeed, aan mij gaf en er nooit meer om vroeg.

Ze beweerde dat ze het op advies van dokter Hieler had weggegooid, maar dat geloof ik niet. Ik heb zo het vermoeden dat ze hem soms haar ideeën in de schoenen schuift in de hoop dat ik er dan gemakkelijker mee akkoord zal gaan. Maar dokter Hieler zou begrepen hebben dat ik dat T-shirt niet van Nick de Moordenaar gekregen had. Ik kende Nick de Moordenaar niet eens. Dokter Hieler begrijpt dat soort dingen.

Ik ben klaar met aankleden en word ineens overvallen door een spanning die me totaal verlamt. Mijn benen weigeren dienst. Het lukt me niet om de drempel over te stappen; het zweet staat op mijn rug. Ik kan het niet. Met geen mogelijkheid. Ik kan die mensen niet onder ogen komen, die plek terugzien. Ik ben niet sterk genoeg.

Met trillende handen vis ik mijn mobieltje uit mijn zak en toets dokter Hielers nummer in. Hij neemt meteen op.

'Sorry dat ik u stoor,' zeg ik, terwijl ik me op het bed laat neerploffen.

'Helemaal niet. Ik heb gezegd dat je moest bellen, weet je nog? Ik verwachtte je telefoontje.'

'Ik trek het niet, denk ik,' zeg ik. 'Ik ben er niet aan toe. Ik weet niet of ik er ooit aan toe zal zijn. Volgens mij is het geen goed idee om...'

'Val, stop,' onderbreekt hij me. 'Je trekt het wel. Je bent er klaar voor. We hebben dit besproken. Het zal niet makkelijk zijn, maar je kunt het. Je hebt ergere dingen overleefd de afgelopen maanden. Je bent enorm sterk.'

Er springen tranen in mijn ogen die ik afveeg met mijn duim.

'Focus op het moment,' zegt hij. 'Vul geen dingen in. Zie de dingen zoals ze werkelijk zijn, oké? En als je vanmiddag thuiskomt, bel je me. Ik zorg ervoor dat Stephanie je doorverbindt, ook als ik een sessie heb, oké?'

'Oké.'

'En als je later op de dag behoefte hebt om te praten...'

'Ja, ik weet het. Ik kan altijd bellen.'

'Onthoud wat we gezegd hebben, weet je nog? Zelfs als je het maar een halve dag volhoudt, is dat al een overwinning. Toch?'

'Mam gaat ook weer aan het werk. De hele dag.'

'Omdat ze in jou gelooft. Maar als je haar nodig hebt, komt ze naar huis. Ik voorspel je dat dat niet nodig zal zijn. En je weet dat ik altijd gelijk heb.' In zijn stem klinkt een glimlach door.

Ik grinnik en haal mijn neus op. Droog mijn tranen nog maar eens. 'Goed. Het zal wel. Ik moet ervandoor.'

'Jij gaat het fantastisch doen.'

'Dat hoop ik.'

'Dat weet ik. En vergeet niet wat we gezegd hebben: als het echt niet gaat, kun je na dit semester immers altijd nog switchen. Dat zijn, hoeveel zullen het er zijn: vijfenzeventig dagen of zo?'

'Drieëntachtig,' zeg ik.

'Zie je? Fluitje van een cent. Je kunt het. Bel me.'

'Doe ik.'

Ik druk hem weg en pak mijn rugtas. Ik sta op het punt om de kamer te verlaten, maar stop. Er mist nog iets. Ik reik naar de bovenste lade van mijn dressoir en rommel er even in, tot ik vind wat ik zoek. Ik haal het eruit en kijk ernaar, voor de honderdduizendste keer.

Het is een foto van Nick en mij bij Blue Lake, genomen op de laatste dag van ons tweede schooljaar. Hij heeft een biertje in zijn hand en ik moet zo verschrikkelijk lachen dat je zou zweren dat je mijn amandelen op de foto kunt zien, als je goed kijkt. We zitten op een groot rotsblok aan de oever van het meer. Volgens mij is het Mason die de foto heeft gemaakt. Ik weet werkelijk niet meer waarom ik zo vreselijk moest lachen, hoe vaak ik 's nachts ook geprobeerd heb om me dat weer voor de geest te halen.

We zien er gelukkig uit. En dat waren we ook, wat je ook van de e-mails, de zelfmoordbrieven en de Hate List wilt denken. We waren gelukkig.

Ik beroer met mijn vinger het in dat verstilde beeld gevangen gezicht van Nick. Nog altijd hoor ik heel duidelijk zijn stem. Nog altijd kan ik horen hoe hij me verkering vraagt op die ernstige Nick-toon van hem: vrijpostig, boos, romantisch en verlegen tegelijk.

'Val,' zei hij, terwijl hij zich van het rotsblok af liet glijden en bukte voor zijn bierflesje. Hij raapte met zijn vrije hand een gladde steen op en keilde die over het meer. Hij stuiterde een, twee, driemaal voordat hij onder water verdween. Ergens uit de bossen, vlakbij, klonk Staceys klaterende lach. Duce lachte met haar mee. De avond viel en links van me kwaakte een kikker. 'Denk jij er weleens aan om alles gewoon achter je te laten?'

Ik trok mijn hielen op de rots en sloeg mijn armen om mijn knieën. Ik moest denken aan de ruzie tussen pap en mam, de avond ervoor. Aan het geluid van mams stem dat vanuit de woonkamer de trap op gezweefd was, de woorden onverstaanbaar maar vol venijn. Aan pap die rond middernacht het huis verlaten had, de voordeur zachtjes achter zich dichttrekkend. 'Weglopen, bedoel je? Zeker wel.'

Nick zweeg een tijdlang. Hij raapte weer een steen op die hij over het meer keilde. Die stuiterde tweemaal voor hij onderging. 'Dat,' zei hij. 'Of gewoon van een klif rijden, weet je wel, zonder om te kijken.'

Ik staarde naar de ondergaande zon en dacht daar even over na. 'Ja,' zei ik toen. 'Dat doet iedereen weleens. Helemaal *Thelma en Louise.*'

Hij keerde zich half om, lachte zo'n beetje, nam een laatste slok bier en liet het flesje op de grond vallen. 'Nooit gezien,' zei hij. En direct daarop: 'Weet je nog dat we in de brugklas bij Engels *Romeo en Julia* lazen?'

'Ja.'

Hij boog zich naar me toe. 'Zouden wij zo kunnen zijn, denk je?'

Ik trok mijn neus op. 'Weet niet. Denk het wel. Vast.'

Hij draaide zich weer om en keek uit over het meer. 'Ja, wij wel. Dat zouden wij echt kunnen. Onze manier van denken is hetzelfde.'

Ik ging staan en wreef zacht over de achterzijde van mijn dijen die verdoofd waren van het ruwe oppervlak van de rots. 'Vraag je me nou of ik jouw vriendin wil zijn?'

Hij keerde zich naar me toe, bukte zich, greep me bij mijn middel en tilde me op. Mijn voeten bungelden in de lucht en ik kon het niet helpen – ik gilde, een kreet die overging in gegiechel. Hij kuste me. Mijn lichaam tegen het zijne leek onder stroom te staan en tintelde tot aan mijn voetzolen. Het was of ik hier altijd op had gewacht. 'Zou je nee zeggen, als ik dat deed?' vroeg hij.

'Wat dacht je, Romeo!? Natuurlijk niet,' zei ik. Ik kuste hem terug.

'Dan vraag ik het je, Julia,' zei hij, en ik ben ervan overtuigd dat ik het hem opnieuw hoor zeggen op het moment dat ik zijn gezicht op de foto aanraak. Dat ik zijn aanwezigheid kan voelen, naast me, in de kamer. In mei is hij in de ogen van iedereen een monster geworden, maar voor mij is hij nog altijd de jongen die me van de grond tilde, me kuste en me Julia noemde.

Ik stop de foto in mijn achterzak. 'Drieëntachtig; aftellen maar,' zeg ik hardop, voor ik diep inadem en naar beneden loop.

○ ○ ○

2 mei 2008
06:32 uur
'Zie je in de aula?'

○ ○ ○

Mijn mobiel rinkelde en ik greep hem voordat mam of Frankie of, dat wilde ik al helemaal niet, pap het hoorde. Het was nog vroeg, buiten begon het net te schemeren; een van die ochtenden waarop het moeilijk is om op te staan. De zomervakantie stond voor de deur; drie maanden uitslapen, zonder me druk te maken om Garvin High. Niet dat ik een hekel aan school had of zo, maar Christy Bruter deed zoals gewoonlijk oerververvelend in de bus en ik stond een 4 voor natuurkunde omdat ik vergeten was te leren voor een mondeling. Toetsen waren echt een ramp dit jaar.

Nick was nogal stil geweest de laatste tijd. De afgelopen twee dagen was hij niet op school verschenen en hij had me gisteren de hele dag ge-sms't en allerlei vragen gesteld over 'die etterbakken in de mentorklas' of 'die dikke zeugen bij gymnastiek' of 'die zak van een McNeal'.

Hij ging de laatste maand veel met ene Jeremy om en leek steeds afstandelijker te worden. Ik was bang dat hij het uit zou maken en speelde het spelletje maar een beetje mee. Ik deed net of ik het niet erg vond dat we elkaar nauwelijks meer zagen. Ik wilde geen druk op hem leggen. Hij was opvliegend de laatste tijd en ik had geen zin in ruzie. Ik vroeg hem niets over wat hij allemaal uitspookte op de dagen dat hij er niet was en had hem dus maar gewoon terug ge-sms't: *Die etters? @ nask in vloeibare stikstof dompelen* en *Ik haat die bitches* en *McNeal heeft mazzel dat ik geen gun heb.*

Dat laatste zou me nog nagedragen worden later. Dat gold eigenlijk voor al die sms'jes wel, maar dat laatste… lange tijd werd ik nog misselijk als ik eraan dacht. Dat sms'je was ook de aanleiding voor een drie uur durend gesprek met een rechercheur en maakte dat mijn vader heel anders naar me ging kijken, alsof er diep in me een of ander monster huisde en hij dat heus wel in de gaten had.

Jeremy was ouder dan wij – eenentwintig, zoiets – en had een paar jaar geleden examen gedaan op Garvin. Hij was niet aan een vervolgopleiding begonnen en had geen werk. Voor zover ik wist voerde hij geen klap uit. Hij sloeg zijn vriendin en zat de hele dag tekenfilms te kijken en jointjes te roken. Tot hij Nick ontmoette. Vanaf dat moment keek hij geen tekenfilms meer, rookte zijn joints samen met Nick en sloeg zijn vriendin alleen nog op de avonden dat hij niet bij Nick in de garage aan het drummen was, te stoned om nog te beseffen dat ze überhaupt bestond. De paar keren dat ik er tegelijk met Jeremy was,

was Nick heel anders; iemand die ik helemaal niet kende. Ik heb lang gedacht dat ik Nick misschien wel nooit echt gekend heb. Misschien zag ik Nick helemaal niet zoals hij werkelijk was als we samen tv keken of wanneer we aan het zwemmen waren en elkaar lachend in het water duwden. Misschien werd de echte Nick pas zichtbaar als Jeremy er was – een harde, egocentrische Nick.

Ik hoorde weleens iets over vrouwen die helemaal verblind zijn, die de signalen dat hun man in werkelijkheid een monster of een smeerlap is, negeren. Maar dat gold niet voor mij, dat liet ik me door geen mens aanpraten. Als Nick en ik alleen waren, zonder Jeremy, en ik in zijn ogen keek... dan wist ik wat ik zag en wat ik zag was goed. Hij was goed. Hij had een bizar gevoel voor humor, wij allemaal, maar daar meenden we niks van. Soms denk ik dan ook dat het misschien Jeremy is geweest die het idee in zijn hoofd plantte om op school een bloedbad aan te richten. Niet ik. Jeremy. Hij was de boosdoener. Hij.

Ik nam op en dook met mijn mobiel onder de dekens waar ik langzaam wende aan de gedachte dat ik weer een nieuwe schooldag voor de boeg had.

'Jo!'

'Hé, schatje.' Nicks stem. Iel, bijna breekbaar. Vast omdat het nog zo vroeg is, dacht ik, en Nick kwam de laatste tijd bijna nooit meer vroeg uit bed.

'Hé!' fluisterde ik. 'Ga jij voor de verandering weer eens naar school vandaag?'

Hij grinnikte. Klonk opgetogen. 'Yep. Jeremy brengt me met de auto.'

Ik ging rechtop zitten. 'Cool. Stacey vroeg gisteren nog naar je. Had jou en Jeremy zien rijden richting Blue Lake, zei ze.' De onuitgesproken vraag liet ik in de lucht hangen.

'Klopt.' Ik hoorde zijn aansteker klikken en een vloeitje ritselen. Hij inhaleerde. 'We moesten daar wat doen.'

'Zoals?'

Hij gaf geen antwoord. Er was alleen het geluid van knisperend vloeipapier en zijn regelmatige inhaleren.

Ik voelde teleurstelling. Hij ging het me niet vertellen. Ik haatte de manier waarop hij zich gedroeg. Eerder had hij nooit geheimen voor me. We praatten over alles, ook over de moeilijke dingen zoals de huwelijken van onze ouders, de pesterijen op school en hoe waardeloos we ons soms voelden. Minder dan waardeloos, eigenlijk.

Bijna had ik hem gepusht, hem gezegd dat ik het weten wilde, dat ik het verdiende om het te weten, maar ik besloot toch maar een ander onderwerp aan te snijden. Als ik hem eindelijk weer eens zou zien, wilde ik die tijd niet verdoen met ruziemaken. 'Hé, ik heb nog wat namen voor op de lijst,' zei ik.

'Wie?'

Ik wreef met mijn vingertoppen in mijn ooghoeken. 'Mensen die constant "sorry" zeggen. Fastfoodreclames. En Jessica Campbell.' *Jeremy*, had ik er bijna aan toegevoegd, maar ik hield wijselijk mijn mond.

'Die magere blonde, die met Jake Diehl gaat?'

'Mm, maar Jake is wel oké. Een beetje een uitslover, maar lang niet zo'n stuk vreten als zij. Gisteren bij gym zat ik wat voor me uit te staren. Ik was er niet helemaal bij met mijn hoofd. In haar richting, blijkbaar. Ineens keek ze me aan en zei, met zo'n grijns op haar gezicht: "Wat heb jij dan, Dooie Dame?" Ze rolde met haar ogen. "Heb ik iets van je aan, of zo?" zei ze. En ik: "Geloof me, het interesseert me niks wat jij aanhebt." Zij weer: "Moet jij niet naar een begrafenis, ergens?" en die stomme vriendinnen van haar begonnen te lachen, alsof ze heel erg grappig was. Het is zo'n ongelofelijke bitch.'

'Ja, klopt.' Hij kuchte. Ik hoorde papier ritselen en zag voor me hoe hij, zittend op het bed, in het rode schrijfblok van ons beiden aantekeningen maakte. 'Al die blonde wijven moeten dood.'

Ik lachte. Het was grappig. Ik was het met hem eens. Dat zei ik in elk geval. En ja, dat vond ik ook echt. Ik voelde me helemaal geen vreselijk mens, voor mij waren zíj dat, en ik lachte. Ze verdienden het.

'Ja. Voor mijn part verongelukken ze, onder die dikke BMW's van hun ouders,' zei ik.

'Ik zet die Chelle ook op de lijst.'

'Goeie. Die blijft maar zeiken over dat ze gaat studeren straks. Dat kind heeft echt een probleem.'

'Klopt. Mooi.'

We zeiden een minuutje niets. Geen idee wat Nick op dat moment dacht. Zijn zwijgen legde ik uit als een soort onuitgesproken overeenkomst tussen ons tweeën, alsof we met elkaar communiceerden op een golflengte die geen stem nodig heeft. Inmiddels weet ik dat dat 'inlegkunde' is, zoals dokter Hieler het noemt. Mensen doen dat voortdurend: ze denken dat ze wel weten wat zich in het hoofd van een ander afspeelt. Maar dat kan helemaal niet. Wie denkt dat hij dat wel kan, maakt een vergissing. Een enorme vergissing. Eentje die verwoestende gevolgen kan hebben, als je pech hebt.

Ik hoorde wat gemompel op de achtergrond. 'Ik ga hangen,' zei Nick. 'We moeten Jeremy's kleine naar de opvang brengen. Zijn vriendin doet moeilijk. Zie je in de aula?'

'Tuurlijk. Ik vraag Stacey een stoel bezet te houden.'

'Cool.'

'Hou van je.'

'Ik van jou, schatje.'

Ik drukte hem weg en glimlachte. Misschien was wat hem dwarszat opgelost. Misschien begon hij genoeg te krijgen van Jeremy, van Jeremy's kind, Jeremy's tekenfilms en Jeremy's wiet. Misschien lukte het me om hem over te halen de lunch op school over te slaan en samen naar Caseys te wandelen, de snelweg over, voor een broodje. Alleen wij tweeën. Net als eerst. Ergens op de betonnen elementen in de middenberm een plekje zoeken, met onze schouders tegen elkaar, onze voeten zwaaiend in de lucht, de stukjes ui tussen onze broodjes vandaan plukken en elkaar eindeloos onbelangrijke vragen over muziek stellen.

Ik sprong onder de douche zonder de moeite te nemen het licht aan te doen en stond in een wolk van stoom in het donker, hopend dat Nick vandaag een verrassing voor me mee zou nemen. Daar was hij behoorlijk goed in; hij kon op school komen met een roos die hij bij een benzinestation had gekocht of tussen twee lesuren in stiekem een reep chocolade in mijn kluisje stoppen. Of hij legde een briefje in mijn agenda, als ik even niet keek. Nick kon, als hij wilde, heel romantisch zijn.

Ik stapte onder de douche vandaan en droogde me af. Ik besteedde extra aandacht aan mijn haar en mijn eyeliner en trok een versleten zwart denim rokje aan met mijn favoriete zwart-wit gestreepte legging eronder, die met het gat op de knie. Ik propte mijn voeten in een paar sokken en gympen en greep mijn rugtas.

Mijn broertje Frankie zat aan de keukentafel cruesli te eten.

Hij had zijn haar rechtovereind staan en zag eruit als een van die kids uit een RedBull-reclame: zo'n perfect gekapt skatertje. Frankie was veertien en constant met zichzelf bezig. Hij zag zichzelf als een of andere modegoeroe en kleedde zich alsof hij zo uit een catalogus was gestapt. We konden goed met elkaar opschieten, ook al gingen we met heel andere mensen om en hadden we een heel ander idee over wat cool was. Hij kon best irritant zijn, maar meestal was het een heel aardig joch.

Naast hem lag een geschiedenisboek op tafel en hij maakte driftig aantekeningen in een schrijfblok, zich alleen een moment rust gunnend om een hap cruesli naar binnen te schuiven.

'Heb je een opname voor een gel-reclame vandaag?' vroeg ik, met mijn heup zijn stoel een duw gevend.

'Wat?' zei hij, met een hand over de stekels op zijn hoofd strijkend. 'De dames zijn hier helemaal wild van.'

Ik rolde met mijn ogen en glimlachte. 'Ja, dat zal. Is pap al weg?'

Hij nam nog een hap en schreef verder. 'Ja,' zei hij met volle mond. 'Die is een paar minuten geleden weggegaan.'

Ik graaide een wafel uit de vriezer en stopte die in de toaster. 'Ik begrijp het al. Je was gisteravond natuurlijk veel te druk met die dames om je huiswerk te doen,' plaagde ik, over de tafel leunend om te zien wat hij aan het schrijven was. 'Hoe dachten de vrouwen... tijdens de burgeroorlog... eigenlijk over overmatig gebruik van gel?'

'Schei uit,' zei hij, mij een stoot met zijn elleboog gevend. 'Ik heb tot middernacht met Tina gekletst. Dit moet echt af. Mam wordt gek als ik weer een onvoldoende voor geschiedenis krijg. Dan ben ik geheid mijn mobiel kwijt.'

'Oké, oké,' zei ik. 'Ik laat je met rust. Ik wil voor geen

goud tussen jou en die telefoonromance met Tina komen.'
De wafel plopte uit de toaster en ik greep hem. Ik nam
een hap, zonder er iets op te smeren. 'Over mam gesproken: brengt zij jou vandaag weer met de auto?'
Hij knikte. Mam zette Frankie iedere dag, onderweg naar
haar werk, af bij school. Daardoor had hij 's morgens een
paar minuten extra. Dat leek mij op zich ook wel wat,
maar dan zou ik iedere dag, op een paar decimeters bij
haar vandaan, moeten luisteren naar de klaagzang van
mijn moeder over mijn haar dat zo 'vreselijk' zat en mijn
rok die 'veel te kort' was, of 'waarom een mooi meisje
als jij haar uiterlijk zo bederft met al die make-up en dat
geverfde haar'. Nee, dan stond ik 's ochtends liever op de
stoep op een bus vol sportfanaten te wachten. En dat wil
veel zeggen.
Ik keek naar de klok boven het fornuis. De bus kwam
over een paar minuten. Ik hees de rugtas op mijn schouder en nam vlug nog een hap van mijn wafel.
'Ik ben ervandoor,' zei ik, en liep naar de deur. 'Succes
met je huiswerk.'
'Zie je,' gilde hij, terwijl ik op de veranda stapte en de deur
achter me sloot.
Het was fris, frisser dan anders. Het leek wel of de winter
in aantocht was in plaats van de lente. Alsof deze dag de
warmste was van de dagen die zouden komen.

2

Uit de *Garvin County Sun-Tribune,* 3 mei 2008
door Angela Dash

Christy Bruter (16) – Christy, aanvoerder van het softbalteam van Garvin High, was het eerste slachtoffer en het heeft er alle schijn van dat ze een bewust gekozen doelwit was. 'Hij stootte tegen haar schouder,' vertelt Amy Bruter, moeder van het slachtoffer. 'Verscheidene meiden die erbij waren hebben ons verteld dat Christy zich omdraaide en dat hij zei: "Jij staat al heel lang op de lijst." Ze vroeg: "Welke lijst?" Daarop schoot hij haar neer.' Christy werd in de maagstreek geraakt. Artsen laten weten dat Christy 'enorm veel geluk heeft gehad dat ze nog leeft'. Onderzoekers bevestigen dat Christy inderdaad de eerste was van de honderden namen op de inmiddels beruchte Hate List, een rood schrijfblok met een spiraal dat enkele uren na de schietpartij in Nick Levils huis gevonden en in beslag genomen is.

'Ben je zenuwachtig?'
Ik pulk aan een stukje rubber dat loslaat van mijn zool en haal mijn schouders op. Er gieren zo veel emoties door mijn lijf dat ik bang ben dat ik zo meteen de hele straat bij elkaar zal gillen. Maar om de een of andere vage reden haal ik alleen maar mijn schouders op. Nu ik erover

34

nadenk is dat maar goed ook. Mam houdt me vanochtend nauwlettend in de gaten, meer dan anders. Eén verkeerde zet en ze rent meteen naar dokter Hieler en blaast het enorm op, zoals ze dat ook altijd doet wanneer we Het Gesprek weer hebben.

Dokter Hieler en ik hebben Het Gesprek minstens een keer per week, sinds mei. Dat verloopt telkens ongeveer hetzelfde.

Hij vraagt: 'Loop jij nog een risico?'

'Ik sta niet op het punt mezelf van kant te maken, als dat is wat u bedoelt,' is dan mijn antwoord.

'Dat is wat ik bedoel,' zegt hij dan.

'Nou, dat ben ik dus echt niet van plan. Ze spoort niet,' reageer ik vervolgens.

'Ze maakt zich alleen maar zorgen om je,' zegt hij dan waarna we, tot opluchting van ons beiden, het over andere zaken kunnen hebben.

Maar wanneer ik thuiskom, lig ik er later op mijn bed over na te denken. Over dat zelfmoordgedoe. Loop ik echt geen risico? Is er misschien toch een periode geweest waarin ik wel degelijk suïcidaal was, zonder dat ik dat zelf in de gaten had? Dan lig ik me, terwijl het langzaam donker wordt in mijn kamer, zeker een uur lang af te vragen wat er in vredesnaam met me is gebeurd dat ik niet eens meer weet wie ik ben. Wie ben je: een gemakkelijker vraag is er bijna niet, toch? Maar niet voor mij, al heel lang niet. Misschien is het dat ook nooit geweest.

In mijn wereld, waarin ouders een hekel aan elkaar hebben en school een slagveld is, vind ik het vaak knap waardeloos om 'mij' te zijn. Nick bood me een uitweg. Hij was de enige die het begreep. Het was heerlijk om deel uit te maken van een 'ons', om bij iemand te zijn die hetzelfde dacht, dezelfde gevoelens kende, dezelfde ellende. Maar nu is de andere helft van dat 'ons' er niet meer en lig ik vaak op bed in mijn halfduistere kamer, doordrongen van het besef dat ik geen idee heb hoe ik weer gewoon mezelf moet zijn.

Dan rol ik me op mijn zij, staar naar de donkere schaduwen van de paarden op het behang en wens weer dat ze er in galop vandoor gaan, me meenemen zodat ik nergens meer over na hoef te denken. Want niet weten wie je bent doet te veel pijn. En één ding weet ik wel: ik ben doodmoe van de pijn.

Mam buigt zich van achter het stuur naar me toe en klopt me op mijn knie. 'Als je me vandaag nodig hebt, dan ben ik één belletje bij je vandaan. Oké?'

Ik geef geen antwoord. De brok in mijn keel is te groot. Het lijkt zo onwerkelijk; nog even en ik loop weer door die vertrouwde gangen met de gasten die ik zo goed ken maar die tegelijkertijd volslagen vreemden zijn. Schoolgenoten zoals Allen Moon, die ik recht in een camera heb horen zeggen: 'Ik hoop dat ze Valerie levenslang opsluiten voor wat ze heeft gedaan,' en Carmen Chairro, van wie ik een uitspraak in een tijdschrift las: 'Ik heb geen idee waarom mijn naam op die lijst stond. Ik had nog nooit van Nick of Valerie gehoord, tot die dag.'

Het zou kunnen dat ze Nick niet kende. In zijn eerste jaar op Garvin was hij een onopvallend, mager joch, slecht gekleed en met een wilde bos onverzorgd haar. Maar Carmen en ik hebben bij elkaar op de lagere school gezeten. Ze loog alsof het gedrukt stond toen ze zei dat ze mij niet kende. Daarbij komt nog: in het tweede jaar is ze heel dik geweest met Mister Quarterback Chris Summers, die een hekel had aan Nick en geen kans onbenut liet om hem het leven zuur te maken; telkens wanneer hij Nick door de mangel haalde hadden Chris' vrienden de grootste lol. Dat Carmen Nick niet kende vind ik heel erg onwaarschijnlijk. Zouden Carmen en Allen er vandaag zijn? Wisten ze dat ik kwam? Zouden ze hopen dat ik niet kwam opdagen?

'En je hebt het nummer van dokter Hieler,' zegt mam, met opnieuw een klopje op mijn knie.

Ik knik. 'Heb ik.'

We rijden Oak Street in. Ik kan de weg dromen. Rechts, Oak Street in, links bij Starling, rechts de parkeerplaats op. Garvin High recht voor je. Kan niet missen.

Toch ziet het er anders uit, vanochtend. Garvin High zal nooit meer de spannende en indrukwekkende uitwerking op me hebben als in het eerste jaar. Nooit meer zal ik de school in verband brengen met onstuitbare verliefdheden, met euforie, lachen, goede prestaties. Geen van de dingen die de meeste mensen te binnen schieten als ze terugdenken aan hun middelbare school. Ook dat heeft Nick ons op die dag afgenomen, ons allemaal. Hij stal niet alleen onze onschuld en ons gevoel van veiligheid: hij heeft ons ook van herinneringen beroofd.

'Je redt het wel,' zegt mam. Ik keer mijn hoofd naar het raampje en kijk. Ik zie Delaney Peters bij het footballveld lopen, haar arm door die van Sam Hall. Ik wist niet dat die twee iets hadden en krijg ineens het gevoel dat ik niet een zomer maar een heel leven heb overgeslagen. Was alles normaal geweest, dan had ik de zomer aan het meer doorgebracht; dan had ik rondgehangen bij de bowling, een pompstation of een hamburgertent, waar ik op de hoogte was gebleven van de laatste roddels en alles over nieuwe liefdes had gehoord. Maar ik heb me opgesloten in mijn slaapkamer, doodsbang en al misselijk bij de gedachte om met mijn moeder boodschappen te gaan doen. 'Dokter Hieler denkt dat je je met vlag en wimpel door deze dag heen zult slaan.'

'Weet ik,' zeg ik. Ik buig me naar voren en mijn maag krimpt ineen. Op de tribune zitten, als altijd, Stacey en Duce, samen met Mason, David, Liz en Rebecca. Daar zat ik ook altijd. Bij hen. Met Nick. Roosters te vergelijken, te zaniken over de leraar die we voor het mentoruur zouden hebben, te praten over een gaaf feest waar we met zijn allen naartoe wilden. Mijn handen worden vochtig. Stacey lacht om iets wat Duce zegt en ik voel me nog meer een buitenstaander. We draaien de oprit op en ik zie meteen de twee politie-auto's staan op de parkeerplaats naast de school. Ik moet een geluid hebben gemaakt of een raar gezicht hebben getrokken, want mam zegt: 'Dat is standaard nu. Beveiliging. Omdat... nou ja, je weet wel. Ze willen voorkomen dat iemand nog een keer zoiets uithaalt. Ook voor jouw veiligheid, Valerie.'

Mam rijdt de afzetstrook op en stopt. Haar handen vallen van het stuurwiel in haar schoot en ze kijkt me aan. Haar mondhoeken trillen een beetje en ze pulkt gedachteloos aan een velletje bij haar nagel. Ik probeer er geen aandacht aan te besteden. Om haar wat gerust te stellen glimlach ik flauwtjes.

'Dan pik ik je hier om tien voor drie weer op,' zegt ze. 'Ik wacht op je.'

'Het komt wel goed,' zeg ik met een dun stemmetje. Ik trek aan de deurhendel. Mijn handen lijken niet de kracht te hebben om er beweging in te krijgen maar hij geeft toch mee, wat me tegenvalt omdat het betekent dat ik de auto uit moet.

'Doe morgen anders wat lipstick op of zo,' zegt mam, terwijl ik uitstap. Wat is dat nou voor een opmerking, denk ik, maar ik tuit toch mijn lippen, uit gewoonte. Ik sluit het portier en wuif slapjes. Mam zwaait terug en kijkt me na, tot de auto achter haar begint te toeteren omdat ze door moet rijden.

Even sta ik roerloos op de stoep, er niet zeker van of ik dat gebouw wel binnen kan gaan. Mijn dij doet pijn en mijn hoofd bonkt. Maar om me heen doet iedereen volstrekt normaal. Er lopen een paar tweedejaars langs, opgewekt kletsend over een komend schoolfeest. Een meisje giechelt omdat haar vriendje haar met een vinger in haar zij prikt. Leraren sporen leerlingen aan om voort te maken en op tijd in de les te zijn. Alles is precies zoals ik het me herinner. Heel vreemd.

Ik maak aanstalten om naar school te lopen, maar verstijf. Achter me klinkt een stem.

'Nee! Het is niet waar!' Het lijkt of iemand precies op dat moment de volumeknop van de rest van de wereld dichtdraait. Ik keer me om en kijk. Daar staan Stacey en Duce, hand in hand. Staceys mond hangt open, die van Duce is tot een smalle streep geperst. 'Val?' vraagt Stacey, niet omdat ze eraan twijfelt dat ik het ben maar alsof ze niet kan geloven dat ze me hier ziet.

'Hi,' zeg ik.

David komt van achter Stacey op me af en omhelst me stijfjes; hij laat snel los en voegt zich weer bij het groepje, zijn ogen op de grond vlak voor zijn voeten gericht.

'Ik wist niet dat je vandaag terug zou komen,' zegt Stacey. Ze blikt opzij, peilt de uitdrukking op Duces gezicht, en het valt me op dat ze op dat moment een kopie van hem wordt. Haar grijns krijgt iets hooghartigs, wat haar gezicht een heel onprettige uitdrukking geeft.

Ik haal mijn schouders op. Stacey en ik zijn al weet ik hoelang vriendinnen. We houden van dezelfde films, hebben dezelfde kledingmaat en dragen dezelfde kleren, verkondigen dezelfde leugentjes. Iedere zomer waren we hele perioden vrijwel onafscheidelijk.

Maar er is een groot verschil tussen Stacey en mij. Stacey heeft geen vijanden, waarschijnlijk omdat ze het iedereen altijd naar de zin wil maken. Ze is enorm kneedbaar: je vertelt haar wie ze moet zijn en ze wordt het, zo eenvoudig is het. Ze hoort zeker niet bij de populairsten, maar ze is ook geen loser zoals ik. Ze heeft er altijd zo'n beetje tussenin gezeten, veilig onder de radar.

Na 'het incident', zoals mijn vader het bij voorkeur noemt, heeft Stacey me twee keer opgezocht. Een keer in het ziekenhuis, voordat ik met wie dan ook wilde praten. En een keer thuis, na mijn ontslag, waar ik Frankie heb gevraagd om tegen haar te zeggen dat ik sliep. Daarna heeft ze niet meer geprobeerd om contact te maken en ik heb het er ook bij gelaten. Ik denk dat ik ergens vond dat ik geen vrienden meer verdiende. Dat zij een betere vriendin verdiende dan ik.

Ik heb op een bepaalde manier wel medelijden met haar. Ik kan het bijna van haar gezicht aflezen – het verlangen om terug te gaan naar hoe het was voor de schietpartij en haar schuldgevoel omdat ze me op afstand houdt – maar ik zie ook dat ze heel goed in de gaten heeft wat het voor haar reputatie betekent als ze mijn vriendin zou blijven. Ik ben schuldig omdat ik van Nick gehouden heb; is zij dan ook schuldig als ze van mij houdt? Wie mijn vriendin wil zijn, neemt een behoorlijk risico: dik kans dat niemand op Garvin nog iets met je te maken wil hebben. Stacey is lang niet sterk genoeg om dat aan te durven.

'Doet je been nog pijn?' vraagt ze.

'Soms,' antwoord ik, ernaar kijkend. 'Ik hoef in elk geval niet met gym mee te doen, dat scheelt. Ik ben wel bang dat ik met dit pootje bij geen enkele les meer op tijd zal zijn.'

'Nog bij Nicks graf geweest?' wil Duce weten. Ik kijk hem onderzoekend aan. Er glanst een hard, minachtend licht in zijn ogen. 'Bij het graf van een van de anderen?'

Stacey geeft hem een elleboogstoot. 'Laat haar met rust. Ze is net terug,' zegt ze zonder veel overtuiging.

'Ja, kom op,' mompelt David. 'Blij dat het goed met je gaat, Val. Wie heb je voor wiskunde?'

Duce onderbreekt hem. 'Wat? Ze kan lopen, toch? Waarom is ze dan bij niemands graf geweest? Ik bedoel: als ik een lijst had gemaakt van de lui die ik om wilde leggen, was ik toch in elk geval wel naar hun graf gegaan.'

'Ik wilde niemand omleggen.' Ik fluister bijna. Duce trekt een wenkbrauw op. 'Hij was ook jouw beste vriend, weet je nog?'

Er valt een stilte en ik zie dat er zich rondom ons inmiddels een aardig groepje nieuwsgierige aagjes verzameld heeft. Ze zijn nieuwsgierig naar de confrontatie, maar ook naar mij, alsof ze nu pas in de gaten hebben wie ik ben. Ze drentelen om ons heen, met elkaar fluisterend, starend. Stacey krijgt het ook in de gaten. Ze schuifelt onrustig wat heen en weer en kijkt vervolgens langs me heen.

'Ik moet naar de les,' zegt ze. 'Blij dat je er weer bent, Val.' Ze loopt al langs me heen, David en Mason en de rest volgen in haar kielzog.

Duce gaat als laatste. Hij bonkt in het langsgaan met zijn schouder tegen me aan en mompelt: 'Ja, geweldig. Echt.'

Ik blijf achter op de stoep en voel me gevangen in een getijdestroom van scholieren die dicht om me heen zwermen en me op hun golfslag heen en weer wiegen zonder dat ik het open water kan bereiken. Ik vraag me af of ik hier niet gewoon tot tien voor drie kan blijven staan, tot mam me weer op komt halen.

Iemand legt een hand op mijn schouder.

'Loop je met mij mee?' zegt een stem bij mijn oor. Ik draai me om en kijk in het gezicht van mevrouw Tate, de decaan. Ze slaat een arm om mijn schouders en voert me mee, moedig de golven kinderen trotserend die fluisterend langs me heen spoelen.

'Ik ben blij je weer te zien,' zegt mevrouw Tate. 'Je zult best een beetje gespannen zijn, denk ik?'

'Een beetje,' zeg ik, meer kan ik niet zeggen omdat ze zo snel loopt dat ik al mijn aandacht bij het lopen moet houden. We vallen de hal binnen voordat de paniek in mijn binnenste de kop kan opsteken en ik voel me bijna beetgenomen. Ik heb toch zeker het recht om paniekerig te zijn als ik na zo lange tijd weer op school kom?

In de hal is het een gekrioel van jewelste. Bij de deur staat een agent die een langwerpige scanner heen en weer beweegt over de jassen en rugtassen van leerlingen. Mevrouw Tate wuift even naar een van hen en leidt me zonder haar pas in te houden langs hem heen.

De gangen zijn leger dan ik me herinner, alsof er een hoop leerlingen ontbreken, maar verder lijkt er niets te zijn veranderd. Scholieren kletsen en gillen, schoenen sloffen over de glimmende tegelvloer, langs de muren galmt de echo van dichtslaande kluisjes in een gang buiten mijn gezichtsveld: *bam! bam! bam!*

Mevrouw Tate weet waar ze heen wil en loopt vastberaden door de gangen. We slaan de hoek om in de richting van de aula. Nu grijpt de paniek me wel naar de keel, even voordat mevrouw Tate me er binnensleept. Ze moet mijn angst voelen, want ze pakt mijn schouder nog wat steviger beet en versnelt haar pas.

De aula – ooit de plaats waar iedereen 's ochtends schouder aan schouder dicht op elkaar zat – is leeg, op de bij elkaar geschoven groepjes tafels en stoelen na. Achterin, op de plek waar Christy Bruter in elkaar is gezakt, staat een mededelingenbord. Langs de bovenrand zijn uit karton gesneden letters bevestigd: IN MEMORIAM, en daaronder hangt een bonte verzameling kaarten, linten, foto's, vlaggetjes en bloemen. Twee meisjes – ik kan op deze afstand niet zien wie – prikken een briefje en een foto op het bord.

'We zouden anders verboden hebben om de aula 's morgens nog te gebruiken,' licht mevrouw Tate toe, alsof ze weet wat er door me heen gaat. 'Uit veiligheidsoverwegingen. Maar het lijkt erop dat niemand hier nog wil zijn. We gebruiken hem alleen nog voor de lunchpauzes.'

We steken de aula over. Ik doe mijn best om de beelden te negeren, om niet te denken aan het gevoel van mijn voeten die wegglibberen in kleverige plassen bloed op de grond. Ik probeer me te concentreren op het geklik van mevrouw Tates zolen op de tegels, probeer me te herinneren hoe het ook weer zat met ademhalen en focussen, al die dingen waar dokter Hieler me zo uitgebreid in heeft gecoacht. Op dit moment ben ik het allemaal even kwijt.

We lopen door de deur aan de andere kant van de aula de gang in waar de administratie zich bevindt, aan de voorzijde van het gebouw. Hier staan nog meer agenten met metaaldetectors langs de kleding van leerlingen te zwaaien.

'Door de veiligheidsmaatregelen komen we 's morgens maar langzaam op gang, helaas,' verzucht mevrouw Tate. 'Maar goed, we voelen ons er wel een stuk veiliger bij.'

Ze duwt me langs de agenten de administratieruimte binnen. De secretaresses kijken met beleefde glimlachjes terug, maar zeggen niets. Ik houd mijn hoofd naar de grond gebogen en volg mevrouw Tate naar haar kantoortje. Ik hoop dat ze me daar een hele poos zal vasthouden.

Het kantoortje van mevrouw Tate is het tegenovergestelde van dat van dokter Hieler. Waar dat van hem heel netjes is, met rijen en rijen boeken langs de wanden, is dat van haar een chaotische verzameling paperassen en leermiddelen, alsof het deels decanaat en deels een opbergkast is. Op bijna ieder beschikbaar oppervlak liggen stapels boeken en overal staan foto's van haar kinderen en haar honden.

Leerlingen komen hier vooral klagen over een leerkracht of om een catalogus van een vervolgopleiding door te bladeren, veel meer gebeurt er niet. Als mevrouw Tate in het onderwijs is gaan werken om hordes tieners met hun problemen te helpen, moet ze inmiddels toch behoorlijk teleurgesteld zijn. Als je teleurgesteld kunt zijn omdat je niet zo veel mensen met problemen tegenkomt, tenminste.

Ze gebaart naar een stoel met een versleten zitting, wringt zich langs een ladekastje en gaat zelf in de stoel achter haar bureau zitten. Het ligt bezaaid met stapels paperassen en gele notitieblaadjes. Ze leunt voorover en legt haar gevouwen handen midden op een vel vetvrij inpakpapier van een of andere snackbar.

'Ik zag je aankomen vanochtend,' zegt ze. 'Ik ben blij dat je er weer bent. Lef, hoor.'

'Ik wil het maar weer proberen,' mompel ik, afwezig over mijn dij wrijvend. 'Ik kan niet beloven dat ik het volhoud.'

Drieëntachtig en aftellen, herhaal ik in gedachten.

'Nou, ik hoop van wel. Je bent een prima leerling,' vindt ze. 'Ah!' roept ze dan, een vinger omhoogstekend. Ze buigt zich opzij en trekt een la van een archiefkast open die schuin achter haar bureau staat. Boven op de kast wankelt een lijst met een foto van een zwart-witte kat die zijn klauw naar iets opgeheven heeft en ik stel me zo voor dat ze die verscheidene keren op een dag weer rechtop moet zetten omdat hij omgevallen is. Ze haalt een bruine map tevoorschijn en legt die open voor zich op het bureau. De la blijft openhangen.

''t Schiet me ineens te binnen. Je opleiding. Ja, jij dacht aan...' Ze slaat een paar pagina's om. 'Kansas State, als ik het me goed herinner.' Ze blijft bladeren, laat dan haar vinger langs een pagina omlaag glijden en zegt: 'Ja. Hier heb ik het. Kansas State en Northwest Missouri State.' Ze sluit de map en glimlacht. 'Ik heb net afgelopen week van beide de toelatingscriteria binnengekregen. Het is een beetje aan de late kant om de procedure nog te beginnen, maar dat zou niet echt een probleem moeten zijn. Je zult misschien een paar gegevens in je schooldossier moeten toelichten, maar... nou ja... je bent nooit vervolgd... je weet wel wat ik bedoel.'

Ik knik. Ik weet waar ze op doelt. Niet dat het nodig is om dat in mijn dossier op te nemen, want ik kan me niet voorstellen dat er iemand in het land is die nog niet van me gehoord heeft. Ik ben alom bekend. Berucht, beter gezegd. 'Ik ben van gedachten veranderd,' zeg ik.

'O. Een andere school? Moet geen probleem zijn. Met jouw cijfers...'

'Nee, ik bedoel dat ik het niet doe. Niet ga studeren.'

Mevrouw Tate buigt zich voorover, haar hand opnieuw op het vloeipapier. Ze fronst haar wenkbrauwen. 'Niet studeren?'

'Precies. Ik wil het niet meer.'

Ze spreekt zacht. 'Luister, Valerie. Ik weet dat je jezelf de schuld geeft van wat er gebeurd is. Ik weet dat je denkt dat jij geen haar beter bent dan hij. Maar dat is niet zo.'

Ik ga rechterop zitten en doe mijn best om te glimlachen. Ik heb geen zin in dit soort gesprekken, vandaag zeker niet. 'Dat hoeft u niet te zeggen, mevrouw Tate, echt niet,' zeg ik. Ik voel in mijn achterzak of de foto van Nick en mij bij Blue Lake daar nog zit. 'Ik bedoel, het gaat verder best goed met me.'

Mevrouw Tate houdt een hand omhoog en kijkt me diep in de ogen. 'Ik heb meer tijd met Nick doorgebracht dan met mijn eigen zoon,' zegt ze. 'Hij was een zoeker. Enorm. Altijd zo boos. Hij was een van die jongeren voor wie het leven altijd een gevecht zal zijn. Hij koesterde zo veel haat, dat vrat aan hem. In feite beheerste het hem.'

Nee, wil ik haar toeschreeuwen. *Nee, zo was hij helemaal niet. Nick was een goeie vent. Ik kan het weten, ik heb het gezien.*

Ineens moet ik denken aan die avond waarop Nick onverwacht bij me op de stoep stond, net na het eten, op het moment dat pap en mam warmdraaiden voor hun dagelijkse uurtje bekvechten. Dat voelde je aankomen: mam smeet onder een kwaaiig en onverstaanbaar gemompel de borden in de vaatwasser; pap beende, hoofdschuddend observerend wat mam aan het doen was, heen en weer tussen de woonkamer en de keuken. De sfeer werd steeds meer gespannen; vermoeiend vond ik het en ik dacht wat ik steeds vaker dacht: kon ik maar naar bed, nu, en dan wakker worden in een ander huis en een ander bestaan. Frankie was al naar zijn eigen kamer gevlucht en ik vroeg me af of hij hetzelfde dacht als ik.

Ik stond net op de trap, op weg naar mijn kamer, toen er aangebeld werd. Door het raam naast de voordeur zag ik Nick staan, wiebelend van de ene op de andere voet.

'Ik doe wel open!' brulde ik in de richting van mijn ouders terwijl ik de trap weer af denderde, maar het gevit was al begonnen en ze hoorden niets.

'Hé,' zei ik, over de drempel stappend. 'Hoe is 't?'

'Hé!' antwoordde hij. Hij stak me een cd toe. 'Ik kom je deze brengen,' zei hij. 'Vanmiddag voor je gebrand. Hier staan alle liedjes op die mij aan jou doen denken.'

'Dat is lief!' zei ik, en las de achterkant van het hoesje, waarop hij met zorg de titels van de liedjes en de namen van de artiesten had getypt. 'Gaaf.'

Aan de andere kant van de deur hoorden we de stem van pap dichterbij komen. 'Weet je, misschien kom ik inderdaad niet naar huis, Jenny. Dat is eigenlijk best een heel erg goed idee,' grauwde hij.

Nick keek naar de deur en ik twijfelde er niet aan dat ik schaamte op zijn gezicht las. En nog iets. Medelijden? Angst? Dezelfde lamlendigheid als die ik voelde, misschien?

'Zullen we 'm smeren?' vroeg hij, de handen in zijn zakken stekend. 'Klinkt niet erg gezellig daarbinnen. Kunnen we beter samen wat rondhangen.'

Ik knikte, opende de deur op een kier en legde de cd op het tafeltje in de hal. Nick pakte mijn hand en leidde me naar de velden achter ons huis. We vonden een vlak plekje en gingen op onze rug in het gras liggen, keken naar de sterren, praatten over... van alles, over alles wat ons bezighield.

'Weet je waarom het tussen ons zo klikt, Val?' vroeg hij na een poosje. 'Omdat wij hetzelfde denken. Alsof we hetzelfde brein hebben. Cool is dat.'

Ik rekte me uit, en haakte mijn been om het zijne. 'Helemaal,' zei ik. 'Bekijk het, ouders. Zoek het uit met die stomme ruzies van jullie. Plof, allemaal. Wie heeft jullie nodig?'

'Ik niet,' zei hij. Hij krabde aan zijn schouder. 'Ik heb heel lang gedacht dat niemand mij begrijpt, maar jij begrijpt me wel.'

'Zeker.' Ik draaide mijn hoofd opzij en zoende hem op zijn schouder. 'En jij begrijpt mij. Het is bijna eng, zo erg lijken we op elkaar.'

'Eng, maar dan goed eng.'

'Ja, goed eng.'

Hij draaide bij, richtte zich leunend op een elleboog op en keek me aan. 'Ik ben blij met ons,' zei hij. 'Weet je, het is het gevoel dat er toch altijd iemand is op wie je kunt rekenen, ook al is de rest van de wereld tegen je. Wij tweeën tegen de rest van de wereld. Jij en ik.'

Destijds was ik zo bezig met de eindeloze ruzies tussen mam en pap dat ik er verder niet bij nadacht en ervan uitging dat we het over hen hadden. Nick kende het, hij wist wat ik meemaakte. Charles, zijn stiefvader, noemde hij zijn 'stief du jour' en over het liefdesleven van zijn moeder sprak hij alsof het één grote grap was. Het kwam simpelweg niet in me op dat hij het weleens letterlijk kon bedoelen: hij en ik tegen... iedereen. 'Ja, jij en ik,' antwoordde ik. 'Jij en ik.'

Ik staar naar de vloerbedekking in mevrouw Tates kantoortje, opnieuw lamgeslagen door de gedachte dat ik Nick misschien nooit echt gekend heb. Dat al dat soulmates-gedoe alleen maar een hoop gewauwel was. Dat ik, als het om mensenkennis gaat, een waardeloze student ben.

Ik voel een brok in mijn keel. Hoe simpel kun je zijn? De schoolgek die huilt om de herinnering aan haar vriendje, de moordenaar. Zelfs ik zou een hekel hebben aan mezelf. Ik slik de brok weg.

Mevrouw Tate leunt achterover in haar stoel en is nog altijd aan het praten. 'Valerie, de wereld ligt aan je voeten. Jij was aan het nadenken over een studie. Je had uitstekende cijfers. Nick heeft nooit een toekomst gehad. Nicks toekomst was... dit.'

Er rolt een traan uit mijn oog. Ik slik en slik, maar het helpt niets. Wat weet zij nou over Nicks toekomst? De toekomst is niet te voorspellen. Als ik had kunnen voorspellen wat er gebeurd is, dan had ik het tegengehouden. Dan was het niet zover gekomen. Maar ik wist het niet. Ik had het wel moeten weten. Dat vreet aan me. Ik had het moeten weten. En nu is er in mijn toekomst geen plaats meer voor een studie. Mijn toekomst is die van Het Meisje Dat Woedend Is Op Iedereen, zoals ik overal bekendsta. Zo stond het in de kranten: Het Meisje Dat Woedend Is Op Iedereen.

Ik wil Tate al die dingen eigenlijk best graag vertellen. Maar het is zo verhipte ingewikkeld allemaal en telkens als ik er weer aan denk klopt mijn been en voel ik een steek in mijn hart. Ik sta op en sla met een nonchalant gebaar de band van mijn rugtas over een schouder. 'Ik moet naar de les,' zeg ik. 'Ik wil niet meteen de eerste dag al te laat komen. Ik zal erover nadenken. Over studeren bedoel ik. Maar ik zei al: ik beloof niks, oké?'

Mevrouw Tate zucht en staat ook op. Ze schuift de lade weer dicht, maar wringt zich niet opnieuw langs het ladekastje.

'Valerie,' begint ze, maar ze aarzelt en lijkt zich te bedenken. 'Probeer er een goede dag van te maken, oké? Ik ben blij dat je er weer bent. En ik houd die toelatingsprocedures wel voor je in de gaten.'

Ik loop naar de deur. Maar vlak voordat ik de deurklink pak, draai ik me om.

'Mevrouw Tate? Is er veel veranderd, hier?' vraag ik. 'Ik bedoel, zijn de mensen anders geworden?' Ik weet niet op welk antwoord ik hoop: *ja, iedereen heeft zijn les wel geleerd en we zijn één grote familie nu*, zoals het in de kranten stond, of: *nee, er zijn nooit pestkoppen geweest, het beeld dat jij had klopte helemaal niet*, zoals er gezegd werd. *Nick was gestoord, jij bent erin getrapt en meer valt er eigenlijk niet over te zeggen. Jullie boosheid had geen reden. Zo veel woede, maar het probleem zat in jullie zelf.*

Mevrouw Tate bijt op haar onderlip en lijkt goed over de vraag na te denken. 'Mensen zijn mensen,' zegt ze ten slotte, haar handen opheffend in een machteloos en verdrietig gebaar.

Dat is wel het laatste antwoord dat ik had willen horen.

○ ○ ○

2 mei 2008
07:10 uur
*'Pas maar op, Christy, straks spreekt ze nog
een vloek over je uit.'*

Frankie had een hekel aan de bus en daarom bracht mam hem naar school. Normaal gesproken vond ik dat nogal bizar. Ik vond die autorit met haar namelijk dodelijk vermoeiend. Maar er waren ochtenden waarop ik achteraf toch liever met mam was meegegaan en haar gezanik had aangehoord, omdat de busrit echt een verschrikking was.

Meestal vond ik ergens midden in de bus wel een stoel waarop ik kon wegkruipen; ik liet me dan helemaal onderuit zakken, plantte mijn knieën tegen de stoel voor me, luisterde naar mijn mp3-speler en deed of ik er niet was.

Maar de laatste tijd was Christy Bruter ongelofelijk aan het zieken. Dat was op zich niet zo veel nieuws en ik kon haar toch al niet uitstaan. Nooit gekund, ook.

Christy was een van die meisjes die alleen maar populair zijn omdat bijna iedereen bang voor hen is. Ze was groot en plomp en had een flinke, uitpuilende buik en monsterlijke dijen waar ze een schedel mee zou kunnen kraken. Dat was heel gek eigenlijk, want ze was ook de aanvoerster van het honkbalteam. Dat heb ik nooit begrepen. Ik kon me niet voorstellen dat Christy Bruter ooit iemand kon kloppen bij een run naar het eerste honk. Toch moet ze dat een paar keer gedaan hebben, denk ik. Of de coach had het lef niet om haar uit het team te zetten. Wie zal het zeggen?

Ik kende Christy al vanaf de kleuterschool, maar ik heb haar nooit gemogen. Dat was trouwens wederzijds. Bij tien-minutengesprekken raadde mijn moeder leerkrachten altijd aan om Christy en mij maar niet in hetzelfde groepje te zetten. 'Iedereen heeft op school wel iemand…' zei mam dan, met een vergoelijkende glimlach. Voor mij was die 'iemand' Christy Bruter.

Op de lagere school noemde Christy me Willem Bever. In groep acht hielp ze het praatje de wereld in dat ik een string droeg, iets wat op die leeftijd belachelijk belangrijk was. Op de middelbare school stoorde ze zich aan mijn kleren en make-up en bedacht ze de bijnaam Dooie Dame, die iedereen zo geweldig grappig vond.

Zij stapte twee haltes na mij in de bus. Dat was meestal in mijn voordeel, omdat het me de gelegenheid gaf om weg te kruipen voordat zij instapte. Niet dat ik bang voor haar was of zo; ik had gewoon geen trek in haar.

Ik zakte onderuit, zo ver dat mijn kruin niet boven de rugleuningen uitkwam, deed mijn oortjes in en schroefde het volume van mijn muziekspeler op. Ik staarde wat uit het raam, dagdromend over hoe heerlijk het zou zijn om vandaag Nicks hand weer vast te houden. Ik kon niet wachten om hem straks weer te zien. Om de kaneelkauwgom in zijn adem te ruiken, in de pauze mijn hoofd in de kromming van zijn arm te nestelen, door hem beschermd te worden, afgesloten van de rest van de wereld. Van Christy Bruter. Van Jeremy. Van mam en pap en die 'discussies' van hen die altijd, altijd, altijd eindigden in een wedstrijd wie het hardst kon schreeuwen en, uiteindelijk, pap die naar buiten sloop, de duisternis in, en een zielig snotterende mam in de kamer achterliet.

De bus stopte bij de eerste halte, en bij de volgende. Ik hield mijn blik op de wereld buiten gericht, keek naar een terriër die driftig snuffelend een vuilniszak bij een oprit onderzocht. Hij kwispelde als een waanzinnige, zijn kop helemaal onder in de vuilniszak. Hoe het beest daar adem kon halen was me een raadsel en ik vroeg me af wat hij gevonden had dat hij zo door het dolle was.

De bus trok weer op en ik zette mijn mp3-speler wat harder; de scholieren die waren ingestapt brachten een hoop kabaal met zich mee. Ik leunde achterover in mijn stoel en sloot mijn ogen.

Iemand stootte tegen mijn arm. Iemand die door het gangpad langs me heen liep, nam ik aan, en ik negeerde het. Ik voelde opnieuw een stoot, harder ditmaal, en het oortje werd uit mijn rechteroor getrokken. Het ding bungelde aan het snoertje in de lucht en sputterde blikkerige muziek.

'Wat gaan we...' zei ik. Ik trok het oortje uit mijn linkeroor, begon het snoer om de mp3-speler te wikkelen, en keek op. Rechts, aan de andere kant van het gangpad, grijnsde Christy Bruter me tegen. 'Vlieg op, Christy.'

Ellen, haar oerlelijke vriendin – de al even manwijverige, roodharige catcher van het Garvin schoolhonkbalteam – lachte, maar Christy keek me alleen maar met grote, onschuldige ogen aan.

'Waar heb je het over, Dooie Dame? Hallucineer jij wel vaker? Slecht aura of zo? Misschien was het de duivel wel, wie weet.'

Ik rolde met mijn ogen. 'Wat jij wilt.' Ik deed mijn oortjes weer in, zakte onderuit en deed mijn ogen dicht. Ik had geen zin in ruzie, die lol gunde ik haar niet.

Op het moment dat de bus de oprit naar Garvin High indraaide, voelde ik opnieuw een beuk tegen mijn schouder, gevolgd door een ruk aan mijn oortjes, veel harder dit keer, waardoor ze met mp3-speler en al over de vloer van de bus vlogen en een eindje verderop onder een stoel belandden. Ik raapte mijn spullen op. Het groene ledlampje aan de zijkant brandde niet meer en het scherm was blanco. Ik zette hem uit en weer aan, maar... niks. Er zat geen leven meer in.

'Hé! Wat is jouw probleem?' vroeg ik, mijn stem luider dan anders.

Ellen, met dat mannenponem van haar, en nog een paar van die lieverdjes die achter hen zaten, gierden van het lachen. Christy speelde weer de vermoorde onschuld.

De deuren sisten open en we stonden op. Dat is een soort instinct, denk ik. Waar je ook mee bezig bent, als de deuren van een bus opengaan, ga je staan. Een van die prettige zekerheden in het leven is dat. Je komt op de wereld, je sterft, en als de deuren van de bus sissen, sta je op.

Christy en ik stonden tegelijk op, centimeters van elkaar verwijderd. Ik rook pannenkoekenstroop. Ze snoof en bekeek me van top tot teen, tergend langzaam.

'Haast? Voor een begrafenis zeker. Dump je Nick voor een of ander oud lijk? O, wacht, Nick *is* een oud lijk.'

Ik hield haar blik vast, en weigerde voor haar aan de kant te gaan. Na al die jaren was het nog altijd niet gedaan met die stomme geintjes van haar. Nog altijd een klein kind. Mam heeft ooit eens gezegd dat Christy er vanzelf wel een keer genoeg van zou krijgen, dat ik haar maar gewoon moest negeren. Maar op een dag als vandaag was dat gemakkelijker gezegd dan gedaan. Ik had helemaal geen zin in dit kinderachtige gedoe, in die stompzinnige rivaliteit van haar, maar ik liet haar niet zomaar mijn spullen slopen. Ik perste me langs haar heen het gangpad in, waar inmiddels volop beweging was. 'Ik weet echt niet wat jouw probleem is...' zei ik. Ik hield de mp3-speler omhoog. 'Maar deze ga je betalen.'

'Ooooh, ik sta te trillen op mijn benen,' zei ze.

Iemand riep: 'Pas maar op, Christy, straks spreekt ze nog een vloek over je uit.' Iedereen lachte.

Ik volgde de rij naar buiten, stapte de stoep op, schoot

achter de bus langs en liep op een drafje naar de tribune bij het sportveld waar Stacey, Duce en David zoals gewoonlijk al rondhingen.

Ik begroette hen, buiten adem en laaiend.

'Hé,' zei Stacey. 'Wat is er? Volgens mij ben jij heel erg pissig.'

'Ja,' bromde ik. 'Moet je eens zien wat Christy Bruter met mijn mp3-speler heeft uitgehaald.'

'O, joh,' zei David, zijn hand uitstekend. Hij probeerde een paar knopjes, deed hem een paar keer aan en uit. 'Misschien kun je 'm nog laten maken?'

'Ik wil 'm niet laten maken,' zei ik. 'Ik wil haar dood. Ah! Ik kan die stomme kop wel van d'r romp trekken. Hier krijgt ze spijt van. Dit zet ik haar betaald.'

'Laat haar stikken,' zei Stacey. 'Die koe. Niemand mag haar.'

Een pikzwarte Chevrolet Camaro scheurde de parkeerplaats op en stopte pal naast het footballveld. Ik herkende Jeremy's auto en mijn hart maakte een sprongetje. Even was de mp3-speler vergeten.

Het portier aan de passagierskant ging open en Nick stapte uit. Hij droeg het zware leren jack dat hij meestal aanhad de laatste tijd, helemaal dichtgeritst tegen de frisse wind.

Ik klauterde boven op de tribune en riep hem.

'Nick!' schreeuwde ik, zwaaiend met mijn armen.

Hij zag me staan, stak met een rukje zijn kin in de lucht en kwam op me toe. Hij bewoog langzaam, weloverwogen.

Ik sprong de tribune af en rende over het veld naar hem toe.

'Hé, liefie!' zei ik, en ik sloeg mijn armen om hem heen. Hij ving me op, hield me zo'n beetje tegen, maar boog zich voorover en kuste me. Hij draaide me een halve slag en sloeg zijn arm om mijn schouders, zoals hij altijd deed. Zijn beschermende arm: dat voelde goed.

'Hé,' zei hij. 'Stelletje lamstralen. Wat doen jullie?' Met zijn vrije hand voerde hij een of ander begroetingsritueel uit met Duce, David kreeg een stomp tegen zijn schouder.

'Waar heb jij uitgehangen?' vroeg David.

Nick trok een grimas en het viel me op hoe anders hij eruitzag. Vol leven, elektrisch geladen bijna.

'Druk geweest,' was Nicks enige commentaar. Zijn ogen flitsten naar de voorzijde van het schoolgebouw. 'Druk geweest,' herhaalde hij, maar zo zacht dat ik ervan overtuigd was dat alleen ik het horen kon. Niet dat hij het tegen ons zei; ik had durven zweren dat hij tegen de school sprak, tegen dat gebouw, tegen de mierenhoop daarbinnen.

Achter ons verscheen meneer Angerson die zijn 'directeursstem' opzette, de stem die wij op feestjes graag nadeden: *Nee, nee, leerlingen van Garvin. Bier is schadelijk voor de hersenen wanneer je in de groei bent. Een goed ontbijt voordat je naar school gaat, dat is belangrijk, leerlingen van Garvin. En, denk eraan, leerlingen van Garvin, zeg 'nee' tegen drugs!*

'Vooruit, leerlingen van Garvin,' zei hij. Stacey en ik gaven elkaar gniffelend een elleboogstoot. 'Genoeg gedraald deze ochtend. De lessen beginnen.'

Duce salueerde en begon in de richting van de school te marcheren. Stacey en David volgden hem lachend. Ik maakte aanstalten om hen achterna te gaan maar bleef staan, tegengehouden door Nicks arm die nog altijd om mijn schouders lag. Ik keek naar hem op. Hij keek nog steeds naar het gebouw, een scheve grijns op zijn gezicht.

'Kom, we gaan. Voordat Angerson een beroerte krijgt,' zei ik, en trok aan Nicks arm. 'Hé, ik zat te denken: zullen we onze lunch vandaag dumpen en een broodje halen bij Caseys?'

Hij gaf geen antwoord en bleef strak naar het gebouw kijken.

'Nick? We moeten gaan,' zei ik opnieuw. Geen reactie. Ik gaf hem een duw met mijn heup. 'Nick?'

Hij knipperde met zijn ogen en keek me aan, nog steeds met die grijns op zijn gezicht, die alerte blik in zijn ogen. Intenser misschien nog dan daarnet. Ik vroeg me af wat hij en Jeremy die ochtend hadden gebruikt. Hij gedroeg zich echt heel vreemd.

'Ja,' zei hij. 'Ja. Een hoop te doen vandaag.'

We kwamen in beweging, onze heupen stootten bij iedere pas tegen elkaar.

'Ik had je mijn mp3-speler willen lenen voor het eerste blok, maar Christy Bruter heeft 'm gemold, in de bus,' zei ik, en hield het apparaatje omhoog. Hij keek er even naar. Zijn grijns werd nog breder. Hij klemde me steviger vast en liep met versnelde pas naar de voordeur.

'Ik wil haar al een hele tijd eens een lesje leren,' zei hij.

'Weet ik. Ik heb zo'n hekel aan haar,' klaagde ik, en perste alle aandacht uit het voorval die ik krijgen kon. 'Geen idee wat haar probleem is.'

'Ik regel het wel.'

Ik glimlachte opgewonden. De mouw van Nicks jas schuurde in mijn nek. Het voelde goed. Echt, op de een of andere manier. Alsof alles in orde was zolang ik die mouw maar in mijn nek voelde, zelfs als hij iets gebruikt had. Nu was Nick in elk geval hier, bij mij, en hij hield me vast en kwam voor me op. Niet voor Jeremy. Voor mij.

We kwamen bij de voordeur, waar Nick uiteindelijk zijn arm van mijn schouders haalde. Een windvlaag joeg langs de halsopening mijn T-shirt binnen, dat aan de voorkant even opbolde. Ik huiverde, en voelde een rilling langs mijn ruggengraat gaan.

'Kom, dan regelen we dit,' zei hij. Ik knikte, en we liepen in de richting van de aula. Mijn ogen zochten Christy Bruter, mijn tanden klapperden.

3

Uit de *Garvin County Sun-Tribune,* 3 mei 2008
door Angela Dash

Jeff Hicks (15) – Volgens sommige leerlingen is het voor een brugklasser als Jeff niet gebruikelijk om door de aula te lopen. 'Wij mijden de aula zo veel mogelijk,' vertelde eersteklasser Marcie Stindler aan een paar verslaggevers. 'De leerlingen uit de bovenbouw vallen ons lastig als we er toch komen. Eersteklassers komen alleen tijdens de middagpauze in de aula, dat is een ongeschreven regel. Elke brugger weet dat.'
Jeff was laat op de ochtend van twee mei en nam de kortste weg om op tijd in de les te zijn. Hij was op de verkeerde tijd op de verkeerde plaats. Jeff kreeg een schot in het achterhoofd en overleed ter plekke. Bij de Garvin County State Bank is een gedenkplaats voor hem ingericht. Volgens de politie is het niet duidelijk of Nick Levil hem kende of dat Jeff bij toeval werd geraakt door een kogel die voor iemand anders bestemd was.

Doordat mevrouw Tate me zo lang heeft opgehouden, mis ik de bel en val ik midden in mevrouw Tennilles openingspraatje het lokaal binnen. Ik weet dat mevrouw Tate me de drukte in de gangen na de eerste bel heeft willen besparen, maar die had ik misschien liever gehad dan de priemende blikken van mijn klasgenoten. In de gang had ik de luwte nog wat op kunnen zoeken.

Ik doe de deur open. Iedereen houdt abrupt op met waar hij mee bezig is. Billy Jenkins laat zijn potlood los, dat van zijn tafel op de grond rolt. Mandy Horns mond valt open en ik denk dat ik haar kaakgewricht hoor kraken. Zelfs mevrouw Tennille stopt met praten en blijft een paar seconden bewegingloos staan.

Ik sta nog op de gang en vraag me gedurende een fractie van een seconde af of het heel erg zou opvallen als ik me omdraaide en ervandoor ging. Weg bij de klas. De school uit. Terug naar huis, naar bed. Tegen mam en dokter Hieler zeggen dat ik 't mis had, dat ik mijn school toch beter met een privéleraar af kan maken. Dat ik minder sterk ben dan ik dacht.

Mevrouw Tennille schraapt haar keel en legt de marker die ze voor het whiteboard gebruikt heeft weg. Ik haal diep adem, schuifel naar haar bureau en geef haar het telaatbriefje dat de secretaresse van Tate me gegeven heeft. 'We zijn net het leerplan voor het komende jaar aan het bespreken,' zegt mevrouw Tennille, terwijl ze het briefje van me aanneemt. Haar gezichtsuitdrukking blijft vlak. 'Ga maar gauw zitten. Als je vragen hebt over wat we al behandeld hebben, moet je na de bel maar even bij me komen.'

Ik blijf een moment staan en peil haar. Ik ben nou niet bepaald een van mevrouw Tennilles favoriete leerlingen geweest. Ik weigerde consequent mee te doen met proefjes en daar deed ze telkens moeilijk over. En ze is heel erg kwaad geweest op Nick, toen hij ergens halverwege de derde periode een keer zogenaamd per ongeluk een reageerbuis in de fik had gestoken. Ze heeft Nick ik weet niet hoe vaak laten nablijven en wanneer ik dan buiten op de stoep stond te wachten tot ze hem liet gaan, bekeek ze me altijd met argusogen.

Wat ze van me denkt, kan ik alleen maar raden. Misschien vindt ze het wel vervelend voor me dat zij het wel had gezien, in Nick, maar ik niet. Misschien wil ze me maar wat graag door elkaar rammelen en schreeuwen: 'Zie je nou wel, dom wicht, ik zei het toch?' Misschien voelt ze alleen maar walging om wat er met meneer Kline gebeurd is.

Misschien haalt ze zich de beelden wel keer op keer voor de geest, net als ik tientallen keren per dag: meneer Kline, de scheikundedocent, die zijn lichaam gebruikt als een levend schild waarachter letterlijk een dozijn kinderen veiligheid zoeken. Hij huilt. Snot loopt uit zijn neus. Hij beeft over heel zijn lichaam. Hij breidt zijn armen uit, zoals Christus dat gedaan heeft, en kijkt Nick aan. Hij schudt met zijn hoofd, onverzettelijk maar doodsbang.

Ik mocht hem graag. Iedereen. Kline was het soort kerel dat komt opdagen bij je diploma-uitreiking. Het soort leraar dat in de supermarkt even tijd neemt voor een praatje – en dan niet van die slappe directeurspraat van meneer Angerson: *goeiemiddag, meisje*, nee, Kline zei dan zoiets als: 'Hé! Hoe is 'ie? Hou je 't nog een beetje droog?' Kline kneep een oogje dicht als hij in de gaten had dat je het voor elkaar had gekregen om in een restaurant ergens een biertje te bestellen. Kline zou zijn leven voor je geven. Dat hebben wij ergens altijd geweten. Nu weet de rest van de wereld het ook.

Dankzij de enorme aandacht voor de schietpartij op tv en de stukken van die irritante verslaggeefster, Angela Dash, in de *Sun-Tribune*, weet zo goed als iedereen op de wereld dat meneer Kline stierf omdat hij weigerde Nick te vertellen waar mevrouw Tennille was. Ik neem aan dat mevrouw Tennille dat dus ook weet. En ik neem aan dat ze daarom naar me kijkt alsof ik een enge besmettelijke ziekte heb waarmee ik nu haar lokaal binnenstap.

Ik keer me om en slof naar een lege plek. Ik probeer mijn blik op de stoel gericht te houden, maar dat lukt niet. Ik slik. Mijn keel lijkt te worden dichtgeknepen. Ik heb het zweet in mijn handen staan en laat mijn schrijfblok vallen. Mijn dijbeen klopt en ik merk dat ik scheef loop. In stilte scheld ik mezelf uit.

Ik kruip achter mijn tafel en kijk op naar mevrouw Tennille. Ze heeft me met haar blik gevolgd en gewacht totdat ik zit. Nu grijpt ze weer naar haar marker, schraapt haar keel en schrijft de rest van haar e-mailadres op het whiteboard. Langzaam keren mijn klasgenoten hun koppen weer naar het bord en krijg ik het gevoel dat ik weer kan ademhalen. *Drieëntachtig*, zing ik in mijn hoofd. *Tweeëntachtig, vandaag niet meegerekend.*

Terwijl Tennille uitlegt hoe we het gemakkelijkst contact met haar kunnen opnemen, concentreer ik me op mijn handen en probeer mijn ademhaling onder controle te krijgen, zoals dokter Hieler me geleerd heeft. Ik bestudeer mijn nagels, die ruw en lelijk zijn. Ik heb al tijdenlang geen enkele moeite gedaan om ze bij te houden en nu maak ik me er ineens druk om. Alle andere meiden hebben zich uitgesloofd zo'n eerste schooldag; ze hebben hun nagels gelakt, hun leukste kleren aangetrokken. Ik heb me amper gewassen. Dat is weer een van die dingen waarin ik zo anders ben dan zij, maar ook zo anders dan ik zelf eerst was, op de een of andere manier.

Ik druk mijn nagels in mijn handpalmen. Ik wil ze verstoppen, bang dat iemand zal zien hoe lelijk ze zijn. Gek, maar ik vind de scherpe sensatie in mijn handpalmen wel rustgevend. Ik leg mijn handen in mijn schoot en bal mijn vuisten zo stijf als ik kan, zodat de nagels zich in mijn vlees boren en ik kan ademhalen zonder dat er een golf van misselijkheid over me heen spoelt.

'Stuur me dus een mailtje als je vragen hebt,' zegt mevrouw Tennille, wijzend naar wat ze op het bord geschreven heeft. Ineens zwijgt ze.

Links van me is rumoer ontstaan. Verscheidene scholieren schuiven onrustig heen en weer, een meisje propt haastig papieren en boeken in een rugtas. Er biggelen dikke tranen over haar wangen en ze hikt, hevig schokkend, in een poging ze binnen te houden.

Een paar meisjes staan over haar heen gebogen, strelen haar over haar rug en sussen haar.

'Wat is er aan de hand?' vraagt mevrouw Tennille. 'Kelsey? Meghan? Waarom zitten jullie niet op je plaats?'

'Ginny,' zegt Meghan, en ze wijst op het huilende meisje, in wie ik nu Ginny Baker herken. In nieuwsberichten heb ik wel gelezen dat ze een heleboel cosmetische ingrepen heeft moeten ondergaan, maar ik heb me niet gerealiseerd dat haar gezicht zo geschonden is.

Mevrouw Tennille legt de wisser in de goot onder aan het bord en vouwt bedachtzaam haar handen. 'Ginny?' vraagt ze, zo zacht dat ik me even afvraag of het haar stem wel is. 'Kan ik iets voor je doen? Wil je even een glaasje water gaan drinken?'

Ginny ritst haar rugtas dicht en staat op. Ze trilt over haar hele lijf.

''t Komt door haar,' zegt ze zonder zich te verroeren. Maar iedereen weet precies om wie het gaat, iedereen keert zich naar mij en kijkt. Zelfs Tennille. Ik buig mijn hals en drijf mijn nagels nog dieper in mijn handpalmen. Ik zuig mijn lippen naar binnen, pers ze op elkaar en bijt, hard. 'Ik kan hier niet zitten zonder te denken aan... aan...' Ginny zuigt een hap lucht naar binnen en blaast die weer uit met een kreet waarin zo veel pijn ligt dat ik de haren in mijn nek voel prikken. 'Waarom hebben ze haar weer toegelaten?'

Ze grijpt haar rugtas, drukt die met beide handen tegen haar buik en wurmt zich bruusk achter haar tafeltje vandaan, waarbij ze Meghan en Kelsey naar achteren duwt.

Mevrouw Tennille zet een paar stappen in haar richting en houdt dan in. Ze knikt en Ginny rent de klas uit, een grimas op haar betraande en verminkte gezicht.

Een minuut lang kun je een speld horen vallen. Ik pers mijn oogleden stijf op elkaar en tel achteruit, beginnend bij vijftig, een van de ontspanningstechnieken die ik heb geleerd. Van mam of van dokter Hieler, dat weet ik niet meer zeker. Het is of ik kerkklokken hoor bonken, pal naast mijn oren, elke zenuw in mijn lijf staat strak. Kan ik niet beter ook maken dat ik wegkom? Naar huis, om nooit meer terug te komen? Moet ik iets zeggen? Wat moet ik doen?

Na wat een eeuwigheid lijkt schraapt mevrouw Tennille haar keel, draait zich om naar het bord en pakt haar stift. Ze is van streek maar ze geeft geen krimp. Die goeie ouwe mevrouw Tennille, zo veel zelfbeheersing. Niet van haar stuk te brengen.

'Zoals ik al zei,' begint ze, en ze gaat verder met haar les. Ik knipper de witte sterretjes die voor mijn ogen dansen weg en probeer op te letten, wat niet eenvoudig is want bijna iedereen kijkt nog naar me.

'Het volgende gedeelte gaat over...'

Opnieuw wordt het onrustig en moet ze stoppen. Ik gluur

naar links, waar een paar klasgenoten een verhitte discussie zijn begonnen.

'Jongelui,' zegt mevrouw Tennille, haar stem nog altijd streng maar zonder veel gezag. 'Mag ik jullie aandacht, alsjeblieft?'

Ze staken hun gesprek, maar het blijft rumoerig.

'Ik wil graag verder, anders lopen we al achter voordat het jaar goed en wel begonnen is.'

Sean McDannon steekt zijn hand op.

'Ja, Sean?' zegt ze, een tikje nerveus.

Sean kucht achter zijn vuist, zoals mannen dat doen wanneer ze in hun stem iets gewichtigs en stoers willen leggen. Hij werpt een blik op mij en wendt zijn blik even vlug weer af.

Sean is oké. Heeft nooit moeilijkheden met iemand. Niemand heeft een hekel aan hem, maar bijzonder geliefd is hij ook niet. Hij is een onopvallend type: op de middelbare school vormt dat soms het verschil tussen met iedereen aardig overweg kunnen of heel erg gepest worden. Voor zover ik weet wordt hij nooit gepest. Hij haalt goede cijfers, is actief in schoolcommissies, doet niets geks en heeft een lief, bescheiden vriendinnetje. Hij woont zes huizen bij mij vandaan en vroeger speelden we regelmatig met elkaar. Vanaf groep zeven hebben we bijna geen woord meer met elkaar gewisseld, maar ruzie is er nooit geweest. Wanneer we elkaar op de gang of bij de bushalte tegenkomen groeten we elkaar. Verder niets.

'Eh, mevrouw Tennille, mevrouw Tate heeft tegen ons gezegd dat we erover moeten praten, over... eh, deze dingen, en...'

'En het is echt niet eerlijk dat Ginny nu weg moet,' zegt Meghan. Waar Sean na die snelle blik bewust niet meer naar mij gekeken heeft, doet Meghan er een schepje bovenop. Ze wendt haar hoofd en kijkt me fel aan. 'Ginny heeft helemaal niets verkeerd gedaan.'

Mevrouw Tennille friemelt met de stift. 'Niemand heeft tegen Ginny gezegd dat ze weg moest gaan, Meghan. En ik denk dat mevrouw Tate bedoeld heeft dat jullie bij haar moeten komen als je wilt praten over...'

'Nee, hoor,' zegt iemand achter me. Het klinkt als de stem van Alex Gold, maar ik zit als verstijfd en het lukt me niet om me om te draaien en te kijken of hij het ook echt is. Mijn nagels klauwen nog steeds in mijn handpalmen en hebben er diepparse groeven in gemaakt. 'Helemaal niet. Die trauma-vent die op school was heeft gezegd dat we ons vrij moeten voelen om erover te praten, wanneer we maar willen. Niet dat ik er nu behoefte aan heb of zo. Ik ben er onderhand wel klaar mee.'

Meghan rolt met haar ogen en werpt een hatelijke blik naar een plek ergens achter mijn rug. 'Nou, fijn voor je. Maar jouw gezicht is niet aan flarden geschoten.'

'Misschien omdat ik Nick Levil nooit pissig heb gemaakt.'

'Oké, zo is het wel genoeg!' zegt mevrouw Tennille, maar het is al te laat. Het loopt uit de hand. 'Misschien moeten we even terug naar het gesprek...'

'Dat van jou ook niet, Meghan,' zegt Susan Craydon, die rechts naast Meghan zit. 'Met jouw gezicht is net zomin iets aan de hand. En je had helemaal niets met Ginny, voor die schietpartij. Het gaat jou alleen maar om de sensatie.'

Daarmee ontstaat er pas echte chaos. Iedereen roept van alles door elkaar, de een nog harder dan de ander, en het is bijna onmogelijk om nog te horen wie wat zegt.

'... alleen maar om de sensatie? Mijn vriendje is dood, ja!'

'... niet dat Valerie zelf de trekker heeft overgehaald, hoor.

Nee, daar had ze Nick voor. En Nick is dood, dus wat maakt het nog uit?'

'Mevrouw Tate zegt dat ruziemaken niks oplost...'

'... al erg genoeg dat ik nog iedere nacht nachtmerries heb, maar om dan op school te komen en...'

'... zeg jij nou dat ik het fijn vind dat Ginny is neergeschoten omdat ik zo van sensatie houd? Zeg je dat nou echt?'

'... aardiger geweest waren tegen Nick, was het misschien helemaal niet gebeurd. Is dat niet waar het allemaal...'

'... mij vraagt, heeft hij zijn verdiende loon. Blij dat 'ie dood is...'

'Wat weet jij nou over vriendschap, sukkel...'

Het is bizar, eigenlijk. Ze zijn er zo druk mee elkaar voor van alles en nog wat uit te maken dat niemand meer aandacht aan mij besteedt. Ik ben vergeten. Mevrouw Tennille is in haar stoel neergezonken en zit achter haar tafel uit het raam te staren, haar vingers strijken langs haar kraag, haar kin trilt.

Als je de reportages op tv mag geloven zitten de scholieren elke dag hand in hand in de aula *Give Peace a Chance* te zingen, maar dit lijkt er niet op. Ze vliegen elkaar naar de strot. Alle rivaliteit van voorheen, de grove grappen, de wrange gevoelens: het is er allemaal nog, onveranderd, woekerend onder de littekens van plastische chirurgie, meelevende knikjes en verfrommelde papieren zakdoekjes.

Eindelijk ontspant mijn nek zich een beetje en lukt het me om om me heen te kijken, echt te kijken, naar schreeuwende en met hun armen zwaaiende klasgenoten. Sommigen huilen. Anderen lachen.

Ik heb het gevoel dat ik iets moet zeggen, maar ik weet niet wat. Als ik zeg dat ik niet degene ben die geschoten heeft, lijkt het of ik me alleen maar wil verdedigen. Iemand troosten slaat nergens op. Wat ik ook doe: alles is te veel. Ik ben hier helemaal niet op voorbereid en vraag me af waarom ik ooit gedacht heb dat ik dat wel was. Ik heb zelf nog zo veel vragen, hoe kan ik die van anderen beantwoorden? Onwillekeurig glijdt mijn hand naar het mobieltje in mijn zak. Misschien moet ik mam maar bellen. Haar smeken of ze me naar huis wil brengen, of ik hier nooit meer terug hoef te komen. Misschien moet ik dokter Hieler bellen; hem zeggen dat hij er dit keer toch echt helemaal naast zit. Ik houd het hier nog geen drieëntachtig minuten uit, laat staan drieëntachtig dagen.

Pas na een hele tijd lukt het mevrouw Tennille om de klas weer onder controle te krijgen en dan zitten we toch nog te luisteren naar wat ze over het jaarprogramma kwijt wil, de spanning als een donderwolk dreigend boven onze hoofden.

Zoetjesaan vergeet de rest mijn aanwezigheid en begin ik te geloven – daar, achter die tafel, in dat lokaal, in die school – dat het misschien toch niet onmogelijk is allemaal. *Je zult een manier moeten vinden om te zien wat er werkelijk is, Valerie*, heeft dokter Hieler tegen me gezegd. *Je zult moeten leren erop te vertrouwen dat alleen dat wat je waarneemt echt is, de rest niet.*

Ik sla mijn schrijfblok open en pak een potlood. Niet om op te schrijven wat mevrouw Tennille allemaal te vertellen heeft, maar om te schetsen wat ik zie: de andere leerlingen met kinderlijfjes en kinderkleren aan, losse veters in hun kinderschoenen, scheuren in hun kinderspijkerbroeken. En hun gezichten zijn veranderd. Waar ik eerst boze, grimmige, honende gezichten zag, zie ik nu verwarring. Zij zijn net zo in de war als ik.

De gezichten teken ik als grote vraagtekens, oprijzend uit Adidasjasjes en Nike T-shirts, wijd uitlopend als schreeuwende monden. Sommigen huilen. Anderen teken ik opgerold als slakken, helemaal in zichzelf gekeerd.

Ik weet niet of dokter Hieler dit bedoelde toen hij zei dat ik moest zien wat er werkelijk was. Maar ik weet wel dat het tekenen van die vraagtekens me meer hielp dan terugtellen vanaf vijftig ooit zal doen.

○ ○ ○

2 mei 2008
07:37 uur
'O, God! Help! Iemand, help!'

○ ○ ○

Nick en ik rukten de dubbele schooldeuren open en tuimelden de hal binnen. De wind smeet de mijne met een klap achter me weer dicht. De hal was, zoals altijd, stampvol tieners die zich, zanikend over ouders, leraren en elkaar, een weg naar hun kluisjes baanden. De lucht was vervuld van geschater, dramatisch gezucht en gekreun en het slaan van kluisdeurtjes; de geluiden die horen bij een vroege ochtend op een middelbare school.

We doken de hoek om naar de aula, waar de toeloop vanuit de gangen uitmondde in een maalstroom van scholieren die elkaar op de hoogte hielden van de laatste schoolroddels. Sommigen kochten donuts aan de balie van de leerlingenraad, anderen zaten met hun rug tegen de muur op de grond de gescoorde donuts op te eten. Een paar cheerleaders stonden op wiebelige stoelen posters op te hangen. Een jongen en een meisje leunden met hun billen tegen de rand van het podium en hadden alleen maar oog voor elkaar. De losers van de school – onze vrienden – hingen achterstevoren op hun stoelen aan een ronde tafel vlak bij de ingang van de keuken en zaten al op ons te wachten. Een paar dappere leerkrachten, zoals meneer Kline en mevrouw Flores van ckv, waadden door de menigte en probeerden nog iets van orde te bewaren. Een bij voorbaat verloren strijd. Orde en de aula gingen bijna nooit samen.

Nick en ik liepen de aula in en bleven staan. Ik ging op mijn tenen staan en rekte mijn hals. Nicks ogen spiedden de ruimte af, een kille grijns op zijn gezicht.

'Daar!' zei ik, wijzend. 'Daar zit ze.'

Nick tuurde in de richting die ik aanwees en spotte haar.

'Al moet ik het uit haar slaan,' zei ik, 'maar die nieuwe mp3-speler krijg ik.'

Nick ritste langzaam zijn jas open, maar deed hem niet uit. 'Kom, dan zetten we dit recht,' zei hij, en ik glimlachte, blij dat hij zo voor me opkwam. Blij ook dat Christy Bruter zou krijgen waar ze al zo lang om vroeg. Dit was de oude Nick, de Nick voor wie ik gevallen was. De Nick die af zou rekenen met Christy Bruter, met iedereen die mij lastigviel; die geen krimp gaf als een van die stoere binken van school hem treiterde of wilde kleineren. De Nick die wist hoe het voelde om mij te zijn – om een rottig gezinsleven te hebben, een rottige school; om met lui als Christy Bruter te maken te hebben die het constant nodig vinden om je op de huid te zitten, je te laten voelen dat je minder bent dan zij.

Hij kreeg een vreemde, afwezige glans in zijn ogen en begon zich ruw een weg door de menigte voor hem te banen. Hij lette totaal niet op waar hij liep. Hij banjerde dwars door de meute heen, met zijn schouders jongens en meiden opzij en ondersteboven beukend. Hij liet een spoor van woedende gezichten en verontwaardigde kreten na. Ik negeerde die en probeerde hem zo goed en zo kwaad als dat ging te volgen.

Hij was een paar passen eerder bij Christy dan ik. Ik rekte mijn hals om haar over zijn schouder heen te kunnen zien. Ik hoorde zijn stem. Ik spitste mijn oren om te kunnen verstaan wat hij zei, om geen seconde te missen van de manier waarop hij Christy de stuipen op het lijf zou jagen. Ik ben dus heel zeker van wat ik hoorde. Ik hoor het nog. Iedere dag.

Hij moet Christy eerst een duw tegen haar schouder hebben gegeven of zoiets, zoals zij dat in de bus bij mij had gedaan. Dat weet ik niet helemaal zeker, want op dat moment stond ik nog een stukje achter hem en kon ik niet alles zien. Ik zag wel dat ze plotseling voorover kukelde en bijna tegen Willa aanviel, haar vriendin. Ze draaide zich met een verbaasd gezicht om. 'Hé, doe 'es normaal!'

Dat was het moment waarop ik Nick inhaalde en vlak achter hem stond. We stonden dicht opeengepakt, lijf aan lijf; op de beelden van de beveiligingscamera was bijna niet te zien wie wie was en leek het of ik naast hem stond. Maar ik stond achter hem en kon over zijn schouder heen alleen de bovenste helft van Christy's lichaam zien.

'Jij staat op de lijst,' zei hij. 'Al heel lang.' Ik versteende. Hij had de lijst genoemd. Ik geloofde mijn oren niet en werd boos. Die lijst was geheim, iets tussen ons. En nu gooide hij dat zomaar op straat. Ik wist zeker dat Christy Bruter daar later dankbaar misbruik van zou maken. Ze zou het overal rondbazuinen; nou hadden zij en die vriendinnen van haar weer iets nieuws om ons voor paal te zetten. Dik kans dat ze het haar ouders ook zou vertellen. Die zouden de mijne bellen en dan kreeg ik vast weer huisarrest. Best kans dat we zelfs geschorst zouden worden en met het eindexamen in zicht had ik dan echt een probleem.

'Wat voor lijst?' vroeg ze. Ze gluurde omlaag en ik zag haar pupillen wijd worden. Ze begon te lachen, Willa ook; ik ging op mijn tenen staan en rekte me zo ver mogelijk uit om te zien waarom.

Toen klonk dat geluid.

Een geluid dat ik niet zozeer met mijn oren hoorde, maar meer nog in mijn hoofd. Alsof met die klap de hele wereld stopte met draaien en alles stil werd om me heen. Ik gilde. Dat weet ik omdat ik voelde dat mijn mond openging en mijn stembanden trilden, maar ik hoorde niets. Ik sloot mijn ogen en schreeuwde, keihard. Mijn armen vlogen instinctief over mijn hoofd en het enige wat er door mijn hoofd ging was: *dit is heel erg, dit is heel erg, dit is heel erg.* Mijn systeem schakelde over op een soort automatische piloot, uit puur lijfsbehoud, dat weet ik bijna zeker. Alsof mijn brein een boodschap uitzond naar de rest van mijn lichaam: gevaar, maak dat je wegkomt!

Ik deed mijn ogen weer open en graaide om me heen naar Nick, maar hij had een stap opzij gezet en ik zag Christy, een uitdrukking van totale verbijstering op haar gezicht. Haar mond stond open, alsof ze iets wilde zeggen, en ze hield haar handen krampachtig tegen haar maag gedrukt. Ze zaten onder het bloed.

Ze sidderde en wankelde. Ik sprong opzij en ze viel tussen mij en Nick in voorover op de grond. Ik keek toe en kreeg het gevoel dat alles in slow-motion gebeurde. Ik zag dat ook de achterkant van haar shirt rood was; midden in de bloedvlek zat een gat in het textiel.

'Hebbes,' zei Nick, zijn blik ook omlaag gericht, op haar.

Hij hield een pistool vast, zijn hand beefde. 'Hebbes,' herhaalde hij. Hij lachte, een kort, hoog lachje, meer verbaasd dan iets anders volgens mij. Ik wil geloven dat het verbazing was. Ik wil geloven dat hij net zo verbaasd was over wat hij aan het doen was als ik. Dat er ergens onder het effect van de drugs en die obsessie voor Jeremy een Nick schuilging die, net als ik, dacht dat het niet serieus bedoeld was allemaal, een grap; dat we een spel speelden: stel je voor dat...

En dat alles toen ineens werkelijkheid was. Scholieren renden gillend weg, liepen vast in de deuropening, tuimelden over elkaar heen. Sommigen bleven staan, alsof ze naar iets spannends keken waar ze niets van wilden missen. Meneer Kline maaide ze aan de kant, uit de weg. Mevrouw Flores schreeuwde aanwijzingen.

Nick begon zich door de massa heen te worstelen en liet mij bij Christy en al dat bloed achter. Ik draaide mijn hoofd om en ving Willa's blik.

'O, mijn God!' gilde iemand. 'Help! Iemand, help!'

Ik denk dat ik het was die gilde, maar dat weet ik niet zeker. Ook nu niet.

4

Uit de *Garvin County Sun-Tribune*, 3 mei 2008
door Angela Dash

Ginny Baker (16) – Ginny, een van de beste leerlingen van de school, zou een paar vrienden gedag hebben gezegd om zich naar de eerste les te haasten op het moment dat het eerste schot klonk. Uit ooggetuigenverslagen valt op te maken dat Ginny naar alle waarschijnlijkheid een vooraf gekozen doelwit was. Ze kroop weg onder een tafel, maar Nick Levil bukte zich en schoot haar neer.

'Ze gilde: "Help, Meg!" Toen bukte hij zich en richtte het pistool op haar,' aldus derdeklasser Meghan Norris. 'Ik had geen idee wat ik moest doen, wat er aan de hand was. Dat eerste schot had ik helemaal niet gehoord. En het gebeurde allemaal zo snel. Ik had alleen mevrouw Flores horen schreeuwen dat we onder een tafel moesten kruipen en ons hoofd moesten bedekken, dus dat deden we. Ik zat toevallig onder dezelfde tafel als Ginny. Maar hij vond haar. Hij zei niets. Boog zich voorover, richtte het pistool op haar gezicht, schoot en liep weg. Dat was het. Ze was doodstil daarna. Ze vroeg ook niet meer om hulp of zoiets, en ik dacht dat ze dood was. Zo leek het.'

Ginny's moeder was niet bereikbaar voor commentaar. Haar vader, die in Florida woonachtig is, beschrijft het incident als 'het meest afschuwelijke wat je als ouder mee kunt maken'. Hij liet weten naar het Midwesten te verhuizen om zijn dochter bij te staan bij de vele cosmetische ingrepen die volgens haar artsen nodig zullen zijn om haar gezicht te reconstrueren.

'Is je moeder vandaag weer aan het werk gegaan?' vraagt Stacey. We staan in de rij voor de lunch met een dienblad in de hand en laten onze borden volscheppen. We hebben net Engels gehad. De sfeer in de klas was gespannen, maar niet ondraaglijk. Een paar meisjes hebben elkaar briefjes toegestopt en Ginny's tafel was leeg, maar buiten dat is het rustig gebleven. Mevrouw Long, mijn lerares Engels, is een van de weinigen die de bedankbrief van het schoolbestuur getekend hebben. Haar ogen werden een beetje vochtig op het moment dat ik het lokaal binnenkwam. Ze glimlachte naar me en knikte, maar zei verder niets. Ze wees me een tafeltje en begon met de les. Gelukkig.
'Ja.'
'Mijn moeder vertelde me dat jouw moeder haar gebeld heeft, om bij te kletsen.'
Ik verstar, over de randen van mijn bord bungelen ranke blaadjes sla. 'Echt? Hoe ging dat?'
Stacey kijkt niet om en schuifelt verder, haar blik op haar dienblad gericht. Van een afstandje kan niemand zien of we bij elkaar horen of dat zij de pech heeft dat ze toevallig naast mij in de rij voor de lunch is terechtgekomen. Waarschijnlijk is dat ook haar bedoeling. Het is voor haar veel veiliger om pech te hebben.
Ze pakt een schaaltje met een toetje in alle kleuren van de regenboog en zet dat op haar dienblad. Ik doe hetzelfde.
'Je weet hoe mijn moeder is,' zegt ze. 'Ze heeft gezegd dat ze niet wil dat ons gezin nog contact met dat van jou heeft. Ze vindt jouw moeder geen goeie ouder.'

'Wauw,' zeg ik. Er kriebelt iets in mijn maag. Alsof ik het vervelend vind voor mam, iets waar ik tot nu toe maar weinig ruimte voor had. Ineens voel ik me schuldig. Ik heb mezelf steeds voorgehouden dat mam vindt dat ze de meest verschrikkelijke dochter heeft die je je maar wensen kunt, eentje die haar leven heeft verziekt; dat is het gemakkelijkst. 'Au.'

Stacey haalt haar schouders op. 'Jouw moeder heeft tegen mijn moeder gezegd dat ze het dak op kon.'

Dat klinkt als mijn moeder, ja. Toch durf ik te wedden dat ze later op haar kamer heeft zitten huilen. Zij en mevrouw Brinks zijn een jaar of vijftien dikke vriendinnen geweest. We zwijgen. Ik weet niet hoe het bij Stacey zit, maar ik heb weer die stomme brok in mijn keel die me het spreken belet.

We pakken onze dienbladen op, rekenen af en lopen de aula in, op zoek naar een lege plek aan een tafel om te eten.

Daar hoefden we eerder niet over na te denken. Vorig jaar liepen we altijd helemaal naar achteren, naar de derde tafel achterin. Dan gaf ik Nick een zoen, schoof tussen hem en Mason in en dan aten we samen, lachend, mopperend op iets, rotzooiend met servetten, wat dan ook.

Stacey loopt voor me uit en stopt even bij de sausbar om wat ketchup te pakken. Ik neem ook een beetje, al heb ik niets waar het op moet. Ik vermijd het om om me heen te kijken om te voorkomen dat ik alle blikken zie die op me gericht zijn. Dat zijn er heel veel, vermoed ik. Stacey neemt haar dienblad weer op, zich totaal niet bewust van wie er achter haar loopt, zo lijkt het, en ik sjok achter haar aan. Uit gewoonte, misschien, maar ik denk eerder dat het is omdat ik niet goed weet wat ik anders moet doen.

Ons clubje zit bij elkaar, helemaal achterin aan de meest linkse tafel. David zit er. Mason ook. Duce. Bridget. En Bridgets stiefbroer, Joey. David kijkt op, wuift naar Stacey en aarzelt een moment als hij mij ziet. Dan wuift hij ook even naar mij, een halfhartig gebaar dat halverwege ergens blijft steken. Hij lijkt zich niet erg op zijn gemak te voelen. Stacey zet haar dienblad bij het enige lege plekje aan de tafel, tussen Duce en David in. Duce begint meteen een gesprek, over een filmpje op YouTube geloof ik, en ze lacht met hem mee, hoog en schel. 'O, ja! Dat heb ik gezien!' Ik sta met het dienblad in mijn handen een halve meter bij de tafel vandaan, en weet niet wat ik nu moet doen.

'O ja,' zegt Stacey, en kijkt naar mij op met een verraste uitdrukking op haar gezicht, alsof ze helemaal niet heeft gezien dat ik haar achterna gekomen ben. Alsof ze niet net nog met me heeft staan praten. Ze werpt een korte blik op Duce en kijkt dan weer naar mij. 'Ja. Eh...' Ze perst haar lippen op elkaar. 'Val. Eh... Ik ben bang dat er geen plaats meer is.' Duce slaat zijn arm om haar heen, en op zijn gezicht verschijnt weer dat valse, arrogante lachje.

David maakt aanstalten om op te staan, alsof hij plaats voor me wil maken of een extra stoel wil gaan halen. Hij eet niet. Dat doet hij bijna nooit.

Davids stoel schokt omdat Duce een trap tegen de stoelpoot geeft. Duce kijkt hem niet aan, maar David bedenkt zich toch en gaat weer zitten. Hij haalt verlegen zijn schouders op en tuurt naar het tafelblad, zijn gezicht zo veel mogelijk van mij afgewend. Duce fluistert iets in Stacey's oor. Ze giechelt. Ook David wordt inmiddels helemaal in beslag genomen door iets wat Bridget zegt. Het is alsof ik, nu Nick er niet meer is, uit de 'familie' wordt gezet. Maar misschien zet ik mezelf er wel uit, ik heb geen idee.

'Geen probleem,' zeg ik, ook al lijkt niemand het te horen. 'Dan ga ik wel ergens anders zitten. Ook goed.'

Wat ik daar eigenlijk mee bedoel is dat ik wel af zal druipen, dat ik buiten de aula wel een plekje zal zoeken waar niemand me lastigvalt of, belangrijker nog, waar ik niemand tot last ben. Trouwens, waar moet ik het met hen over hebben? Hun leven is de afgelopen zomer gewoon verdergegaan, min of meer. Ik heb wanhopig geprobeerd de brokstukken bij elkaar te rapen en een heel nieuw leven op te bouwen.

Ik kijk de kantine rond. Vreemd. Er lijkt niets te zijn veranderd. Iedereen zit in dezelfde groepjes bij elkaar. Dezelfde slanke meiden eten dezelfde gezonde salades. Dezelfde sportfanaten proppen zich vol met dezelfde proteïnen. Dezelfde bollebozen zitten teruggetrokken in dezelfde stille hoekjes. Het lawaai is oorverdovend. Meneer Cavitt paradeert tussen de tafels door en blaft: 'Handen boven tafel, jongens. Handen boven tafel!'

Er is niets veranderd, alleen ikzelf.

Ik adem diep in en loop snel verder. Ik doe mijn best om Stacey's lachen en gilletjes niet te horen. Dit heb je zelf gewild, houd ik mezelf voor. Jij wilt Stacey op afstand houden. Jij moet zo nodig terug naar Garvin. Jij wilt je niet verstoppen, jij wilt laten zien dat daar geen reden voor is. Dit is wat je wilt, dit zijn de consequenties. Het is de lunch maar. Niet mauwen dus, je slaat je er maar doorheen. Ik kijk strak naar het dienblad en de vloer voor me en loop de gang in.

Ik leun met mijn rug tegen de muur net buiten de aula, leg mijn hoofd in mijn nek en doe mijn ogen dicht. Ik slaak een diepe zucht. Mijn handen, die nog altijd dat dienblad vasthouden, zijn vochtig en koud. Ik heb helemaal geen honger en wens dat ik deze dag kan overslaan. Ik laat me langzaam op de vloer glijden, het dienblad zet ik voor me op de grond. Ik leg mijn ellebogen op mijn knieën en verberg mijn hoofd in mijn handen.

In gedachten dwaal ik terug naar de enige veilige plek die ik gekend heb: bij Nick. Ik zie voor me hoe ik in zijn kamer op de grond zit, de controller van zijn Playstation in mijn handen, en tegen hem schreeuw: 'Waag het niet. Je laat me niet winnen, hoor! Naarling, Nick, je laat me winnen. Kappen daarmee!'
Ik denk aan dat typische gezicht van hem als hij aan het klieren is: het puntje van zijn tong uit zijn mond die iets openhangt, de scheve grijns, zijn gegrinnik om de paar seconden.
'Nick, kappen zei ik! Serieus, ik wil niet dat je me laat winnen. Ik haat het als je dat doet. Het is beledigend.'
Dan grinnikt hij nog harder en laat mij uiteindelijk met één zogenaamd ongecontroleerde beweging van zijn arm winnen.
'Klojo, Nick!' roep ik dan, en geef hem met de controller een klap op zijn arm, terwijl mijn personage op het scherm een overwinningsdansje uitvoert. 'Ik zei toch dat je me niet moet laten winnen. Man!' Ik kijk van hem weg en kruis mijn armen voor mijn borst.
Dan lacht hij vrolijk en geeft me een stoot met zijn schouder. 'Wat nou?' zegt hij. 'Wat nou? Je hebt gewoon terecht gewonnen. Maar dan nog: je bent een meisje. Dan kun je best wat extra hulp gebruiken.'
'O! Dat heb ik niet gehoord. Ik zal je laten zien wat hulp

is,' bijt ik hem toe en ik smijt de controller opzij en probeer hem pootje te lichten, waardoor hij alleen maar harder moet lachen.

Ik trommel met mijn vuisten op zijn borst en schouders, maar tegen zijn plagerige uitgelatenheid kan ik niet op en ik houd mijn gefoeter nooit lang vol. Het komt niet zo vaak voor bij Nick, maar zijn speelse buien zijn aanstekelijk als de griep. 'O nee! Nee, niet doen, jij beul!' zegt hij dan op een hoog spottend toontje tussen zijn lachsalvo's door. 'Au! Je doet me pijn.'

Ik grom verbeten, rammel hem door elkaar en beuk er nog harder op los. We rollebollen over de vloer totdat ik ineens onderop lig en geen kant meer uit kan. Hij houdt mijn polsen tegen de grond geduwd, we hijgen. Hij buigt zich over me heen, zijn gezicht vlak bij het mijne. 'Het is niet erg om zo nu en dan iemand te laten winnen, weet je,' zegt hij, heel ernstig ineens. 'Dat wil niet zeggen dat je altijd de verliezer bent, Valerie. Dat gevoel willen ze ons wel geven, maar we zijn het niet. Op een dag winnen wij.'

'Weet ik,' zeg ik, en ik vraag me af of hij weet dat ik me allang een winnaar voel, alleen al omdat ik hier in zijn armen lig.

'Je mag wel bij mij komen zitten, hoor.' De stem rukt me uit mijn dagdroom. Ik doe mijn ogen open en zet me schrap voor de grap die zal volgen. *Je kunt wel bij mij komen zitten, hoor... als Pasen en Pinksteren op één dag vallen. Je kunt wel bij mij komen zitten, hoor... in die dagdroom van je!* Ik kijk op. Mijn adem stokt.

Jessica Campbell staat voor me. Op haar gezicht staat niets te lezen. Ze heeft haar volleybaloutfit aan, haar haren in een paardenstaart.

Jessica is de koningin van Garvin High. Met stip het meest populair, maar daarmee kan ze ook de wreedste zijn, want iedereen wil op haar lijken en heeft er bijna alles voor over om bij haar in een goed blaadje te komen. Christy Bruter mag dan degene zijn die met dat 'Dooie Dame' is begonnen, maar Jessica kan het zo kil en minachtend zeggen dat ik me dan pas echt klein en onbenullig voel. Zij is degene die Jacob Kinney heeft opgestookt om Nick te laten struikelen in de gang; zij is degene die meneer Angerson heeft verteld dat wij 's morgens op de parkeerplaats wiet rookten, wat helemaal niet waar was, maar waardoor we evengoed een schorsing aan de broek kregen. Zij is ook degene die nooit achter onze rug om liep te zieken, die moeite nam ze niet: zij deed het recht in ons gezicht. Ze staat op de lijst, vaker dan één keer; haar naam onderstreept, met uitroeptekens erachter.

Zij is degene die een diep, rauw litteken op haar dij zou moeten hebben. Ze zou waarschijnlijk dood moeten zijn. Ik heb haar leven gered. Voor mei had ik altijd een bloedhekel aan Jessica. Ik heb werkelijk geen flauw idee hoe ik me nu over haar moet voelen.

De laatste keer dat ik Jessica zag, lag ze ineengekrompen voor Nick op haar knieën. Gillend. IJzingwekkend, stembanden verscheurend gillend. Krankzinnig van angst bijna, maar dat gold op dat moment voor iedereen in de aula. Ik weet nog dat er bloedspatten op haar spijkerbroek zaten en dat er eten in haar haar terechtgekomen was. Ik heb later vaak bedacht hoe ironisch het is dat uitgerekend zij op dat moment de meest in haar waardigheid aangetaste persoon was die ik ooit had gezien, maar om alles wat er daar gebeurde heb ik er geen moment voldoening over gevoeld. Het had me goed moeten doen om haar zo te zien, maar dat deed het helemaal niet. Daarvoor was het allemaal veel te afschuwelijk.

'Wat?' piep ik schor.

Ze wijst naar de aula. 'Je mag bij mij aan tafel eten, als je dat wilt,' zegt ze. Nog altijd geen glimlach, geen opgetrokken wenkbrauwen, geen enkele emotie op haar gezicht. Het moet een valstrik zijn; dat Jessica Campbell mij werkelijk aan haar tafel vraagt is onmogelijk. Straks schoffelt ze me genadeloos onderuit, dat kan niet anders.

Langzaam schud ik mijn hoofd. 'Dank je, maar dat hoeft niet.'

Ze kijkt me even aan, haar hoofd een tikje scheef, en kauwt op de binnenkant van haar wang. Vreemd. Ik kan me niet herinneren dat ik haar eerder op die manier op haar wang heb zien bijten. Ze lijkt... kwetsbaar op de een of andere manier. Oprecht. Misschien zelfs een beetje bang. Het is een uitstraling die ik niet van haar gewend ben.

'Zeker weten? Er zit verder niemand, alleen Sarah, maar die is bezig met een of ander onderzoeksproject voor psychologie. Die heeft niet eens in de gaten dat je er bent.'

Ik kijk langs haar heen naar de tafel waaraan ze altijd zit. Daar zit Sarah inderdaad, haar hoofd over een schrijfblok gebogen, maar er zitten ook nog een stuk of tien anderen, allemaal lui uit het groepje van Jessica. Ik kan me niet voorstellen dat die het ook niet zullen merken als ik aan hun tafel zit. Zo stom ben ik niet. En zo wanhopig ben ik ook niet.

'Nee. Echt niet. Het is aardig van je, weet je, maar liever niet.'

Ze haalt haar schouders op. 'Het is aan jou. Maar je schuift maar aan, als je wilt. Wanneer dan ook.'

Ik knik. 'Ik zal eraan denken.'

Ze maakt aanstalten om weg te lopen, maar stopt weer.
'Eh... mag ik je iets vragen?' zegt ze.
'Ga je gang.'
'Iedereen vraagt zich af waarom je naar Garvin teruggekomen bent.'
Ah! Daar komt de aap uit de mouw. Nu gaat ze me uitschelden, zeggen dat ik niet welkom ben, me uitlachen. Ik voel dat ik hard word van binnen, alsof daar een muur wordt opgericht. Een gevoel dat me heel bekend voorkomt.
'Omdat dit mijn school is,' zeg ik, behoorlijk defensief waarschijnlijk. 'Net zo goed. Ik zou niet weten waarom ik hier weg zou moeten, als de rest gewoon blijft. En de school heeft ook gezegd dat ik terug moest komen.'
Ze kauwt weer op haar wang en zegt: 'Gelijk heb je. Jij hebt niet geschoten.'
Ze verdwijnt de aula in en ik realiseer me, met een schok die ik voel tot in mijn botten, dat zij er dus niet op uit was om me voor paal te zetten. Ze meende wat ze zei. En ik beeld het me niet in: Jessica Campbell doet anders dan ik van haar gewend ben. Ze lijkt veranderd te zijn, op de een of andere manier.
Ik pak het dienblad op en mik mijn eten in een vuilnisbak. Ik heb helemaal geen trek meer.
Ik laat me weer op de grond zakken en manoeuvreer mezelf in een positie van waaruit ik de aula goed kan overzien. *Zie wat er werkelijk is, Valerie*, hoor ik de stem van dokter Hieler zeggen. Ik pak mijn rugtas en haal er een schrijfblok en een potlood uit. Ik observeer iedereen in de aula. Ik kijk naar hoe ze doen wat ze altijd doen en teken wat ik zie: een troep wolven die zich over voedsel buigt, hun lange snuiten verwrongen tot een grimas: grommend,

blaffend, lachend. Behalve Jessica. Haar wolvensnuit is op mij gericht, maar bijna teder. Ik kijk naar wat ik getekend heb. Haar wolvensnuit is die van een pup.

○ ○ ○

2 mei 2008
07:41 uur
'Ons plan. Weet je niet meer?'

○ ○ ○

Toen Christy Bruter voor mijn voeten neerviel en de zaal ontplofte in een vuurzee van geschreeuw, paniek, chaos en gevaar, was er één bizar moment, een flits waarin ik ervan overtuigd was dat ik het me allemaal inbeeldde. Alsof ik in bed lag en droomde. Alsof Nick me zo zou bellen om te zeggen dat hij en Jeremy die dag naar Blue Lake gingen en dat hij niet op school kwam.

Tot Nick ervandoor ging en Willa op haar knieën naast Christy neerviel, haar op haar rug draaide en ik al dat bloed zag. Overal. Christy ademde, maar het klonk helemaal niet goed, alsof ze met haar gezicht in een kom pap probeerde lucht te krijgen. Christy hield haar handen op haar maagstreek, Willa drukte ze met kracht omlaag en zei onophoudelijk tegen haar dat het wel goed zou komen.

Ik knielde naast Willa neer en begon mee te duwen.

'Heb jij een mobiel?' schreeuwde ik naar Willa. Ze schudde haar hoofd. De mijne zat in mijn rugtas, maar die was in de chaos verdwenen. Later, toen ik op de video's van de beveiligingscamera's zag dat hij vlak naast me op de grond gelegen had, midden in een plas bloed, vond ik het heel raar dat ik hem in de angst en de verwarring niet had opgemerkt; alsof 'bloed' en 'rugtas' niets met elkaar te maken konden hebben.

'Ik wel,' zei Rachel Tarvin. Ze stond achter Willa en was abnormaal rustig, alsof het voor haar de gewoonste zaak van de wereld was, zo'n schietpartij.

Rachel viste het mobieltje uit de zak van haar spijkerbroek en klapte het open. Ze toetste een paar nummers in. Op dat moment klonk er weer een knal, opnieuw gevolgd door gegil. Daarna klonken nog twee schoten. En nog drie. Een hele horde stormde onze kant uit en ik sprong op, bang omvergelopen te worden.

'Niet weggaan,' huilde Willa. 'Ze gaat dood. Blijf. Ik heb hulp nodig. Help!'

Maar de meute denderde al langs ons heen en voor ik wist wat er gebeurde gleed ik weg in Christy's bloed en kwam ik languit op de vloer terecht, midden tussen een kluwen kinderen die zich zo vlug ze konden een weg uit de aula probeerden te banen. Ik kreeg een stoot tegen mijn lippen. Ik proefde bloed. Iemand stampte hard op mijn voet. Ik besteedde er geen aandacht aan en draaide mijn nek zo ver mogelijk om te kunnen zien wat er gebeurde. Christy lag onmogelijk ver bij me vandaan, zo leek het. Maar ik zag nu ook iets nog ergers.

Bij de balie van de leerlingenraad lag bloed. Onder een tafel lagen twee bewegingloze lichamen. Daarachter zag ik Nick tafels en stoelen omver smijten. Hij bukte zich zo nu en dan, keek onder een tafel, sleepte iemand eronder vandaan, duwde hem of haar een pistool onder de neus en zei iets. Dan volgde er een knal. Er werd geschreeuwd, gegild. Ik begon de puzzelstukjes in elkaar te schuiven. Nick. Het pistool. De knallen. Het schreeuwen. Mijn brein was traag als stroop, maar kwam toch langzaam op gang. Ik begreep er niets van. Of toch wel, misschien. We hadden het hier weleens over gehad, min of meer.

'Heb je het gehoord, over die schietpartij op die school in Wyoming, of waar het dan ook was?' vroeg Nick me op een avond, nog maar een paar weken geleden. We belden. Ik zat op mijn bed en lakte mijn teennagels, de telefoon op de speaker op het nachtkastje naast me. Gewoon een van de ontelbare gesprekken die we gevoerd hebben, niet anders of opvallender dan andere.

'Ja,' zei ik, en veegde wat verse nagellak van de zijkant van een teen. 'Heftig, hè?'

'Heb je die onzin in de media gehoord over de jongens die het gedaan hebben, dat er geen enkel signaal was dat die gasten zoiets van plan waren?'

'Ja, een beetje. Ik heb niet alles gezien.'

'Ze blijven maar beweren dat die gasten populair waren, dat iedereen hen mocht en dat ze er gewoon bij hoorden en er helemaal niet uitlagen; dat soort shit. Wat een onzin.' We zeiden even niets; ik plugde ondertussen mijn mp3-speler in mijn computer. 'Nou ja. Journalisten kletsen maar wat, weet je.'

'Klopt.'

Stilte. Ik bladerde wat in een tijdschrift.

'Wat denk je, zou jij het kunnen?'

'Wat kunnen?'

'Die lui doodschieten. Christy en Jessica en Tennille en zo.' Ik knaagde aan mijn vinger en las het bijschrift van een foto van Cameron Diaz. Iets over haar tasje. 'Weet niet, denk 't wel,' mompelde ik en bladerde verder. 'Ik bedoel: ik ben helemaal niet populair of zo, dus je kunt het niet vergelijken.'

Hij zuchtte; het geluid rommelde als een ver onweer door

het speakertje van mijn mobiel. 'Ja. Da's waar. Maar ik zou het wel kunnen. Ik zou ze af kunnen knallen, allemaal. En dan kan niemand zeggen dat 'ie het niet had zien aankomen.'

We lachten allebei.

Maar hij had het mis. Dit had niemand zien aankomen. Ik zeker niet. Ik was verbijsterd, zo verbijsterd dat ik dacht dat het een vergissing moest zijn. Een afschuwelijke vergissing waar ik een einde aan moest maken.

Ik wurmde me langs een groepje meiden die elkaar stijf vasthielden. Ik baande me een weg door een kluwen kinderen bij de deur die in paniek de andere kant op wilden, weg van waar ik heen moest, zo snel mogelijk, net als iedereen. Naarmate ik verder liep werd ik sterker en ik schoof iedereen met steeds meer kracht opzij. Ik werkte met mijn vuisten, en liep er een paar omver die uitgleden op de met bloed besmeurde vloer en met een smak tegen de tegels kwakten. Ik begon te hollen, maaide een paar uit de weg, rende weer verder. Diep uit mijn keel kwamen schorre, grommende geluiden.

'Nee,' zei ik, terwijl ik ze aan de kant duwde. 'Nee. Wacht...'

Eindelijk zag ik een open plek in de mensenmassa. Ik rende erheen. Ik zag een leerling die ik niet kende vlak voor me op de grond liggen. Hij lag plat op zijn buik, de achterkant van zijn hoofd één massa bloed.

Drie, vier schoten klonken. Ik scheurde me los van de dode jongen.

'Nick,' schreeuwde ik.

Ik stond midden in de open plek en was hem kwijt. Scholieren vlogen alle kanten op. Ik stond stil, draaide vertwijfeld mijn hoofd van links naar rechts.

Ineens zag ik een schim van iets vertrouwds, links van me. Nick liep op meneer Kline af, de scheikundedocent. Meneer Kline week niet en bleef met uitgestrekte armen voor een groepje kinderen staan. Zijn gezicht was rood en nat van zweet of van tranen. Ik vloog op hen af.

'Waar is ze?' schreeuwde Nick. De leerlingen achter meneer Kline slaakten huilende kreten en persten zich nog dichter tegen elkaar.

'Leg dat pistool weg, kerel,' zei meneer Kline. Zijn stem beefde, al leek hij zijn uiterste best te doen om beheerst te klinken. 'Leg het weg, dan kunnen we praten.'

Nick vloekte en trapte een stoel omver. Het ding sloeg tegen de schenen van meneer Kline, maar die bleef staan. Gaf geen krimp.

'Waar is ze?'

Kline schudde langzaam zijn hoofd. 'Ik weet niet wie je bedoelt. Leg dat pistool weg, dan kunnen we...'

'Hou je bek! Hou je bek, klootzak! Zeg me waar die bitch van een Tennille is, of ik blaas de kop van je romp!'

Ik probeerde sneller vooruit te komen, maar mijn benen waren van rubber.

'Ik weet niet waar ze is, man. Hoor je die sirenes niet? De politie is er. Het is voorbij. Leg dat pistool weg, voor het te laat is...'

Er klonk een oorverdovende knal. Ik sloot instinctmatig mijn ogen. Toen ik ze weer opendeed, zag ik meneer Kline op de grond vallen, zijn armen nog steeds uitgespreid. Hij viel als een blok en kromp daarna ineen. Ik wist niet waar hij precies geraakt was, maar hij had een heel verkeerde blik in zijn ogen, alsof ze nergens meer naar keken.

Ik stond als aan de grond genageld, mijn oren verdoofd

door het geluid van het schot, met brandende ogen, een rauwe keel. Ik zei niets. Ik deed niets. Ik stond daar en keek naar meneer Kline die stuiptrekkend op zijn zij lag.

Degenen die zich achter meneer Kline verscholen hadden, zaten nu klem tussen Nick en de muur achter hen. Zes of zeven waren het er, dicht op elkaar gekropen, jankend als puppy's. Jessica Campbell was de achterste. Ze stond vanaf haar middel dubbelgebogen in een soort hurkhouding met haar billen tegen de muur gedrukt. Ze had een paardenstaart, maar het elastiekje was verschoven en het haar hing in slierten voor haar gezicht. Ze trilde zo hevig dat haar tanden klapperden.

Ik had te dicht bij dat laatste schot gestaan en mijn oren suisden. Ik kon niet goed verstaan wat Nick zei, maar ik hoorde in elk geval iets van 'weg, jullie' of 'uit de weg, jullie'. En hij zwaaide met zijn pistool. Ze boden weerstand, maar hij vuurde nog een keer en raakte Lin Yong in een arm, waarna ze uit elkaar stoven, Lin Yong met hen mee sleurend. Jessica bleef alleen achter, ineengedoken tegen de muur.

En toen wist ik het. Ik wist wat hij ging doen. Het was nog steeds of ik watten in mijn oren had, maar ik hoorde hem tegen haar schreeuwen en haar huilen en krijsen tegen niemand in het bijzonder. Haar mond hing open, haar ogen waren stijf dichtgeknepen.

O, mijn God, dacht ik. *De lijst. Hij pikt de mensen eruit die op de Hate List staan.* Ik kwam in beweging, maar het leek of ik door mul zand rende. Mijn voeten voelden lomp en loodzwaar; het leek of er een band rond mijn borstkas zat die de adem uit mijn longen perste en waaraan ik naar achteren getrokken werd.

Nick hief zijn pistool. Jessica sloeg de handen voor haar

gezicht en kromp nog verder in elkaar tegen de muur. Ik ging het niet halen.

'Nick!' schreeuwde ik.

Hij draaide zich om, maar hield het pistool op Jessica gericht. Hij glimlachte. Wat ik me de rest van mijn leven ook van Nick Levil zal herinneren, wat me het meest zal bijblijven is waarschijnlijk die glimlach op zijn gezicht op het moment dat hij zich omdraaide. Het had iets onmenselijks. Maar ik zweer dat ik ergens, diep in zijn ogen, oprechte genegenheid las. Alsof de Nick die ik kende daarbinnen verscholen zat, smekend om eruit te mogen.

'Niet doen!' schreeuwde ik, terwijl ik dichterbij kwam. 'Hou op! Hou op.'

Er gleed een schaduw van verwondering over zijn gezicht. De glimlach bleef, maar hij keek me aan alsof hij niet goed snapte waarom ik zo op hem af kwam rennen. Alsof hij dacht dat ik in moeilijkheden zat en hulp nodig had, zoiets. Hij staarde naar me, met die verwonderde glimlach, en zei iets. Ik kon niet goed horen wat, maar het was iets van: 'Ons plan. Weet je wel?' Ik aarzelde even omdat ik van geen plan wist, maar ook om die enge, starende blik in zijn ogen, alsof wat er gebeurde volkomen buiten hem omging. Hij was zichzelf helemaal kwijt.

Hij schudde wat verwonderd zijn hoofd, alsof ik er even niet helemaal bij was, te daas om me 'het plan' te herinneren, en zijn glimlach werd breder. Hij keerde zich weer naar Jessica en hief zijn pistool een fractie hoger. Ik vloog op hem af, mijn enige gedachte was: ik wil Jessica Campbell hier niet onder mijn ogen zien sterven.

Ik struikelde over meneer Kline, denk ik. Eigenlijk weet ik dat: het stond op de beelden van de beveiligingscamera's. Ik struikelde dus over meneer Kline en viel zijwaarts tegen

Nick aan. We wankelden een paar passen, tot er weer een knal klonk en ik de vloer van de aula onder me voelde wegzinken.

Ik weet alleen nog dat ik half onder een tafel lag, een meter bij meneer Kline vandaan, en dat Nick met een verbaasde blik naar het pistool in zijn hand keek, veel ernstiger nu, zo ver bij mij vandaan dat ik niet begreep hoe dat zo snel gebeurd kon zijn. En dat Jessica Campbell niet meer tegen de muur zat; ik meende haar rug te zien terwijl ze wegdook in de horde bij de deur van de aula.

Ik voelde het meer dan dat ik het zag, denk ik, maar ik zag het in elk geval ook, een stroom bloed die uit mijn dijbeen gulpte, schoksgewijs, dik en rood. En ik probeerde iets tegen Nick te zeggen, ik weet niet meer wat; ik hief mijn hoofd alsof ik overeind wilde komen. Nick keek van het pistool naar mij. Met een troebele blik. Op dat moment trok er een grijs waas voor mijn ogen. Ik werd lichter en lichter, of misschien was het zwaarder en zwaarder, en alles werd zwart.

5

Uit de *Garvin County Sun-Tribune*, 3 mei 2008
door Angela Dash

Morris Kline (47) – Kline, leraar scheikunde en atletiek-coach op Garvin High, werd zowel in 2004 als in 2005 gekozen als leerkracht van het jaar. 'Meneer Kline deed alles voor je,' vertelde brugklasser Dakota Ellis aan een verslagge-ver. 'Hij stopte een keer langs de snelweg, toen mijn moeder en ik daar met een lekke band stonden. Hij was heel netjes gekleed, alsof hij naar een feestje ging of zo, maar hij hielp ons toch de band te verwisselen. Ik weet niet waar hij heen moest, maar dat hij vies werd leek hem niet veel uit te maken. Zo was hij gewoon.'

Zijn dood heeft leerlingen zeer geschokt, maar de manier waar-op hij stierf heeft bijna niemand verbaasd – hij viel als een held. Hij nam een aantal leerlingen in bescherming en probeerde Nick Levil te overreden om het pistool neer te leggen, toen hij in de borst werd geraakt. Hulpverleners verklaarden dat Kline nog in leven was op het moment dat zij ter plekke kwamen, 'nog net'. Hij stierf op weg naar het ziekenhuis en werd in Garvin County General doodverklaard. Er zijn geen aanwijzingen dat Kline een bewust gekozen doelwit van Nick Levil was. Hij lijkt in de ont-stane chaos en paniek te zijn neergeschoten.

Kline laat zijn echtgenote Renee en drie kinderen achter. Me-vrouw Kline zei 'blij' te zijn dat Nick Levil zichzelf van het leven heeft beroofd. 'Nick Levil heeft mijn kinderen van een toekomst met hun vader beroofd. Na alles wat hij ons en al die andere gezinnen heeft aangedaan, verdiende hij ook geen toekomst meer.'

Mam staat vooraan in de rij wachtende auto's en ik ben dolblij de vaalbruine Buick te zien. De bel klonk en ik rende er bijna heen, geen moment denkend aan het huiswerk dat nog in mijn kluisje ligt.

Ik duik de auto in en haal voor het eerst die dag vrijuit adem. Mam bekijkt me met een frons op haar voorhoofd. Die is behoorlijk diep, alsof ze er erg haar best op heeft gedaan.

'Hoe is het gegaan?' vraagt ze. Ze probeert luchtig en vrolijk te klinken, maar ik hoor het bezorgde randje in haar stem. Volgens mij doet ze daar ook haar best op.

'Wel goed,' zeg ik. 'Een beetje lam, maar wel oké.'

Ze schakelt en trekt op. 'Heb je Stacey nog gezien?'

'Ja.'

'Gelukkig. Dat zal wel fijn zijn geweest, om je oude vriendin terug te zien.'

'Mam,' zeg ik, 'laat nou maar.'

Mam blikt opzij, haar ogen van de weg, en kijkt me aan. De frons wordt dieper. Ze houdt haar lippen op elkaar geklemd en ik wou dat ik gelogen had en had gezegd dat het heel erg goed was gegaan vandaag; ik weet hoe graag ze wil horen dat ik mijn oude vrienden weer terug heb en zelfs een paar nieuwe heb gemaakt, en dat iedereen weet dat ik niets met de schietpartij te maken heb en dat ik weer liefdevol ben opgenomen in die grote en gelukkige familie van Garvin High, zoals die nog steeds op tv te zien is. Ze kijkt maar heel even en richt haar aandacht daarna weer op het verkeer.

'Mam, echt, maak er geen punt van.'

'Ik heb haar moeder gebeld en verteld dat jij er niet verantwoordelijk voor bent. Je zou toch denken dat zij zou willen luisteren. Ze was jouw leidster bij de scouts, nota bene!'

'Mam, kom op. Je weet wat dokter Hieler heeft gezegd over hoe mensen op mij zullen reageren.'

'Ja, maar de Brinks toch zeker niet!? Die zouden beter moeten weten. Jullie zijn samen opgegroeid, we hebben onze meiden praktisch samen opgevoed. Het is toch te gek voor woorden dat we ook hen van jouw onschuld zouden moeten overtuigen.'

De rest van de rit naar huis zeggen we niets. Mam manoeuvreert de auto de garage in en zet de motor af. Ze legt haar voorhoofd op het stuurwiel en sluit haar ogen.

Ik weet niet goed wat ik ermee aan moet. Uitstappen en haar daar alleen laten zitten lijkt me een beetje lullig. Maar ik heb ook niet de indruk dat ze er behoefte aan heeft om te praten. Het lijkt of ze een rotdag heeft gehad.

Na een tijdje verbreek ik de stilte. 'Stacey vertelde me al dat jij haar moeder gebeld hebt.' Ze reageert niet. 'Jij had gezegd dat ze het dak op kon.'

Mam gniffelt. 'Nou ja, je weet hoe Lorraine kan zijn. Zo verschrikkelijk arrogant. Ach, ze kan het dak op – dat heb ik al zo vaak tegen haar willen zeggen.' Ze giechelt, haar ogen nog steeds gesloten en haar hoofd nog altijd op het stuur. 'Dit was een uitstekende gelegenheid. Het voelde eigenlijk wel goed.'

Ze gluurt naar me, één oog open, en begint nog harder te lachen. Ik kan het niet helpen en grinnik al snel met haar mee. Het duurt maar even of we gieren het uit, daar in die auto, in die garage.

'Wat ik eigenlijk heb gezegd is: je kunt met je dikke vette lijf het dak op, Lorraine.' We komen niet meer bij. Tussen twee happen lucht door zegt ze: 'En ik heb gezegd dat Howard heeft geprobeerd me te versieren, op dat tuinfeest vorig jaar.'

Ik hap naar adem. 'Ga weg! Stacey's vader, met jou aan het sjansen? Walgelijk! Hij is oud, harig, lelijk!'

Ze schudt haar hoofd, buiten adem, nauwelijks in staat om een woord uit te brengen. 'Dat... heb ik... verzonnen. O...! Ik had... erbij... willen zijn... op het moment... dat zij... hem... dat... onder de neus... wreef.'

We laten ons achterover in de stoelen zakken en brullen van het lachen, een eeuwigheid lang, zo lijkt het. Ik kan me niet herinneren wanneer ik voor het laatst zo gelachen heb. Lachen voelt raar. Bijna alsof het een smaak heeft.

'Jij bent wreed,' weet ik uiteindelijk uit te brengen als we weer een beetje op adem gekomen zijn. 'Ik vind het te gek, maar jij bent echt wreed.'

Mam schudt haar hoofd en veegt met haar pinken de tranen uit haar ogen. 'Nee. Ik niet. De mensen die jou geen tweede kans willen geven, die zijn wreed.'

Ik kijk naar de rugtas bij mijn voeten en haal mijn schouders op. 'Ik kan het ze niet kwalijk nemen, denk ik. Ik lijk ook schuldig. Je hoeft het niet voor me op te nemen, mam. Ik red me wel.'

Mam dept haar ogen met de mouwen van haar jas. 'Maar ze moeten begrijpen dat Nick het gedaan heeft, liefje. Hij is de slechterik. Dat heb ik jou ook al jaren geprobeerd aan je verstand te peuteren. Je bent zo'n mooie meid; jij verdient een topvent. Niet een kerel als Nick. Zo'n snuiter past niet bij je.'

Nee, hè, daar gaan we weer. Mam die me zo nodig moet laten weten dat Nick niet goed voor me is. Mam die het nodig vindt om me te vertellen dat ik niet om moet gaan met jongens als hij. Mam die het niet kan laten me te zeggen dat er iets mis is met Nick, dat ze dat aan zijn ogen kan zien. Mam, die kennelijk vergeten is dat het er geen bal meer toe doet omdat Nick dood is en dat het nergens op slaat om me nu nog steeds de les te lezen over de slechte invloed die hij op me heeft.

Ik reik naar de deurknop. 'Niet weer, hè. Echt, mam. Hij is dood. Kunnen we erover ophouden?' Ik open het portier en stap uit, de rugtas met me mee slepend. Ik trek een lelijk gezicht omdat ik te veel op mijn ene been leun.

Mam worstelt zich uit de riem en stapt aan de andere kant uit. 'Ik zoek geen ruzie met je, Valerie,' zegt ze. 'Ik wil alleen maar dat je gelukkig bent. Dat ben je nooit. Dokter Hieler stelde voor...'

Normaal gesproken had ik haar woedend aangekeken, dat ging vanzelf, en haar verteld wat ik wist over geluk: dat het zomaar ineens in iets verschrikkelijks kan veranderen. Dat het nooit blijft. Dat ik heel lang geen geluk gekend heb, zeker niet voordat Nick in mijn leven kwam, en dat zij en pap zouden moeten weten waarom. Dat zijzelf ook nooit gelukkig is, voor het geval ze dat niet in de gaten heeft. Maar nu ik haar zo zie, terwijl ze me aankijkt over het dak van de auto, haar mantelpak gekreukt, opwellende tranen in haar ogen, nog altijd blossen op haar wangen van het lachen, lijkt het me gemeen om dat er allemaal uit te flappen. Ook al is het waar, misschien.

'Mam, ik red me wel. Heus,' zeg ik en ik ga het huis binnen.

Frankie hangt aan de bar in de keuken en eet een boterham. Zijn kapsel is een beetje ingezakt en hij heeft zijn mobiel in zijn hand, een duim dansend over het toetsenbord om iemand een sms'je te sturen.

'Wat is er?' vraagt hij als ik binnenkom.

'Mam,' antwoord ik. 'Vraag maar niet verder.'

Ik gris een blikje cola uit de koelkast, ga naast hem staan en trek het open. 'Waarom snapt ze niet dat Nick dood is en dat ze best op kan houden mij over hem aan m'n kop te zeuren? Waarom moet ze me nou nog steeds de les lezen?'

Frankie draait zich om op zijn kruk en kijkt me kauwend aan. 'Ik denk dat ze bang is dat jij net zo eindigt als zij, dat je trouwt met iemand die je niet kunt uitstaan,' zegt hij.

Ik sta op het punt om iets terug te zeggen, maar hoor de garagedeur ratelen en weet dat mam zo binnenkomt. Ik glip vlug de trap op naar mijn kamer.

Frankie heeft waarschijnlijk gelijk. Mam en pap zijn allesbehalve gelukkig. Voor mei hadden ze het voortdurend over scheiden, wat een behoorlijke opluchting geweest zou zijn. Frankie en ik vinden de gedachte alleen al dat er dan een eind aan al die ruzies zal komen te mooi om waar te zijn.

Maar de schietpartij, die heel wat echtparen uit elkaar gedreven zou hebben, heeft ons gezin ironisch genoeg weer dichter bij elkaar gebracht. Ze zijn 'bang om in een periode van extreme spanning als deze het gezin nog meer te beschadigen', zeggen ze, maar ik weet wel beter.

1. Pap is een behoorlijk succesvolle advocaat en hij kan nog meer media-aandacht helemaal niet gebruiken, zeker niet als er ook nog eens wordt gesuggereerd dat zijn huwelijksproblemen een rol hebben gespeeld in de slachtpartij op Garvin High.
2. Mam heeft dan wel een baantje, maar dat stelt in vergelijking met paps werk weinig voor. Mam verdient wel iets, maar lang niet zo veel als hij. En we weten allemaal dat er een stapel gepeperde rekeningen van therapeuten aan zit te komen.

Frankie en ik dobberen maar wat mee in dat huwelijksbootje van hen, waarin meestal een soort beleefde afstand gehouden wordt. Maar soms gaat het er zo venijnig aan toe dat wij het liefst hun spullen in een paar vuilniszakken zouden gooien en voor hen alle twee een ticket naar een plek ver weg van hier zouden kopen. Enkele reis.

Ik ga mijn kamer binnen, die ineens een stuk muffer en veel rommeliger lijkt dan vanochtend. Ik blijf op de drempel staan en laat mijn ogen ronddwalen, een beetje beduusd omdat ik sinds mei zo'n beetje in deze kamer geleefd heb en het me nooit is opgevallen wat voor een bende het er is. Behoorlijk deprimerend. Niet dat ik ooit heel erg opruimerig ben geweest, maar nu is er, behalve de Grote Nick Schoonmaakactie die mam en ik na de schietpartij hebben gehouden, in geen maanden meer iets opgeruimd of schoongemaakt.

Ik pak een glas op dat al weken op mijn nachtkastje heeft gestaan en zet het op een bord. Ik grijp een weggegooid servetje dat daar vlakbij ligt en prop het in het glas.

Ik moest maar eens puin gaan ruimen, denk ik even. Een schone start maken. Een Grote Valerie Schoonmaakactie houden. Ik kijk naar de kleren die overal verkreukeld op de grond liggen; naar de boeken, neergesmeten naast het bed; naar de tv, het smoezelige en vettige scherm, en ik laat de gedachte meteen weer varen ook. Mijn rouw opruimen: die klus lijkt me veel te groot.

Ik hoor mam en Frankie praten beneden in de keuken. Haar stem klinkt geprikkeld, bijna net als wanneer zij en pap te lang bij elkaar in één ruimte zijn. Ik voel me een beetje schuldig dat ik Frankie alleen heb gelaten en hij nu het grootste deel van haar frustratie over zich heen krijgt, terwijl ik die veroorzaakt heb. Maar Frankie wordt veel meer gespaard dan ik. Ze zien hem helemaal over het hoofd sinds de schietpartij. Geen avondklok, geen huishoudelijke klusjes, geen beperkingen. Mam en pap zijn veel te druk met ruziemaken en zich zorgen maken over mij en hebben amper in de gaten dat er nog een kind rondloopt dat aandacht nodig heeft. Ik weet niet of ik jaloers op Frankie moet zijn of dat ik het zielig voor hem vind. Allebei misschien.

Dat verlammende gevoel bekruipt me weer. Ik dump het glas en het bord in de prullenbak en laat me achterover op het bed vallen. Ik rommel wat in mijn rugtas, haal het schrijfblok eruit en sla het open. Ik bijt op mijn lip, starend naar de tekeningen die ik vandaag gemaakt heb.

Ik rol me op mijn zij, klik mijn stereo aan en zet het geluid hard. Mam zal binnen een paar minuten op mijn deur staan rammen en roepen dat ik hem zachter moet zetten, maar ze heeft alle 'foute' muziek al in beslag genomen – je weet wel: het soort muziek waarvan zij en pap en dokter Hieler en al die ouwelui denken dat die jongeren zoals ik ertoe aanzet om zich in het bad de polsen door te snijden – wat me nog altijd pissig maakt omdat ik de meeste cd's zelf gekocht had. Ik zet de muziek zo hard dat ik haar niet meer zal horen. Dan wordt ze vanzelf wel moe van het rammen op mijn deur, lang voordat ik er moe van wordt. Mooi laten rammen.

Ik haal een potlood uit mijn rugtas, kauw een tijdje op het gummetje aan de achterkant en bestudeer de tekening van mevrouw Tennille waar ik aan begonnen ben. Ze ziet er heel verdrietig uit. Gek dat ik nog niet zo lang geleden heb beweerd dat Tennille me niet verdrietig genoeg kon zijn. Ik had een grondige hekel aan haar. Maar nu vind ik het verschrikkelijk om haar zo verdrietig te zien. Ik voel me verantwoordelijk. Ik wil dat ze glimlacht en vraag me af of ze wel glimlacht als ze thuiskomt en haar kinderen een knuffel geeft, of dat ze dan wegzinkt in een leunstoel met een glas wodka in haar hand en drinkt tot ze de schoten niet meer horen kan.

Ik buig mijn hoofd en begin te tekenen. Ik teken het allebei. Ik teken dat ze een jongetje in haar armen sluit, als een pinda in de dop, en tegelijkertijd met haar hand naar een fles wodka grijpt, zoals een pindavrucht zich vastklampt aan de plant.

Deel twee

○ ○ ○

2 mei 2008

18:36 uur

'Wat heb je gedaan?'

○ ○ ○

6

*I*k deed mijn ogen open en ontdekte tot mijn verbazing dat ik niet in mijn eigen bed lag en kennelijk niet gewoon een nieuwe schooldag voor de boeg had. Zo hoorde het toch te zijn? Nick zou bellen, ik ging naar school, balend van iedere minuut daar, bang dat hij en Jeremy naar Blue Lake waren om ik weet niet wat uit te vreten, bang dat hij het uit zou maken, dat Christy Bruter me in de bus weer op mijn huid zou zitten. Ik hoorde wakker te worden en te ontdekken dat de beelden van Nick die de aula overhoop schiet bij een nare droom hoorden, flarden waren van een herinnering die oplosten in mijn nog duffe hoofd voor ze scherper werden.

Ik werd wakker in een ziekenhuis. Er waren agenten in mijn kamer en de tv stond aan, afgestemd op een nieuwszender die beelden van een plaats delict uitzond. De agenten stonden met de rug naar me toe, hun gezichten naar de tv geheven. Ik knipperde tegen het flikkerende beeld waarop afwisselend een parkeerplaats, een stenen gebouw en een footballveld te zien waren; alles vaag bekend. Ik deed mijn ogen weer dicht. Ik voelde me duizelig. Mijn ogen waren droog en mijn been klopte en er begon me iets te dagen; niet wat er precies gebeurd was, maar wel dat er iets gebeurd was, iets heel ergs.

'Ze komt bij,' hoorde ik. Ik herkende Frankie's stem, maar ik had hem net niet gezien en het leek me voorlopig prettiger om te denken dat ik het me inbeeldde dat hij aan mijn bed stond dan om te kijken of hij daar echt stond. Ik liet me wegglijden in een fantasie waarin Frankie naast me stond en zei: *ze komt bij*, en waarin dat ook zo was, maar waarin ik niet in een ziekenhuis lag en mijn been geen pijn deed.

'Ik ga een verpleegster halen,' zei een andere stem. Die van pap. Die herkende ik meteen. Hij klonk gespannen, gestrest, bits. Precies pap. Hij plopte mijn denkbeeldige wereld binnen, maar wel op de achtergrond, langzaam bij me vandaan drijvend. Hij tikte iets in op zijn iPad en hield een mobiel tussen zijn oor en zijn schouder geklemd. Hij verdween geruisloos weer uit beeld, even snel als hij gekomen was, zodat alleen Frankie er nog stond en me aankeek.

'Val?' zei Frankie. 'Hé, Val. Wakker?'

De beelden vloeiden over in die van een gewone ochtend in mijn slaapkamer. Frankie die me wakker maakt om iets leuks te gaan doen, zoals vroeger, toen pap en mam het goed hadden en wij twee doodgewone kleine kinderen waren. Paaseieren zoeken misschien, kerstcadeautjes uitpakken, mam die flensjes heeft gebakken. Ik vond het fijn daar. Echt fijn. Geen idee waarom ik mijn ogen weer opendeed. Dat deden ze zelf, zonder mijn toestemming.

Ik zag Frankie aan het voeteneinde van een bed staan, vlak bij mijn tenen. Mijn bed was het niet. Het was een vreemd bed met smetteloze, stijf gestreken lakens en een deken die de kleur van Brinta had. Zijn haar lag plat en ik had even tijd nodig om mijn gedachten te ordenen; ik kon me echt niet herinneren wanneer ik Frankie voor het laatst had gezien zonder dat hij iets met zijn haar had gedaan. Het duurde even voor ik de veertienjarige Frankie en het kapsel van de elfjarige Frankie in elkaar geschoven had. Ik moest een paar keer met mijn ogen knipperen voor het me lukte.

'Frankie,' begon ik, maar voordat ik verder iets kon zeggen werd mijn aandacht afgeleid door een vochtig gesnotter rechts van me. Langzaam draaide ik mijn hoofd. Daar zat mam, in een met roze stof beklede stoel. Ze had haar benen over elkaar geslagen en steunde met een elleboog op haar knie. In haar hand hield ze een verfrommelde zakdoek waarmee ze onophoudelijk haar neus afveegde.

Ik keek haar met half dichtgeknepen ogen aan. Dat ze huilde verbaasde me niet echt, want het vreselijke dat gebeurd was, wat dat dan ook precies was, had iets met mij te maken. Zo veel wist ik wel. Maar het was me een raadsel waarom ik in een ziekenhuisbed wakker was geworden in plaats van in mijn eigen bed, wachtend op een belletje van Nick.

Ik strekte mijn hand uit en legde die op mams pols, die van de hand die de zakdoek vasthad. 'Mam,' fluisterde ik. Mijn keel deed pijn. 'Mam,' zei ik opnieuw.

Maar ze deinsde terug. Niet met een ruk, daar was de beweging veel te klein en te langzaam voor; het was meer of ze een stukje achteroverleunde, net buiten mijn bereik. Alsof ze zich fysiek van me losmaakte. Niet omdat ze bang voor me was, maar alsof ze niet langer met mij in verband gebracht wilde worden.

'Je bent wakker,' zei ze. 'Hoe voel je je?'

Ik blikte omlaag en vroeg me af wat er mis kon zijn. Ik checkte mezelf, alles zat op zijn plaats, voor zover ik kon zien. Ik zag alleen een aantal draden die er anders niet waren. Ik wist nog altijd niet goed waarom ik daar lag, maar om de een of andere reden was het me wel duidelijk dat het om iets was waar ik mee zou moeten leren leven. Uit het pijnlijk kloppende gevoel onder de lakens maakte ik op dat ik mijn been verwond had. Maar het leek er nog wel gewoon aan te zitten, dus het kon niet iets zijn waarom ik me heel erg zorgen moest maken.

'Mam,' zei ik nog een keer, wensend dat ik iets beters kon verzinnen. Iets belangrijkers. Mijn keel was rauw en voelde gezwollen. Ik probeerde te kuchen, maar merkte dat 'ie zo droog was dat ik alleen maar een benauwd gepiep produceerde dat niets hielp. 'Wat is er gebeurd?'

Achter mam drentelde een verpleegster in een zachtroze uniform rond, die een tafeltje verplaatste en een plastic beker pakte waaruit een rietje stak. Dat gaf ze aan mam. Mam pakte het aan, keek ernaar alsof ze nog nooit zo'n vreemd voorwerp had gezien en wierp een blik over haar schouder naar een van de agenten, die zich had omgedraaid en niet langer naar de tv maar naar mij keek, zijn duimen achter zijn riem gehaakt.

'Je bent neergeschoten,' zei hij zonder omhaal van woorden van achter mams schouder en ik zag dat mams gezicht vertrok, ook al keek ze naar hem en niet naar mij en kon ik haar gezicht niet goed zien. 'Nick Levil heeft je neergeschoten.'

Ik fronste mijn voorhoofd. Nick Levil had me neergeschoten. 'Maar zo heet mijn vriend,' zei ik. Pas later besefte ik hoe stom dat geklonken moet hebben en schaamde ik me er zelfs een beetje voor. Maar op dat moment begreep ik er niets van. Dat kwam vooral omdat ik net bijkwam uit de narcose en alleen maar losse puzzelstukjes had, maar ook omdat mijn brein het helemaal niet wilde weten. Ik heb ooit een documentaire gezien over de verschillende tactieken die het brein gebruikt om zichzelf te beschermen.

Een kind dat misbruikt is kan allemaal verschillende persoonlijkheden ontwikkelen, bijvoorbeeld. Ik denk dat mijn brein op dat moment ook zoiets deed: het beschermde me. Maar niet voor lang. Niet lang genoeg, in elk geval.

De agent knikte naar me, alsof hij dat al wist van Nick en ik hem niets nieuws vertelde, en mam wendde haar blik weer af en staarde naar de dekens. Ik tastte de gezichten af, die van hen allemaal: van mam, de agent, de verpleegster, van Frankie en zelfs van pap – ik had niet gezien dat hij weer in beeld geslopen was, maar daar stond hij, in de kamer, bij het raam, de armen voor de borst gekruist. Niemand keek me aan. Dat was een slecht teken.

'Wat is er aan de hand?' vroeg ik. 'Frankie?'

Frankie zweeg, klemde alleen zijn kaken op elkaar zoals hij deed wanneer hij echt pissig was, en schudde met zijn hoofd. Zijn gezicht kleurde vuurrood.

'Valerie, kun je je nog iets van vandaag herinneren, van school?' vroeg mam kalm. Niet dat ze het vriendelijk of teder of op een moederlijke manier vroeg, want dat deed ze niet. Ze vroeg het aan de lakens, met een zachte, vlakke stem die ik nauwelijks herkende.

'School?'

En op dat moment spoelde een vloedgolf van beelden over me heen. Vreemd, want bij het wakker worden had wat er op school gebeurd was een droom geleken en ik dacht: *daar hebben ze het niet over, natuurlijk niet, want dat was alleen maar een stomme, afschuwelijke droom.* Maar in een fractie van een seconde drong het tot me door dat het helemaal geen droom geweest was. En de beelden verpletterden me, bijna letterlijk.

'Valerie, er is vandaag op school iets verschrikkelijks gebeurd. Herinner je je dat?' vroeg mam.

Ik gaf geen antwoord. Ik had niemand antwoord kunnen geven. Ik kon geen woord uitbrengen. Ik staarde alleen maar naar de tv, naar de beelden van Garvin High, van al die ambulances en politieauto's bij de ingang. Ik bleef staren totdat ik de afzonderlijke pixels op het beeldscherm kon zien. Mams stem was heel ver weg. Ik hoorde haar wel, maar het was of ze niet echt tegen mij sprak. Of ze in een andere wereld was. Niet hier, bij mij. Niet onder deze lawine van verschrikkingen. Hier was ik alleen.

'Valerie, ik heb het tegen jou. Is er iets met haar, zuster? Valerie? Kun je me horen? Man, Ted, doe iets!'

De stem van mijn vader: 'Wat wil je dat ik doe, Jenny!? Wat wil je dat ik doe?'

'Meer dan daar alleen maar blijven staan! Dit is jouw gezin, Ted, jouw dochter, nota bene! Valerie, geef antwoord! Val!'

Maar ik kon mijn blik niet van het beeldscherm losrukken; ik keek, maar zag niets.

Nick. Hij heeft mensen neergeschoten. Hij heeft Christy Bruter neergeknald. Meneer Kline. O God, hij heeft hen afgeknald. Hij heeft het echt gedaan. Ik was erbij, ik heb het gezien, hij heeft hen neergeschoten, mij...

Ik reikte omlaag en voelde dat mijn dijbeen dik was ingepakt. Ik begon te huilen. Niet hysterisch of hard of zo, maar dat zachte huilen waarvan je helemaal verkrampt, met kromgetrokken schouders, scheve mond; het huilen dat Oprah ooit eens de *Ugly Cry* noemde.

Mam sprong op van haar stoel, boog zich over me heen en zei iets, maar niet tegen mij. 'Zuster, volgens mij heeft ze pijn. Ted, zorg dat ze iets tegen de pijn doen.' En ik zag, maar vaag als door een beneveld soort verwondering heen, dat zij ook huilde. Huilde op een manier die haar gecommandeer iets paniekerigs en rauws gaf, haar woorden kwamen hortend en stotend en waren vol wanhoop. Uit mijn ooghoek zag ik achter mam pap opduiken, die haar bij haar schouders pakte en bij het bed wegtrok. Ze stribbelde wat tegen maar liet het toe, legde haar hoofd tegen zijn borst en beiden liepen de kamer uit. Ik hoorde haar brullen in de gang.

De verpleegster drukte op een paar knoppen van een monitor achter me; de agent had mij de rug weer toegekeerd en keek naar de tv. Frankie stond nog altijd roerloos naar mijn dekens te staren.

Ik huilde tot mijn hele maagstreek pijn deed en ik het gevoel had dat ik moest overgeven. Het leek of er zand in mijn ogen zat, en mijn neus zat potdicht. Zelfs toen kon ik nog niet stoppen met huilen. Ik kan niet zeggen wat er op dat moment door mijn hoofd ging, ik huilde alleen maar. Wat ik voelde was mistig en duister en vol haat en triest en miserabel tegelijk. Ik wilde Nick en ik wilde hem nooit meer zien. Ik wilde mam en ook haar wilde ik nooit meer zien. Ergens in mijn achterhoofd, diep weggestopt in mijn brein, uit zelfbescherming, leefde het besef dat wat er vandaag gebeurd was op de een of andere manier ook mijn verantwoordelijkheid was. Dat ik er een aandeel in had gehad, ook al had ik dat nooit gewild. En dat ik ook niet met zekerheid kon zeggen dat ik er geen aandeel in zou hebben als ik het allemaal opnieuw mocht doen. Dat ik niet eens zeker wist of ik dat zou willen, als het kon.

Na een hele poos verminderde het huilen en kon ik weer normaal ademhalen, al was dat niet alleen maar een verbetering.

'Ik moet overgeven,' zei ik.

De verpleegster griste ergens een wegwerpbakje vandaan en hield dat onder mijn kin. Ik kokhalsde.

'Als u de kamer even zou willen verlaten?' zei ze tegen de agenten. Ze knikten en liepen zonder iets te zeggen de kamer uit. Door de open deur hoorde ik even de gedempte stemmen van mijn ouders op de gang. Frankie bleef op zijn post.

Ik gaf over, maakte smerige geluiden, snotterige slierten braaksel dropen uit mijn neus. Ik hapte naar adem en de verpleegster veegde met een natte washand mijn gezicht schoon. Dat voelde goed; koel, troostend. Ik sloot mijn ogen en legde mijn hoofd in het kussen.

'Het is normaal dat je na een narcose misselijk bent,' zei de verpleegster op een zakelijke toon. 'Dat gaat vanzelf weer over. Hou deze zolang maar bij de hand.' Ze gaf me een nieuw bakje, vouwde het uitgespoelde washandje dubbel, legde dat op mijn voorhoofd en verliet geruisloos de kamer.

Ik probeerde mijn hoofd leeg te maken; probeerde de beelden die ik als een film voor me zag stil te zetten. Maar het lukte niet. Ze doemden telkens weer op, het ene nog afschuwelijker dan het andere.

'Zit hij vast?' vroeg ik aan Frankie. Stomme vraag. Natuurlijk zat Nick vast, na zoiets.

Frankie keek me verbaasd aan, alsof hij vergeten was dat ik hier bij hem in de kamer was.

'Valerie,' zei hij, en hij knipperde met zijn ogen. Hij schudde zijn hoofd en zijn stem klonk hees. 'Wat... wat heb je gedaan?'

'Zit Nick vast?' vroeg ik nog eens.

Hij schudde zijn hoofd. Nee.

'Is hij ontsnapt?' vroeg ik.

Hij schudde zijn hoofd opnieuw.

Dan was er nog maar één andere mogelijkheid. 'Ze hebben hem neergeschoten.' Het was meer een vaststelling dan een vraag en ik vond het vreemd dat Frankie opnieuw zijn hoofd schudde.

'Hij heeft zichzelf door het hoofd geschoten,' zei hij. 'Hij is dood.'

○ ○ ○

Mei 2008

'Ik heb niks gedaan.'

○ ○ ○

7

Nick Levil. Het is heel raar dat die naam de bekendste van mijn klas geworden is. Voor de brugklas had niemand van hem gehoord.

Nick was toen net in Garvin komen wonen en hij paste er niet. Garvin is een van die kleine voorsteden met veel grote huizen en rijke mensen. Nick woonde in een van de paar straten voor mensen met een laag inkomen, helemaal aan de rand van het stadje. Hij droeg onverzorgde kleren, te groot soms, nooit iets wat in was. Hij was mager en leek een piekeraar en hij had een Het-Interesseert-Me-Geen-Moer-air over zich dat de meeste mensen persoonlijk opvatten.

Ik voelde me meteen tot hem aangetrokken. Hij had pikzwarte, sprankelende ogen en dat scheve, lieve, bijna verontschuldigende glimlachje waarachter je nooit zijn tanden zag. Hij paste er niet tussen, net zomin als ik. En hij wilde dat ook niet, net zomin als ik.

Niet dat ik altijd een buitenbeentje was geweest. Op de basisschool hoorde bijna iedereen er gewoon bij, dat was voor mij niet anders. Ik deed mee aan wat in was: de kleren, het speelgoed, de gadgets, de jongens, de muziek waar iedereen van uit zijn dak ging.

Maar ergens halverwege groep acht was dat veranderd. Ik begon beter om me heen te kijken en kreeg het gevoel dat ik misschien minder met mijn klasgenoten gemeen had dan ik dacht. Bij hen thuis leek het een stuk gezelliger dan bij mij. Ik kon me niet voorstellen dat er bij hen dezelfde kilte heerste als bij ons; wanneer je bij ons de voordeur opendeed leek het net of je de Noordpool op kwam. Op schoolbijeenkomsten noemden hun ouders hen 'liefje' of 'schoonheid'; de mijne kwamen meestal niet eens opdagen. Dat soort dingen begon me op te vallen in dezelfde periode als waarin Christy Bruter, mijn 'iemand', steeds populairder werd en op een dag was het niet langer een vraag maar een zekerheid: ik was anders.

Dus die houding van Nick beviel me wel. Ik nam net zo'n Het-Interesseert-Me-Geen-Moer-houding aan en begon gaten in mijn 'leuke' kleren te knippen. Ik wilde een ruiger uiterlijk, ik wilde de onbedorven Valerie van me afschudden die mijn ouders zo graag zagen en die ze mij de laatste tijd steeds meer probeerden op te dringen. Mam en pap zouden een rolberoerte krijgen als ze wisten dat ik met Nick omging; dat hielp ook. Zij dachten dat ik popi was op school, waaruit maar weer bleek hoe blind ze waren. Groep acht was lang geleden.

Nick en ik hadden samen wiskunde. Daar hebben we elkaar leren kennen. Hij vond mijn schoenen gaaf; die had ik bij de neus met ducttape omwikkeld, niet omdat dat nodig was maar dan leek het of ze bijna uit elkaar vielen en dat vond ik mooier. Het begon ermee dat hij zei: 'Mooie schoenen,' en dat ik antwoordde: 'Dank je. Man, wat heb ik een gloeiende hekel aan wiskunde,' en dat hij weer zei: 'Ik ook.' 'Hé,' fluisterde hij even later, op het moment dat mevrouw Parr kopietjes aan het uitdelen was. 'Ben jij niet vriendinnen met Stacey?'

Ik knikte, en gaf een stapeltje blaadjes door aan de nerd die achter me zat. 'Ken je haar?'

'Ze zit bij mij in de bus, volgens mij,' zei hij. 'Ze lijkt me wel cool.'

'Ja, klopt. Ik ken haar al vanaf de kleuterschool.'

'Vet.'

Mevrouw Parr maande ons stil te zijn en we gingen weer aan het werk, maar vanaf dat moment spraken we elkaar elke dag voor en na de les. Ik stelde hem voor aan Stacey en Duce en de rest en het klikte meteen, vooral met Duce. Maar het was ook meteen duidelijk dat het tussen hem en mij beter klikte dan met wie ook.

Al snel spraken we bij zijn kluisje af en liepen dan samen naar de les. Soms zagen we elkaar 's morgens bij de tribunes, samen met Stacey en Duce en Mason.

Toen, op een dag – ik had een verschrikkelijke rotdag gehad – had ik verschrikkelijk veel zin om het iedereen die mijn leven verziekte betaald te zetten en ik kwam op het idee om al hun namen in een schrift te zetten, alsof dat schrift een soort papieren voodoopop was of zoiets. Ik denk dat die namen in dat schrift voor mij een soort bewijs waren dat zij de rotzakken waren en ik het slachtoffer.

Ik sloeg mijn rode schrijfblok open, zette op elke regel een cijfer in de kantlijn en noteerde daarachter de namen van mensen, beroemdheden, instituten, concepten, alles waaraan ik een hekel had. Tegen het einde van het derde lesblok had ik een halve pagina gevuld met notities als: *Christy Bruter* en *wiskunde (cijfers en letters kun je niet bij elkaar optellen!!!)* en *haarspray*. Maar ik was nog lang niet klaar en nam het schrijfblok mee naar wiskunde, waar ik er druk in bezig was op het moment dat Nick binnenkwam.

'Hé!' zei hij, nadat hij zich op zijn stoel had laten vallen. 'Ik heb je gemist bij de kluisjes.'

'Daar was ik ook niet,' zei ik, zonder op te kijken. Ik schreef *huwelijksproblemen mam en pap* in het schrijfblok. Dat was een belangrijke. Die pende ik vier keer neer.

'O,' zei hij, waarna hij even stil bleef, al voelde ik dat hij over mijn schouder meekeek. 'Wat is dat?' vroeg hij uiteindelijk, een beetje lachend.

'Mijn Hate List,' antwoordde ik meteen.

Na de les liepen we samen het lokaal uit en Nick zei nonchalant: 'Ik vind dat je het huiswerk voor vandaag ook op die lijst moet zetten. Huiswerk is een ramp.' Ik keek om en hij grijnsde naar me.

Ik glimlachte. Hij snapte het en ik voelde me op slag een stuk beter: ik wist dat ik niet alleen stond. 'Je hebt gelijk,' zei ik. 'Dat zet ik er bij de volgende les ook op.'

Zo zijn we met die beruchte lijst begonnen. Als een grap. Een manier om lucht te geven aan onze frustraties. Maar het ontwikkelde zich tot iets wat ik nooit voor mogelijk had gehouden.

Elke dag kropen we bij wiskunde op de achterste bankjes bij elkaar en schreven de namen op van iedereen op school aan wie we een hekel hadden. We scholden op Christy Bruter en op mevrouw Harfelz, op mensen die ons irriteerden, op iedereen die ons op de zenuwen werkte. In het bijzonder op de lui die ons of anderen pestten.

Volgens mij hebben we ooit een keer met het idee gespeeld om de lijst openbaar te maken, zodat iedereen kon zien hoe verschrikkelijk sommige mensen kunnen zijn. Dan zouden wij degenen zijn die het laatst lachten; om de cheerleaders die mij Dooie Dame noemden; de macho's die het altijd nodig vonden om, wanneer er niemand keek, Nick op de gang een stoot tussen zijn ribben te geven; om al die 'lieve' kinderen van wie niemand zag dat ze minstens zo erg waren als de 'probleemkinderen'. We hebben het erover gehad dat de wereld er beter uit zou zien als er meer van dit soort lijsten waren, dan zouden mensen zich in elk geval moeten verantwoorden voor wat ze deden.

Die lijst was mijn idee. Mijn kindje. Ik ben ermee begonnen en heb hem in stand gehouden. Onze vriendschap is ermee begonnen en hij hield ons bij elkaar. Met die lijst waren wij beiden niet meer zo eenzaam.

De eerste keer dat ik bij Nick thuis kwam was op de dag dat ik echt verliefd op hem werd. We stapten de keuken binnen waar het een vieze bende was. Ik hoorde vaag het geluid van een tv met daarbovenuit het rokershoestje van iemand. Nick zwaaide een deur in een halletje bij de keuken open en gebaarde dat ik hem volgen moest, een houten trap af die naar het onderhuis voerde.

De kelder had een betonnen vloer waarop een oranje kleed was uitgespreid, naast een matras dat onopgemaakt los op de grond lag. Nick smeet zijn rugtas op het matras en liet zich er ruggelings op neervallen. Hij zuchtte diep en wreef met zijn handen in zijn ogen.

'Wat een dag,' zei hij. 'Ik kan niet wachten tot het zomer is.'

Ik draaide langzaam om mijn as. Tegen de muur stonden een wasmachine en een droger, erbovenop een wankele stapel wasgoed die er aan alle kanten vanaf dreigde te vallen. Ergens in een hoek stond een muizenval. Bij een andere muur lag een stapel verhuisdozen, daarnaast een lage kledingkast met halfopen lades waar kleren uitpuilden; erbovenop lag een hele hoop troep.

'Jouw kamer?' vroeg ik.

'Yep. Tv kijken? Ik heb hier ook een Playstation.'

Hij had zich op zijn buik gerold en was met een tv'tje aan het rommelen dat op een kist aan de andere kant van het bed stond.

'Oké,' zei ik. 'Playstation dan.'

Ik vlijde me naast hem neer op het matras en zag tussen zijn bed en de muur een plastic krat boordevol boeken staan. Ik schoof op mijn knieën naar het krat en haalde er een uit.

'*Othello*,' zei ik, de omslag lezend. 'Shakespeare?'

Hij wierp me een schuine, wantrouwende blik toe, maar zei niets.

Ik pakte een ander boek. '*Macbeth*.' En nog twee andere. '*De sonnetten van Shakespeare. De Shakespeare-biografie.* Wat is dit?' vroeg ik.

'Niks,' zei hij. 'Hier.' Hij wierp me een controller toe.

Ik negeerde het en spitte verder in het krat. '*Een midzomernachtsdroom. Romeo en Julia. Hamlet.* Allemaal Shakespeare, dit.'

'Dat is een van mijn favorieten,' zei hij zachtjes, wijzend op een boek dat ik vasthad. 'Hamlet.'

Ik bestudeerde de omslag, sloeg het boek op een willekeurige pagina open en las:

''t Was mij gebeurd, had ik mij daar verborgen.

Zijn vrijheid is voor allen een gevaar,

voor jou, voor mij, voor elk van ons.'

'Wie treft de blaam van deze bloed'ge daad?' zei Nick, de volgende regel declamerend voordat ik de kans had om hem te lezen.

Ik leunde achterover en keek hem aan, over de rand van het boek. 'Lees jij dit?'

Hij haalde zijn schouders op. 'Stelt niet zo veel voor.'

'Meen je dat? Vet. Je kent het gewoon uit je hoofd. Ik begrijp niet eens wat er staat.'

'Nou ja, je moet wel een beetje weten wat er in de rest van het verhaal gebeurt, anders is het ook niet te volgen,' zei hij.

'Nou, vertel maar eens dan,' zei ik.

Hij keek me wat onzeker aan, haalde diep adem en stak aarzelend van wal. Zijn stem werd vaster en enthousiaster naarmate hij me meer vertelde over Hamlet, Claudius, Ophelia; over moord en verraad. Over dat Hamlets besluiteloosheid zijn grootste en fatale zwakte was. Over hoe hij de vrouw die hij liefhad verried. En terwijl hij me Hamlets verhaal vertelde, passages over het goddelijke aanhalend alsof hij ze zelf geschreven had, wist ik het. Ik wist dat ik verliefd op hem aan het worden was, op deze jongen met zijn slordige kleren en zijn rauwe houding, die zo verlegen glimlachen kon en Shakespeare kende.

'Hoe kom je hieraan?' vroeg ik. 'Ik bedoel: je hebt hier echt de wereld aan boeken.'

Nick boog zijn hoofd. Hij vertelde hoe hij was gaan lezen in de periode dat zijn moeder met man nummer twee in scheiding lag; hoe hij nachtenlang alleen in huis was, een kind dat niets te doen had omdat zijn moeder bars afstruinde op zoek naar een scharrel en regelmatig vergat de elektriciteitsrekening te betalen, zodat er voor hem weinig anders overbleef dan maar te gaan lezen. Dat zijn oma hem boeken bracht en dat hij ze diezelfde dag nog verslond. Hij las alles: *Star Wars*, *In de ban van de ring*, *Artemis Fowl*, *De kronieken van Narnia*.

'En op een dag nam Louis, dat is vader nummer drie, een boek mee dat 'ie ergens op een rommelmarkt gekocht had,' zei hij. 'Hij vond het zelf erg grappig.' Nick trok *Hamlet* uit mijn handen, zwaaide ermee in de lucht en zette een rauwe stem op. '"Ik wil jou dit weleens zien lezen, boekenwurm." Hij lachte; vond zichzelf verschrikkelijk grappig. Mijn moeder ook.'

'En dus ben je het gaan lezen,' knikte ik, bladerend in *Othello*, 'om ze een poepie te laten ruiken.'

'Eerst wel,' zei hij. 'Maar toen...' Hij kroop over het bed en kwam naast me zitten, met zijn rug tegen de muur, net als ik, en keek naar de pagina's die ik omsloeg. Ik genoot van de warmte van zijn schouder tegen de mijne. 'Ik begon het mooi te vinden, weet je. Het is alsof je een puzzel legt, zoiets. En ik vond het grappig dat hij me een boek gegeven had waarin de stiefvader de rotzak is.' Hij schudde zijn hoofd. 'De sukkel.'

'Dus je oma heeft de rest gekocht?'

Hij haalde opnieuw zijn schouders op. 'Voor een deel. Ik heb er ook een aantal zelf gekocht. De meeste via iemand van de bieb die me destijds vaak geholpen heeft. Zij wist dat ik van Shakespeare houd. Ik denk dat ze medelijden met me had.'

Ik mikte *Othello* weer in het krat en trok *Macbeth* eruit. 'En deze? Vertel me hier eens iets over,' zei ik. En dat deed hij. De controller van de Playstation naast het bed op de vloer was vergeten.

Die eerste paar dagen in het ziekenhuis heb ik die middag steeds weer teruggeroepen in mijn herinnering. Ik heb net zolang in mijn geheugen gegraven tot ik elk detail ervan weer wist. Er had een rode hoes om zijn dekbed gezeten, geen sloop om het kussen. Op het hoekje van zijn klerenkast had een ingelijste foto van een blonde vrouw gestaan: zijn moeder. Op het moment dat wij *King Lear* bespraken, werd boven een toilet doorgespoeld. Boven ons kraakten de voetstappen van zijn moeder die van de slaapkamer naar de badkamer en naar de keuken liep. Ieder detail. Hoe meer details er bovenkwamen, hoe moeilijker ik het vond om te geloven wat er op de nieuwszenders over Nick werd gezegd. 's Avonds, als iedereen naar huis was, zette ik stiekem de tv aan, bijna alsof ik iets deed wat niet mocht, en keek.

Wanneer ik niet bezig was met die middag op Nicks kamer, probeerde ik de puzzelstukjes van wat er in de aula gebeurd was aan elkaar te leggen. Dat was niet gemakkelijk, om een heleboel redenen.

Allereerst leefde ik die eerste twee dagen in een soort roes, door de medicijnen. Gek: je zou denken dat je, wanneer je wordt neergeschoten, de ergste pijn voelt op het moment zelf, maar dat is niet zo. Volgens mij heb ik op dat moment helemaal niets gevoeld. Angst misschien. Een raar, zwaar gevoel, denk ik. Maar geen pijn. Die kwam pas de dag erna, na de operatie, nadat mijn huid en zenuwen en spieren een dag lang hadden kunnen wennen aan het idee dat er iets voorgoed veranderd was.

Ik heb die eerste twee dagen veel gehuild, het meest omdat ik wilde dat de pijn verdwijnen zou. Dit was geen wespensteek. Zo veel pijn had ik nog nooit gehad.

Daarom kwam de verpleegster, die me nog altijd niet mocht, dat zag ik wel, om de zo veel tijd de kamer binnen en gaf me een injectie met het een of andere middel of liet me iets drinken waardoor stemmen heel gek gingen klinken en alles wat ik om me heen zag heel vlekkerig werd; echt vreemd. Ik heb geen idee hoeveel tijd ik sliep, maar ik weet wel dat ik na die eerste dagen, toen ik niet langer die zware pijnstillers waar je stoned van werd kreeg maar gewone, graag vaker had geslapen.

Maar de belangrijkste reden waarom het zo moeilijk was om de stukjes aan elkaar te passen was omdat er niets van leek te kloppen. Alsof mijn brein het niet op een rijtje kreeg. Ik had het gevoel dat mijn hersens in tweeën waren gespleten. Ik heb de verpleegster op een gegeven moment zelfs gevraagd of het mogelijk was dat de knal van het pistool iets in mijn hersenen overhoop had gegooid waardoor ik niet meer helder denken kon. De enige heldere gedachte die ik had was dat ik zo heel graag wilde slapen. Dat ik zo heel graag in een andere wereld wilde zijn, niet in deze.

Ze zei: 'Het lichaam heeft allerlei manieren om een trauma te verwerken.' Ik wilde dat het mijne er nog meer had.

Iedere avond deed ik de tv aan die aan de muur tegenover mijn bed hing en keek naar de beelden van mijn school. Er waren vanuit de lucht genomen beelden, afstandelijk en ver weg, precies zoals ik het voelde: een instituut, een vreemde en huiveringwekkende plek, niet de plaats waar ik drie jaar van mijn leven had doorgebracht. Dan gebeurde het soms dat ik er even vast van overtuigd was dat ik naar fictie zat te kijken. Maar het misselijke gevoel in mijn maagstreek herinnerde me eraan dat dit geen fictie was. Dit was echt. En ik zat er middenin.

Mam zat die eerste twee dagen onafgebroken aan mijn bed en stortte de ene na de andere emotie over me uit. Het ene moment zat ze geluidloos te snotteren in een geparfumeerd papieren zakdoekje, zachtjes haar hoofd schuddend en mij 'liefje' noemend, een tel later was ze een boze vrouw met een vertrokken gezicht en verkrampte lippen die mij de schuld gaf en zei dat ze het niet kon bevatten dat zij zo'n verschrikking op de wereld had gezet.

Ik had er weinig op te zeggen. Niet tegen haar en niet

tegen iemand anders. Nadat Frankie me verteld had dat Nick zichzelf had doodgeschoten, was ik in mijn schulp gekropen, als een slak in zijn huisje. Ik lag op mijn zij, mijn benen opgetrokken, mijn knieën tegen mijn borst, mijn lijf stijf in lakens en dekens gewikkeld, voor zover het verband en het kloppen in mijn dijbeen en de slangen en draden die mij aan het bed gekluisterd hielden dat toelieten. Opgerold tot een bal. En wanneer mijn lichaam niet meer verder kon: mijn ziel kon dat nog wel. In elkaar kruipen, verder, verder nog, tot iets wat stijf opgerold en heel erg nietig is.

Het was niet dat ik me voorgenomen had om mijn mond niet open te doen of zo. Ik wist gewoon niets te zeggen. Vooral omdat ik, telkens als ik mijn mond opendeed, het liefst alleen maar heel hard wilde schreeuwen. Van afschuw. Ik had een hoofd vol beelden van Nick. Dood. Ergens op de grond. Ik wilde naar zijn begrafenis. Op zijn minst naar zijn graf. Het liefst nog wilde ik hem kussen, zeggen dat ik hem vergaf dat hij me neergeschoten had.

Maar ik wilde ook schreeuwen om meneer Kline. Om Abbey Dempsey, om de anderen die doodgeschoten waren. Zelfs om Christy Bruter. Om mam. Om Frankie. En ja, ook om mezelf. Maar al die door elkaar buitelende gevoelens leverden geen enkel logisch verband op. Alsof er een heel aantal stukjes van de puzzel die ik probeerde te leggen niet paste – net niet. Om gek van te worden. Met een beetje geweld kreeg ik ze wel ergens tussen gepropt, maar dan zaten ze scheef en klopte het plaatje niet. Zo voelde ik het, zo maalde het in mijn hoofd, alsof ik met puzzelstukjes aan het schuiven was die nergens pasten.

Op de derde dag vloog de deur van mijn kamer open. Ik lag naar het plafond te staren en dacht aan de keer dat

Nick en ik waren gaan lasergamen bij Lasersensation. Ik had gewonnen en daar was Nick eerst behoorlijk pissig over, maar daarna waren we naar een feestje gegaan, bij Mason thuis, en had hij het hoogste woord gehad over hoe geweldig goed ik schieten kon. Hij leek heel, heel erg trots op me en ik voelde me geweldig. We hebben die hele avond elkaars handen vastgehouden en gekke bekken naar elkaar getrokken; het was de beste avond van mijn leven, zeg maar.

Ik hoorde de deur opengaan en deed gauw mijn ogen dicht. Wie er ook binnenkwam, ik wilde hem laten geloven dat ik sliep, zodat hij gauw weer zou vertrekken en ik verder kon dromen over die avond. Ik had durven zweren dat mijn hand warm was, alsof ik Nicks hand op dat moment vasthad.

Ik hoorde voetstappen dichterbij komen en naast het bed stoppen. De draden bleven roerloos hangen. Er werden geen laden of deurtjes opengetrokken, zoals wel gebeurde wanneer er verplegend personeel binnenkwam. Ik hoorde niet het snuiven waardoor ik zou weten dat mam er was. Frankies geurtje rook ik ook niet. Ik voelde alleen maar, pal naast me, de aanwezigheid van een zwijgende figuur. Ik deed één oog open.

Naast het bed stond een man in een bruin pak. Een veertiger, zoiets, helemaal kaal. Niet omdat hij al zijn haren kwijt was, maar omdat hij al zo kaal was geworden dat hij de strijd had opgegeven en de rest er ook maar afgeschoren had. Hij had kauwgom in zijn mond. Geen spoor van een glimlach.

Ik deed mijn beide ogen open maar kwam niet overeind. Ik zweeg eveneens en keek hem alleen maar aan, mijn hart bonkend achter mijn ribben.

'Hoe is het met je been, Valerie?' vroeg hij. 'Is het goed als ik je Valerie noem?'

Ik kneep mijn ogen halfdicht, maar gaf geen antwoord. Mijn hand voelde als vanzelf aan het verband om mijn been. Ik maakte me klaar om het op een schreeuwen te zetten. Was dit zo'n freak uit een horrorfilm die me hier in mijn ziekenhuisbed kwam verkrachten en vermoorden? Dat zou misschien wel mijn verdiende loon zijn, schoot het even door me heen. Een heleboel mensen zouden het prima vinden als mij iets ergs overkwam. Maar ik kon niet voortborduren op die gedachte, want de man kwam in beweging en sprak weer.

'Beter, hoop ik.' Hij deed een stap naar achteren en pakte een stoel, ging zitten. 'Je bent jong. Dat scheelt een stuk. Ik ben twee jaar geleden door een junkie in mijn voet geschoten. Duurde een eeuwigheid voordat dat genezen was. Maar ja, ik ben een ouwe vent.' Hij lachte om zijn eigen grap. Ik knipperde met mijn ogen. Verroerde nog altijd geen vin, mijn hand op het verband.

Zijn lachen stierf weg en hij kauwde zwijgend op zijn kauwgom, keek me aan, zijn hoofd een tikje scheef. Hij bleef zo lang kijken dat ik uiteindelijk mijn mond maar opendeed.

'Mijn moeder komt zo weer terug,' zei ik. Geen idee waarom, het sloeg nergens op en het was niet waar ook. Ik had geen flauw idee wanneer mam zou komen. Het leek me slim om te zeggen dat er elk moment een volwassene binnen kon komen, zodat hij het niet in zijn hoofd zou halen om me lastig te vallen.

'Ze staat in de hal,' zei hij. 'Ik heb al met haar gesproken. Ze komt straks. Na de lunch misschien. Ze is nu met een collega van mij aan het praten. Dat kan wel even duren.

Je vader is er ook bij. Die is even niet zo blij met jou, volgens mij.'

Ik knipperde weer met mijn ogen.

'Nou ja,' zei ik. Dat zei het wel zo ongeveer, leek me. Nou ja. Nou ja, wanneer was hij dat wel? Nou ja, maakt het wat uit? Nou ja, mij niet in elk geval. Nou ja.

'Ik ben rechercheur Panzella,' zei de man in het bruine pak.

'Oké,' zei ik.

'Je kunt mijn ID zien, als je wilt.'

Ik schudde mijn hoofd, vooral omdat ik nog niet helder had wat hij hier kwam doen.

Hij ging er eens goed voor zitten en leunde voorover, zijn gezicht vlak bij het mijne.

'Wij moeten eens praten, Valerie.'

Ik had het moeten zien aankomen, neem ik aan. Het was niet meer dan logisch, toch? Maar voor mij was op dat moment niets meer logisch. Er was niets logisch aan die schietpartij, dus waarom zou het wel logisch zijn dat er nu ineens een rechercheur in een bruin pak aan mijn bed zat?

Ik was doodsbang. Banger nog. Ik was zo bang, dat ik het door en door koud had en ik was er helemaal niet gerust op dat ik in staat was om met hem te praten, waarover dan ook.

'Herinner je je nog iets van wat er op school is gebeurd?' vroeg hij.

Ik schudde mijn hoofd. Nee. 'Niet echt. Iets.'

'Er zijn een heleboel mensen dood, Valerie. Doodgeschoten door jouw vriend Nick. Heb jij enig idee waarom?'

Daar moest ik over nadenken. In al dat gepuzzel van de afgelopen dagen had ik mezelf die vraag nog niet gesteld.

Waarom. Het antwoord leek zo voor-de-hand-liggend: Nick haatte die gasten. En zij hadden een hekel aan hem. Daarom. Haat. Stompen in de maag. Schelden. Uitlachen. Rotopmerkingen. Tegen de kluisjes geramd worden omdat een of andere lefgozer langs je heen loopt. Zo zat het, en op de een of andere manier was het hierop uitgedraaid en waren ze allemaal dood.

Ik herinnerde me een avond rond Kerst. Nicks moeder had hem haar auto geleend en gezegd dat hij mij mee uit moest nemen. We hadden zelden de beschikking over een auto en hadden er enorm veel zin in om ergens heen te gaan waar we anders niet zo gemakkelijk kwamen. We besloten een filmpje te pakken.

Nick haalde me op, in die roestige ouwe bak waarvan de bodem bezaaid lag met plastic koffiebekers, besmeurd met lippenstift, en waar tussen de zittingen overal lege sigarettenpakjes gepropt waren. Dat kon ons weinig schelen. We waren veel te blij dat we er met dat ding op uit konden. Ik schoof naar het midden van de voorbank zodat ik dicht naast hem zat; hij reed een beetje onzeker, alsof het voor het eerst was dat hij achter het stuurwiel zat.

'Zo,' zei Nick. 'Comedy of thriller?'

Daar dacht ik even over na. 'Iets romantisch,' antwoordde ik met een dubbelzinnig glimlachje.

Hij trok een lelijk gezicht en wierp me een snelle blik toe. 'Serieus? Bekijk 't maar. Je denkt toch niet dat ik naar zo'n meidenfilm ga? Dat trek ik echt niet.'

'Als ik je dat vraag wel,' plaagde ik hem.

Hij grijnsde en knikte. 'Ja,' zei hij. 'Dan wel.'

'Maar dat ga ik je niet vragen,' zei ik. 'Een comedy. Ik heb zin om te lachen.'

'Ik ook,' zei hij. Hij nam een hand van het stuurwiel en legde die op mijn knie. Hij kneep er even zachtjes in, en liet hem daar liggen.

Ik leunde tegen hem aan, en slaakte met mijn ogen gesloten een diepe zucht. 'Ik heb hier de hele dag naar uitgekeken. Mijn ouders waren zo verschrikkelijk irritant, gisteravond, echt: ik werd er helemaal gestoord van.'

'Ja, dit is vet,' antwoordde hij, en kneep opnieuw geruststellend in mijn knie.

We draaiden het parkeerterrein van de bioscoop op. Het was er afgeladen vol; mensen stonden op de stoep, zaten op het grasveld ervoor. Veel tieners, de meesten van onze school. Nick nam zijn hand van mijn knie en legde hem weer op het stuur, langzaam verder rijdend, speurend naar een lege parkeerplek.

Chris Summers liep langs de auto, hij had een enorme beker in zijn handen. Hij was samen met zijn maten en ze waren aan het klieren, zoals altijd. Ze kwamen het parkeerterrein op lopen, vlak voor onze auto, zodat Nick vol in de remmen moest.

Chris gluurde door de voorruit en begon te lachen.

'Mooie bak, freak!' riep hij, en met een snelle armbeweging kwakte hij de beker tegen de voorruit. Het ding barstte open, cola en ijs spatten alle kanten uit, en trokken schuimende strepen over de voorruit waarlangs de massa omlaaggleed naar de motorkap.

Ik schrok en gilde. 'Klootzak!' schreeuwde ik, maar Chris en zijn maten waren al doorgelopen en trokken lachend de deuren van de bioscoop open. Verscheidenen die op het gras zaten keken op en lachten ook. 'Eikel!' schreeuwde ik nog een keer. 'Je denkt dat je cool bent, maar je bent een ontzettende loser, meer niet!' Ik smeet hem nog een paar beledigingen na en richtte toen mijn blik op de lui die zo moesten lachen. Onder hen was Jessica Campbell die daar met een groepje vriendinnen stond, hun handen voor de lachende open monden geslagen. 'Barst toch,' zei ik uiteindelijk moedeloos, terwijl ik me weer achterover in mijn stoel liet vallen. 'Ik vraag me af waar die gozer zijn verstand heeft, weet jij het?'

Nick zei niets. Hij zat doodstil, zijn handen op tien voor twee op het stuur, en tuurde naar de gore ruit voor hem. Ik leunde naar voren. Zijn gezicht, een paar minuten geleden nog grijnzend en levendig, was uitdrukkingsloos. Verdord, leek het wel. Hij had helrode vlekken op zijn wangen en je zag de spieren in zijn kaak trekken. Schaamte en teleurstelling straalden van hem af, ik kon het bijna voelen; zag hem bijna letterlijk voor mijn ogen ineenschrompelen, verslagen. Dat maakte me bang. Nick werd meestal kwaad en vocht terug. Maar die keer leek het of hij wel kon janken.

'Hé,' zei ik, terwijl ik zachtjes zijn elleboog aanraakte. 'Trek het je niet aan. Summers is een eikel.'

Maar Nick zei niks en verroerde zich niet, ook niet toen achter ons auto's begonnen te toeteren.

Ik keek nog een minuutje naar hem en hoorde zijn stem opklinken in mijn hoofd. *Soms winnen wij, Valerie,* had hij gezegd. *Vanavond niet,* dacht ik. *Vanavond zijn wij de losers.* 'Weet je,' zei ik, 'ik heb helemaal geen zin meer in een film. Kom, dan halen we iets te eten. Eten we dat bij jou thuis wel op. Lekker bij de tv.'

Hij keek me aan, zijn mond strak, zijn ogen vochtig. Hij knikte langzaam, en hief zijn hand op om de ruitenwissers aan te klikken. Ze sloegen de beker weg en veegden de ijs- en colaresten van de ruit, alsof die deze avond niet totaal hadden bedorven. 'Het spijt me,' zei hij met een stem zo gesmoord dat ik hem bijna niet verstond, voordat hij de auto in de versnelling zette en langzaam de parkeerplaats afreed als een geslagen hond.

Maar ik had niet de indruk dat dit was wat de rechercheur wilde horen. Hij was hier niet omdat hij iets over Nick wilde weten. Hij was hier om meer over een misdadiger te weten te komen, over iemand die iets verschrikkelijks had gedaan. 'Geen idee,' zei ik.

'Wat denk je?'

Ik haalde mijn schouders op. 'Ik weet het echt niet. Nick weet het. Maar die kun je het niet meer vragen, die is dood. Misschien dat Jeremy het weet.'

'Jeremy Watson, bedoel je? Uit... eh...' Hij raadpleegde wat aantekeningen in een notitieboekje dat hij als uit het niets tevoorschijn getoverd had. 'Lowcrest?' vroeg hij.

'Dat zal wel,' zei ik. Ik realiseerde me ineens dat ik geen idee had wat Jeremy's achternaam was of waar hij woonde. Alleen dat hij Nicks vriend was geweest en dat hij de laatste was met wie Nick gesproken had voordat het allemaal gebeurde. 'Ik ken Jeremy eigenlijk helemaal niet.'

De rechercheur trok zijn wenkbrauwen op, alsof hij om de een of andere reden gedacht had dat ik een van Jeremy's beste vrienden was of zo.

'Ik heb hem nooit ontmoet, niet echt,' zei ik. 'Ik weet alleen dat Nick veel met hem optrok.'

De rechercheur tuitte zijn lippen en fronste zijn voorhoofd. 'Hm. Dat is vreemd, want Jeremy's ouders wisten wel veel over jou. Ze kenden je voor- en achternaam. Ze wisten waar je woont en zeiden dat ik bij jou moest zijn voor antwoorden.'

'Hoe kunnen zij mij nou kennen?' Ik richtte me op mijn elbogen een stukje op. 'Ik heb hen nooit ontmoet.'

De rechercheur haalde zijn schouders op. 'Misschien dat Nick het een en ander over je heeft verteld. Was dit gepland, Valerie? Hebben jij en Nick deze schietpartij voorbereid?'

'Ik was... Nee, ik heb nooit... Absoluut niet!'

'Er zijn een heleboel getuigen die beweren dat het laatste wat Nick tegen jou zei, voordat hij je neerschoot, was: "Ons plan. Weet je niet meer?" En jij hebt geen idee over welk plan hij het had?'

'Nee.'

'Dat geloof ik niet.'

'Maar het is de waarheid,' zei ik. Ik voelde me ellendig. 'Er was geen plan, ik heb niets gepland. Ik had geen idee dat hij dit van plan was.'

Hij ging staan, trok zijn jasje recht, haalde een stapeltje documenten uit een enveloppe en drukte dat in mijn handen. Ik keek. Mijn adem stokte.

Aan: NicksVal@aol.com
Van: kadaver@gmail.com
Onderwerp: zo kan het ook

Ik zou het liefst gas gebruiken, denk ik. Je weet wel: gewoon in de garage, in de auto gaan zitten, de motor aanzetten, stoned worden en doodgaan. Heftig, man!

Stel je voor: mijn ouders die op een ochtend de garage inlopen om naar het werk te gaan, en daar lig ik, dood, met een vette joint tussen mijn vingers.

O, weet je wie ik ook nog op de lijst wil zetten? Ginny Baker.

N.

Aan: kadaver@gmail.com
Van: NicksVal@aol.com
Onderwerp: RE: zo kan het ook
Kweetniet. Ik heb meer met een overdosis. Iets sexy's,
X of zo. LOL – jouw ouders die jou in die auto vinden.
Dat zou wreed zijn. Maar die roken eerst die joint op en
bellen dan pas een ambulance, wedden?
En waarom GB? Ik heb de lijst nog, van mens&maatschappij.
Kan haar erop zetten, als je wilt.
Val

Aan: NicksVal@aol.com
Van: kadaver@gmail.com
Onderwerp: RE:RE: zo kan het ook
Waarom niet? Ze is toch maar zo'n RMB. Zet haar erop.
Waar staat ze dan? Ergens rond de 407, denk ik? Jammer.
Zou veel hoger op de lijst moeten staan.
N.

Aan: kadaver@gmail.com
Van: NicksVal@aol.com
Onderwerp: RE:RE:RE: zo kan het ook
Geldt voor al die RMB's. Ik heb haar erop gezet. 414,
trouwens. Zou het niet vet zijn als op een dag H&M zou
ontploffen en die hele RMB-zooi in één klap van de wereld geblazen zou worden? Overal nepnagels en blonde
haren, meer niet. LOL.
Val

De rechercheur keek me van dichtbij onderzoekend aan,
terwijl ik de rest van het pak doorbladerde – allemaal
prints van bestanden van mijn computer die de politie een

paar uur na de schietpartij in beslag had genomen. Dat hoorde ik later pas.

'Wat zijn RMB's?' vroeg hij.

'Huh?' mompelde ik.

'RMB's. Jullie hebben het alle twee over RMB's. Jij schrijft dat Ginny Baker er een was.'

'O,' zei ik. 'Ik moet wat drinken.' Hij strekte zijn hand uit en trok het blad van het kastje naast mijn bed wat dichterbij. Ik greep het glaasje water dat erop stond en dronk.

'RMB's,' herhaalde ik. Ik schudde mijn hoofd.

'Weet je dat niet meer?' De rechercheur bracht zijn hoofd omlaag, zijn ogen op gelijke hoogte met de mijne. Hij keek me recht in de ogen en het zweet brak me uit. Hij sprak met een donkere, grimmige stem en ik begreep dat hij iemand was met wie je maar beter geen ruzie kon krijgen. 'Valerie,' zei hij, 'de mensen willen gerechtigheid. Ze willen antwoorden. Reken er maar op dat wij dit tot op de bodem uitzoeken. We zullen de waarheid vinden. Linksom of rechtsom. Misschien dat jij niet meer precies weet wat er drie dagen geleden in de aula is gebeurd, maar ik weet zeker dat jij wel weet wat RMB's zijn.'

Ik zette het glas water weer op het blad. Mijn mond zat volkomen op slot.

'Ik heb het nagevraagd op school. Het is niet een club van school of iets dergelijks. Het moet dus iets zijn wat Nick en jij verzonnen hebben.' Hij ging staan, richtte zich in zijn volle lengte op en sloot zijn map. 'Goed,' zei hij, weer op normale toon. 'Ik zoek het wel uit. Voor nu ga ik er maar van uit dat RMB een afkorting is die jullie bedacht hebben voor bepaalde jongelui, van wie er in elk geval één dood is.'

'Rijke…' begon ik. Ik haperde en deed mijn ogen dicht,

klemde mijn kaken op elkaar. Ik had het steenkoud en overwoog een verpleegster te roepen. Maar ik had zo het idee dat die niets zou doen om me te helpen. Ik ademde in. 'Rijke Magere Barbiebitch,' zei ik. 'RMB. Rijke Magere Barbiebitch. Dat betekende het. De RMB-club. Oké?'

'En wat jou betreft mocht die hele club van de wereld geblazen worden?'

'Nee. Ik wilde helemaal niemand van de wereld blazen.'

'Dat heb je wel gezegd. Jij bent NicksVal, toch?'

'We waren aan het ouwehoeren. Het was een stomme grap, meer niet.'

'George en Helen Baker kunnen er niet om lachen. Ginny's gezicht is aan flarden geschoten. Ze is voor het leven getekend, als ze het al haalt.'

'O, nee…' fluisterde ik, mijn mond kurkdroog. 'Dat wist ik niet.'

De rechercheur stapte om de stoel heen en slofte naar de deur. Hij wees op het stapeltje documenten dat ik nog altijd vasthad. 'Die laat ik hier. Neem ze vanavond maar door, dan hebben we het er morgen wel verder over.'

Een vlaag van paniek sloeg door me heen. Ik wilde niet met hem praten morgen, sowieso niet, nooit meer. 'Mijn vader is advocaat. Hij vindt het nooit goed dat ik zonder advocaat met u praat. Ik heb hier helemaal niets mee te maken.'

Ik las even iets van boosheid of ongeduld op het gezicht van de rechercheur.

'Dit is geen spelletje, Valerie,' zei hij. 'Ik wil dit samen met jou uitzoeken. Geloof me, dat wil ik echt. Maar dan moet je wel meewerken. Ik heb met je vader gesproken. Hij weet dat ik met jou praat. Je ouders zijn heel coöperatief, Valerie. Stacey, je vriendin, ook. We hebben de afgelopen twee dagen Nicks spullen onderzocht, en de jouwe. We hebben het schrijfblok gevonden. We zijn nu met de mailtjes bezig. Wat er ook achter zit, wij zullen het wel ontdekken. Jij hebt nu de kans om dingen recht te zetten. Om Nicks naam te zuiveren, als je denkt dat je dat kunt. Maar dan moet je wel praten. Dan moet je meewerken. Voor je eigen bestwil.'

Hij stond een paar minuten roerloos op de drempel naar me te kijken. 'Morgen praten we verder,' zei hij.

Ik staarde naar de dekens en probeerde te vatten wat hij allemaal gezegd had. Het schrijfblok? De mailtjes? Ik wist niet helemaal zeker wat hij daarmee bedoelde, maar ik nam aan dat het er niet best voor me uitzag. Ik zocht in mijn geheugen naar alles wat ik in dat schrijfblok had geschreven, naar de rottigheid waarover ik 's avonds laat met Nick had gechat. Daar zat weinig goeds bij. Ik had het inmiddels zo koud dat mijn lijf onder mijn nek bijna gevoelloos was.

8

'Vertel me eens over die bijnaam van je: Dooie Dame,'
zei rechercheur Panzella de volgende ochtend toen
hij mijn kamer binnenstapte. Vandaag geen: H*oe is 't met
je been? Beter, hoop ik,* alleen maar: *Vertel me eens over die
bijnaam van je.*
'Wat is daarmee? Dat is gewoon een stomme scheld-
naam,' zei ik, terwijl ik op een knopje duwde waarmee
het hoofdeind van mijn bed omhoogging zodat ik kon
zitten. Ik had – opnieuw – de prints gelezen die hij had
achtergelaten en had een bar slecht humeur. Al die dingen waar wij het over hadden, en ik had niets in de gaten
gehad. Hoe kon dat? Waarom had ik niet gezien dat Nick
het meende?
De rechercheur pakte zijn notitieblokje, sloeg een paar
blaadjes om en knikte. 'Waar kwam die vandaan?'
'Wat bedoelt u? Waarom ze mij zo noemden? Om mijn
mascara. Omdat ik zwarte spijkerbroeken draag en mijn
haar zwart verf. Omdat... weet ik veel. Waarom vraagt u
dat niet aan hen? Ik heb er niet om gevraagd of zo, hoor.'
Nee. Ik had er niet om gevraagd. Dat wist ik heel zeker,
ook al leek het op tv weleens of ik dat wel had gedaan.
Christy Bruter was mijn 'iemand', zoals mam dat al jaren
noemde. Die 'iemand' die een zwakker en kwetsbaarder
mens zoekt en het nodig vindt om die het leven zuur te
maken. Die 'iemand' die genoeg anderen achter zich heeft

en weet dat iedere bijnaam die ze verzint wel aanslaat. De 'iemand' die mijn leven kon verzieken als ze dat wilde. Christy vond het grappig om bijnamen voor me te verzinnen. Net als Jessica Campbell en Meghan Norris. Chris Summers had Nick geziekt zodra hij de kans kreeg, altijd. Waarom? Hoe moest ik dat weten?

'Het was dus niet omdat jij en je vriendje van plan waren om mensen om te leggen?'

'Nee! Dat heb ik u al gezegd. Ik heb helemaal niets gepland met Nick. Het was een stomme bijnaam, meer niet. En hij kwam niet bij mij vandaan. Ik had er een grondige hekel aan.'

Hij sloeg een blaadje om. 'Een stomme bijnaam, verzonnen door Christy Bruter.'

Ik knikte.

'Het meisje dat Nick als eerste neerschoot. Het meisje dat we op de beelden van de beveiligingscamera's niet zo heel goed kunnen zien; wat we wel kunnen zien is dat jij en Nick haar ergens mee confronteren, dat zij daarna tegen de grond gaat en iedereen alle kanten op vliegt.'

'Ik heb haar niet neergeschoten, als dat is wat u denkt,' zei ik. 'Ik niet.'

Hij ging op een stoel zitten en leunde voorover. 'Vertel me wat we dan moeten denken, Valerie. Vertel ons hoe het gegaan is. Wij weten wat we zien, meer niet. En wat we zien is dat jij je vriend aanwijst waar Christy Bruter staat. Dat wordt door minstens drie kinderen bevestigd.'

Ik knikte en wreef met mijn vingertoppen over mijn voorhoofd. Ik begon slaperig te worden en het leek me dat er onderhand wel nieuw verband om mijn been mocht.

'Wil je me vertellen waarom je dat deed?'

'Ik wilde dat Nick haar op haar kop zou geven,' zei ik

bijna fluisterend. 'Ze had mijn mp3-speler kapotgemaakt.'
De rechercheur stond op, liep naar het raam en deed de
luxaflex dicht, zodat het zonlicht uit de kamer werd ge-
weerd. Ik knipperde met mijn ogen. De kamer deed nu
deprimerend aan. Alsof ik mam nooit meer terug zou zien.
Alsof ik dit bed nooit meer uit zou komen en deze po-
litieman me eindeloze lijsten vragen zou stellen, ook al
verging ik van de pijn en zou de wond in mijn dij gaan
ontsteken en mijn hele been aanvreten.
Hij greep een stoel aan de andere kant van het bed, ging
zitten en krabde aan zijn kin.
'Dus,' zei hij, 'jij gaat de aula in en wijst je vriendje waar
Christy staat. Een paar tellen later heeft ze een gapend gat
in haar buik. Wat missen we, Valerie?'
Ik voelde een traan opwellen. 'Ik weet het niet. Ik weet
niet wat er gebeurd is, ik zweer het. We liepen door de
aula, net als anders, en ineens begon iedereen te gillen en
te rennen.'
De rechercheur tuitte zijn lippen en klapte zijn notitieblokje dicht; hij leunde achterover in zijn stoel en tuurde
naar het plafond alsof hij daar iets bijzonders zag. 'Ooggetuigen verklaren dat jij bij Christy neerknielde, meteen
nadat ze neergeschoten was, en dat je daarna opstond en
ervandoor ging. Alsof je wilde controleren of ze wel echt
was neergeschoten en daarna weer verderging. Ze beweren dat jij haar daar gewoon zwaargewond hebt laten liggen. Klopt dat?'
Ik kneep mijn ogen dicht en probeerde het beeld van
Christy's bloedende buikwond met mijn handen die erte-
genaan duwden te verdringen. Probeerde de opkomende
paniek te bedwingen die me, net als vanochtend, naar
de keel greep. Probeerde niet te denken aan de geur van

kruitdamp, aan het gegil. Meer tranen rolden over mijn wangen. 'Nee. Dat klopt niet.'

'Je bent er niet vandoor gegaan? Op de video's zien we je wel degelijk weggaan.'

'Nee. Ik bedoel: ja, ik heb haar daar achtergelaten, maar ik ben er niet vandoor gegaan. Niet om haar daar... dat zij daar dood zou gaan. Dat zweer ik. Ik ging ervandoor omdat ik Nick zocht. Om hem te stoppen.'

Hij knikte en sloeg zijn notitieblokje weer open. 'En wat zei je ook weer tegen je vriendin Stacey, nadat je die ochtend uit de bus was gestapt?'

Mijn been klopte, mijn hoofd bonkte. Mijn keel was droog van het praten. En ik begon bang te worden. Heel erg bang. Ik had er geen idee meer van wat ik tegen Stacey had gezegd. Ik kwam op het punt waarop ik me bijna niets meer herinnerde; en van wat ik me wel herinnerde wist ik niet zeker of het wel klopte.

'Hm?' zei hij. 'Heb je iets tegen Stacey gezegd, toen je uitstapte?'

Ik schudde mijn hoofd.

'Volgens Stacey heb je iets gezegd in de trant van: "Ik vermoord haar. Hier krijgt ze spijt van." Is dat inderdaad wat je gezegd hebt?'

Juist op dat moment kwam er een verpleegster binnen. 'Het spijt me, meneer, maar voordat mijn dienst erop zit moet haar verband verschoond worden,' zei ze.

'Natuurlijk,' antwoordde rechercheur Panzella. Hij stond op en laveerde tussen de apparaten en draden door. 'We praten straks wel verder,' zei hij tegen mij.

Ik hoopte dat *straks* hetzelfde was als *nooit*. Dat er tussen nu en *straks* een wonder zou gebeuren en hij zou bedenken dat ik geen antwoorden voor hem had.

9

*I*k zat naast mijn bed in een rolstoel en droeg, voor het eerst sinds de schietpartij, een T-shirt en een spijkerbroek. Die had mam van thuis voor me meegenomen. Het waren oudjes, van minstens een paar jaar geleden en totaal uit de mode, maar het was goed om weer gewoon kleren aan te hebben, ook al betekende het dat ik me nauwelijks kon bewegen zonder dat de spijkerstof tegen mijn wond schuurde en ik tandenknarsend kreunde van de pijn. Het was ook prettig om weer rechtop te zitten. Een soort van, dan. Niet dat ik er veel aan had, want ik kon verder weinig, behalve tv-kijken.

Overdag, als mam en de verpleegsters en rechercheur Panzella er waren, had ik hem op een zender staan die kookprogramma's uitzond, of iets anders, in elk geval niet op een waar iets over de schietpartij te zien was. Maar 's avonds werd de nieuwsgierigheid me te machtig en keek ik wel naar het nieuws, vaak met bonzend hart, en probeerde uit te vinden wie er waren omgekomen en wie niet en hoe de school ermee omging.

Tijdens de reclameblokken dwaalden mijn gedachten af naar mijn vrienden. Hadden zij het overleefd, hoe zou het met ze gaan? Zaten ze in de put? Vierden ze feest? Was hun leven gewoon verdergegaan? Dan dwaalden mijn gedachten ook af naar de slachtoffers en moest ik een vuist in de wond op mijn dijbeen drukken en een andere zender opzetten om te proberen aan iets anders te denken.

De ochtenden bracht ik door met het beantwoorden van de vragen van Panzella, wat bepaald geen pretje was. Ik probeerde maar niet na te denken over wat hij allemaal uitspookte, want wat dat ook was: voor mij zag het er niet best uit, leek me.

Hij was ervan overtuigd dat ik ook geschoten had. En zo niet, dat ik er dan toch in elk geval achter zat, op de een of andere manier. Wat ik hem ook vertelde en hoe ik ook moest huilen, het veranderde niets aan het beeld dat hij had. En als ik naar de aanwijzingen keek die ik de afgelopen dagen van hem gekregen had, kon ik het hem niet eens echt kwalijk nemen. Ik leek zo schuldig als wat. Dat vond ik zelf ook, en ik wist zeker dat ik er niets mee te maken had.

Hij kwam voortdurend met nieuw bewijsmateriaal. Hij had mijn huis doorzocht. Mijn kamer. Mijn computer. Hij had mijn telefoongesprekken nagetrokken. Mailtjes achterhaald. Het schrijfblok gelezen... dat schrijfblok.

Het leek wel of iedereen dat schrijfblok had gezien. Ook de media wisten er alles van. In een van de late actualiteitenprogramma's hadden ze er beelden van laten zien: tekstfragmenten, met een markeerstift geel gemaakt. In een ochtendprogramma werden er stukken uit voorgelezen en ik verdrong de gedachte hoe ironisch het was dat juist zij, die gladde tv-lui die dat notieblok zo ontzettend interessant vonden, het soort mensen waren dat erin stond. Ik meende me te herinneren dat een paar van hen er zelfs daadwerkelijk in voorkwamen. Ik vroeg me af of ze dat wisten. En daarmee kwam er weer een maalstroom van vragen en gepieker op gang waarin ik werd meegesleurd: wat nou als... Het hielp me niets, zeker niet met die bloedhond van een Panzella in de buurt die overal aan het rondsnuffelen was.

Ik was mijn gevoel voor tijd kwijt en wist niet precies hoelang ik hier al lag; een week ongeveer, schatte ik, gelet op het aantal bezoekjes van de rechercheur.

Hij was alweer langs geweest die dag. Zoals gewoonlijk rook hij naar leer en smakte hij met zijn lippen als hij sprak. Hij droeg een bruin met zwart pak dat me aan een papieren boodschappentas deed denken. Hij hield zijn hoofd wat scheef, sarcastisch bijna, waardoor ik het gevoel kreeg dat ik niet de waarheid sprak, ook al wist ik wel beter. Hij hield het gesprek kort en liet me vrij snel weer met mijn rolstoel en de kookprogramma's alleen, waar ik alleen maar blij om was.

Mam kwam na Panzella's vertrek, met de kleren, wat tijdschriften en een reep. Ze maakte een opgeruimde indruk. Vreemd, vond ik, want ze wist dat die rechercheur me net op de pijnbank had gelegd. Je kon ook niet meer zo duidelijk zien dat ze veel huilde. Ze had bijna voortdurend met een rode neus en gezwollen oogleden rondgelopen, maar tot mijn verbazing stapte ze nu opgewekt de kamer binnen, zorgvuldig opgemaakt en met een ontspannen uitdrukking op haar gezicht – het was geen glimlach, maar toch.

Ze gaf me de kleren en hielp me om die aan te trekken. Daarna liet ze zich als kruk gebruiken terwijl ik, hinkend op mijn goede been, in de rolstoel ging zitten. Ze wikkelde het snoer van de afstandsbediening van de reling langs het bed waaraan ik hem had vastgemaakt en gaf hem aan me. Daarna ging ze op de rand van mijn bed zitten en keek me aan.

'Je been is aan het genezen,' zei ze.

Ik knikte.

'Je hebt weer met Panzella gepraat?'

Ik knikte opnieuw, keek naar mijn blote voeten en bedacht dat ik haar ook om sokken had moeten vragen.

'Wil je me daar iets over vertellen?'

'Hij denkt dat ik er schuld aan heb. Net als jij.'

'Ho, Valerie. Dat heb ik nooit beweerd.'

'Mam, je bent er nooit als die vent me komt doorzagen. Niemand. Ik sta er steeds alleen voor.'

'Het is een heel aardige man, Valerie. Hij is er niet op uit om jou te pakken, echt niet. Hij wil alleen weten wat er precies gebeurd is.'

Ik knikte maar en besloot dat ik te moe was om ertegen in te gaan. Ineens besefte ik dat het er eigenlijk ook niet toe deed wat zij dacht. Dit was zo groot dat ze me toch niet kon helpen, of ze nou wel of niet geloofde dat ik er schuld aan had.

We zaten een paar minuten zwijgend bij elkaar. Ik zapte verschillende zenders langs en bleef uiteindelijk hangen bij het kookprogramma van Rachael Ray, die een kip aan het klaarmaken was of zoiets. We maakten geen geluid, afgezien van het schuifelen van mams schoenen en het kraken van mijn rolstoel als een van ons ging verzitten. Nu ik niet met een of andere dramatische bekentenis kwam, alsof het om een soap ging, wist mam waarschijnlijk ook niet meer zo veel te zeggen.

'Waar is pap?' vroeg ik uiteindelijk.

'Hij is naar huis gegaan.'

De volgende vraag hing even loodzwaar tussen ons in en ik overwoog een moment om hem maar helemaal niet te stellen, maar zij zat erop te wachten en ik wilde haar niet teleurstellen.

'Denkt hij dat ik schuldig ben?'

Mam rommelde met de kabel van de afstandsbediening en haalde er een paar knopen uit.

'Hij weet niet wat hij denken moet, Valerie. Hij is naar huis gegaan om erover na te denken. Dat zei hij tenminste.'

Dat was nou zo'n antwoord dat net zo zwaar in de lucht bleef hangen als de vraag zelf, vond ik. *Dat zei hij tenminste*. Wat betekende dat nou weer?

'Hij heeft een hekel aan me,' zei ik.

Mam hief met een ruk haar hoofd op. 'Je bent zijn dochter. Hij houdt van je.'

Ik rolde met mijn ogen. 'Dat zeg je. Natuurlijk zeg je dat. Maar ik weet wel beter, mam. Hij haat me. Jij ook? Iedereen heeft nu een hekel aan me.'

'Zeg niet van die rare dingen, Valerie,' zei ze. Ze ging staan en greep haar tas. 'Ik ga beneden een broodje halen. Wil jij ook iets?'

Ik schudde mijn hoofd en terwijl mam de kamer uitliep, realiseerde ik me iets wat als een stroboscoop bleef flikkeren in mijn hoofd. Ze had geen *nee* gezegd.

Mam was nog maar net weg toen er zachtjes op de deur werd geklopt. Ik hield mijn kaken op elkaar, alsof het me te veel energie zou kosten om mijn mond open te doen. Wat maakte het ook uit? Ik had deze dagen toch niets te zeggen over wie er binnenkwam en wie niet.

Bovendien was het vast Panzella. Maar die kon hoog of laag springen, ik had me voorgenomen dat hij vandaag geen woord meer uit me kreeg. Al ging hij op zijn knieën. Al dreigde hij met een levenslange gevangenisstraf. Ik was het meer dan zat om de gebeurtenissen van die dag steeds weer opnieuw op te rakelen; ik wilde rust.

Er werd opnieuw geklopt en de deur zwaaide langzaam open. Om de hoek dook een hoofd op. Stacey.

Ik kan je niet vertellen hoe opgelucht ik was om haar gezicht te zien. Haar hele gezicht. Niet alleen in leven, maar
ook ongehavend. Geen kogelgaten. Geen brandwonden.
Niets. Daar stond ze en ik moest bijna huilen.

Maar emotionele littekens kun je natuurlijk niet van een
gezicht aflezen, wel?

'Hé,' zei ze. Geen glimlach. 'Mag ik binnenkomen?'

Hoe blij ik ook was om haar te zien, levend en wel, op
het moment dat ze haar mond opendeed en ik de stem
hoorde die ik zo vaak had horen lachen, door de jaren
heen wel duizenden keren, wist ik dat ik geen idee had
wat ik tegen haar zou moeten zeggen.

Het klinkt misschien dom, maar ik denk dat ik me schaamde. Je weet wel, net als wanneer een van je ouders tegen
je staat te schreeuwen waar je vrienden bij zijn – zo gênant, want dan gebeurt er iets waar ze niks mee te maken
hebben en blijft er van het imago dat je de boel aardig onder controle hebt weinig meer over. Zoiets was het, maar
dan veel en veel erger.

Ik had haar zo veel willen zeggen, echt, dat zweer ik. Ik
wilde weten hoe het met Mason en Duce was. Ik wilde
haar vragen hoe het op school ging. Of Christy Bruter nog
leefde, en Ginny Baker. Ik wilde haar vragen of zij wist of
Nick dit gepland had. Ik wilde van haar horen dat zij net
zo blind was geweest als ik. Ik wilde van haar horen dat ik
niet de enige was die het had kunnen tegenhouden maar
dat niet had gedaan. Dat ik niet de enige was die zo stom,
zo stekeblind was geweest.

Maar het was zo raar. Toen ze eenmaal binnen was en zei:
'Ik heb geklopt, maar je reageerde niet, dus ik dacht dat
je sliep of zo,' leek alles heel onwerkelijk. Niet alleen de
schietpartij. Niet alleen de beelden op tv van leerlingen,

onder het bloed, die als door een gebarsten ader door de deuren van de aula van mijn school naar buiten stroomden. Niet alleen dat Nick er niet meer was en ene Panzella me elke dag de les kwam lezen over waarden en normen. Maar alles, het hele verhaal. Elk stukje ervan, vanaf de tijd in groep drie waarin Stacey me een losse voortand liet zien die bewoog als ze praatte en ik met mijn blote buik koprollen maakte op de rekstok op het plein, tot nu toe. Alsof dat allemaal een droom geweest was. En dit, deze hel, mijn werkelijkheid.

'Hé,' zei ik timide.

Ze stond aan het voeteneinde, zenuwachtig, net zoals Frankie aan mijn bed had gestaan op de dag waarop ik bijkwam.

'Doet het nog pijn?' vroeg ze.

Ik haalde mijn schouders op. Het was een vraag die ze me honderden keren had gesteld, na valpartijen en schaafwonden in die andere wereld, die droomwereld. De wereld waarin wij twee gewone meisjes waren die niets anders hadden om zich druk over te maken dan een paar vooruitstekende losse tanden en een blote buik op het schoolplein. 'Een beetje,' loog ik. 'Niet erg.'

'Ik heb gehoord dat jij daar, hoe zeg je dat, een gat hebt,' zei ze. 'Maar dat heeft Frankie me verteld, dus dan weet je nooit of het ook echt zo is.'

'Het is niet zo erg,' herhaalde ik. 'Ik voel niet zo veel, de meeste tijd. Verdoofd. Pijnstillers.'

Ze krabde met een duimnagel aan een sticker op de reling van het bed. Een teken dat ze zich niet op haar gemak voelde, daar kende ik haar goed genoeg voor. Stacey was boos of gefrustreerd. Of allebei. Ze zuchtte.

'Volgende week kunnen we weer naar school, zeggen ze,'

zei ze. 'Nou ja, sommigen dan. Ik denk dat heel veel bang zijn. En ook is een aantal nog lang niet hersteld…'

Haar stem haperde bij dat 'hersteld' en haar wangen kleurden rood, alsof ze het gênant vond dat ze dat tegen me zei. Er doemde een ander droombeeld op, eentje waarin wij, zwetend onder een kleed over de picknicktafel in hun achtertuin, poppenmondjes denkbeeldige hapjes eten voorhielden. Wauw! Dat had zo echt geleken, dat voeren van die plastic baby's. Alles had zo echt geleken.

'Ik ga in elk geval wel. Duce ook. En volgens mij David en Mason ook. Mijn moeder wil het eigenlijk niet, maar ik wel, nou ja, je weet wel. Ik moet, denk ik. Ik weet niet.'

Ze hief haar gezicht op en keek naar de tv waarop een of andere kok soesjes uit een oven haalde. Ik zag dat ze met haar gedachten heel ergens anders was.

Na een heel tijdje keek ze me met betraande ogen aan.

'Ga je nog praten, Valerie?' vroeg ze. 'Ga je nog iets tegen me zeggen?'

Ik deed mijn mond open. Vol met niets. Vol damp, misschien, de damp die hoort bij het wakker worden uit een droomwereld in een verschrikking die je bijna proeven kunt, die een gestalte aanneemt.

'Is Christy Bruter dood?' wist ik eindelijk uit te brengen.

Stacey staarde me aan en rolde even met haar ogen. 'Nee. Ze ligt hier, verderop in de gang. Ik ben net bij haar geweest.'

Toen ik niets zei, wierp ze haar haren over haar schouders en keek me met toegeknepen ogen aan. 'Teleurgesteld?'

En daarmee was alles gezegd. Met dat ene woord. Dat zei me dat ook Stacey, mijn oudste en beste vriendin, met wie ik vanaf groep drie al omging, die mijn badpak weleens droeg en vaak mijn oogschaduw gebruikte, dacht dat ik er schuld aan had. Ook al zei ze dat niet hardop en wist ze dat ik de trekker niet had overgehaald: diep van binnen gaf ze mij de schuld.

'Natuurlijk niet. Ik weet gewoon niet meer wat ik denken moet,' antwoordde ik. Het was het meest oprechte wat ik in dagen had gezegd.

'Als je maar weet,' begon ze, 'dat ik het eerst niet kon geloven. Wat er gebeurd is. Iedereen had het erover, over wie het gedaan had en zo, maar ik geloofde het niet. Jij en Nick... Jij was mijn beste vriendin. En Nick leek altijd zo cool. Een beetje Edward Scissorhands, zoiets, maar dan op een relaxte manier. Ik had nooit gedacht... Ik kon er gewoon niet bij. Nick. Man...'

Hoofdschuddend liep ze naar de deur. Ik zat als verdoofd in de rolstoel, en absorbeerde haar woorden als een droge spons. Zij kon er niet bij? Nou, ik ook niet. Vooral niet dat mijn oudste en 'beste' vriendin alles wat ze over mij gehoord had zomaar voor zoete koek had geslikt. Dat ze niet eens de moeite nam om mij te vragen wat er wel en niet van klopte. Dat die altijd zo volgzame Stacey zo gemakkelijk meeging in wat ze gehoord had en me nu niet meer vertrouwde.

'Ik ook niet. Nog steeds niet, soms,' zei ik. 'Maar ik zweer je, Stacey: ik heb niemand neergeschoten.'

'Nee, dat heeft Nick voor je gedaan,' zei ze. 'Ik moet ervandoor. Ik wilde je alleen even zeggen dat ik blij ben dat het oké is met je.' Ze legde haar hand op de klink en trok de deur open. 'Ik betwijfel of ze je in haar buurt laten, maar mocht je Christy tegenkomen op de gang, zeg dan sorry tegen haar.' Ze stapte over de drempel, maar vlak voordat de deur dichtviel hoorde ik haar nog zeggen: 'Heb ik ook gedaan.'

148

Daar heb ik, ik weet niet, ik denk wel acht uur over na zitten denken. Waarvoor moest Stacey zich in vredesnaam verontschuldigen?

Toen het tot me doordrong dat ze zich waarschijnlijk verontschuldigd had omdat ze mijn vriendin was, spatte de droomwereld als een zeepbel uiteen. Hij had nooit bestaan.

10

*I*k dacht dat ik naar huis mocht. Mam was mijn kamer binnen geglipt terwijl ik sliep, had andere kleren voor me neergelegd en was daarna geruisloos weer verdwenen. Ik ging rechtop zitten, door het venster viel een bundel ochtendzon over het voeteneind van mijn bed. Ik streek met mijn vingertoppen het haar uit mijn gezicht. Ik voelde me anders vandaag; alsof deze nieuwe dag een belofte in zich droeg.

Ik werkte me het bed uit, greep de krukken die de nacht-zuster ernaast tegen de muur had gezet en hinkte naar de badkamer, iets wat ik sinds een dag zelfstandig kon. Ik was nog steeds een beetje daas van de medicijnen, maar het infuus was eruit; het verband om mijn been voelde nog wel erg dik, maar het ging. Mijn been klopte ook nog wel een beetje, zoals wanneer je een splinter in je vinger hebt gekregen.

De badkamer was klein; ik moest me in bochten wringen om te kunnen doen wat ik moest doen en dat duurde even. Toen ik weer uit de badkamer opdook, zat mam op het randje van mijn bed. Aan haar voeten stond een koffertje.

'Wat is dat?' vroeg ik, op krukken naar mijn bed schuife-lend. Ik greep een T-shirt en trok mijn pyjamajasje uit.

'Een paar dingen die je wel gebruiken kunt, denk ik.'

Ik zuchtte, trok het T-shirt over mijn hoofd en begon aan de worsteling met mijn broek.

'Je bedoelt dat ik nog een dag hier moet blijven? Maar ik voel me goed. Ik red me prima. Ik ben er klaar voor. Ik wil naar huis, mam.'

'Kom, laat mij maar even,' zei mam, en ze boog zich voorover om me te helpen met mijn spijkerbroek. Ze trok de pijpen goed en ritste hem dicht, wat een beetje gek maar ook wel goed voelde.

Ik hobbelde bij haar vandaan en liet me in de rolstoel ploffen, trok wat plukken haar achter uit het T-shirt en zocht een prettige zithouding. Een verpleegster had op het nachtkastje een blad met eten voor me neergezet; ik reed erheen. Ik rook spek en mijn maag rammelde.

'Hebben ze iets gezegd over wanneer ik naar huis mag? Morgen dan? Ik denk echt dat het morgen best kan, mam. Kun jij dat niet regelen?' Ik haalde het plastic deksel van mijn bord. Mijn maag knorde opnieuw. Ik viel aan op het spek.

Juist toen mam iets wilde zeggen, ging de deur open en kwam er een man binnen, gekleed in een kakikleurige broek en een houthakkersshirt, met daaroverheen een doktersjas.

'Mevrouw Leftman,' groette hij joviaal. 'Ik ben dokter Dentley. Wij hebben elkaar gesproken aan de telefoon.'

Ik keek op, mijn mond vol spek.

'En jij moet Valerie zijn,' zei hij met een onderzoekende, afgemeten klank in zijn stem. Hij stak zijn hand uit, alsof hij wilde dat ik die zou schudden. Ik slikte het spek weg en deed het, aarzelend. 'Dokter Dentley,' zei hij. 'Ik ben het hoofd van de afdeling psychiatrie, hier in Garvin General. Hoe gaat het met je been?'

Ik keek naar mam, maar zij staarde naar haar voeten en deed of ze er niet was.

'Wel goed,' zei ik, en pakte een nieuwe boterham met spek van het blad.

'Mooi, mooi,' zei hij met dezelfde glimlach als waarmee hij binnengekomen was. Een nerveus glimlachje was het, alsof hij een beetje bang was, niet voor mij maar voor het leven. Alsof het leven een hondje was dat hem elk moment in de kuiten kon bijten. 'Vertel eens: hoeveel pijn heb je vandaag?'

Hij reikte naar achteren en trok de status aan het voeteneind van mijn bed tevoorschijn, waar op de achterkant een overzicht was geplakt waarop mijn pijnniveau werd bijgehouden. Ik had die vraag sinds ik hier lag al wel honderd keer per dag beantwoord. Hoe is het met de pijn? Een tien? Een zeven? Een 4,375 vandaag?

'Een twee,' antwoordde ik. 'Waarom? Mag ik weg?'

Hij grinnikte en duwde met zijn wijsvinger zijn bril wat hoger op zijn neus.

'We willen dat je beter wordt, Valerie,' zei hij op de geduldige toon van een kleuterjuf. 'Niet alleen van buiten, maar ook van binnen. Daarom ben ik hier. Ik ga vandaag bekijken hoe we jou het beste kunnen helpen om ook geestelijk weer gezond te worden. Heb jij weleens de neiging om jezelf iets aan te doen?'

'Wát?' Ik keek weer opzij. 'Mam?' Maar ze bleef naar de neuzen van haar schoenen kijken.

'Ik vroeg of je weleens de neiging hebt om jezelf of anderen iets aan te doen.'

'U bedoelt of ik zelfmoord wil plegen?'

Hij knikte, de glimlach als een puist op zijn gezicht geplakt. 'Of jezelf snijden, of iets anders gevaarlijks.'

'Wat? Nee. Waarom zou ik zelfmoord willen plegen?'

Hij verplaatste zijn gewicht een beetje en zette het ene

been voor het andere. 'Valerie, ik heb uitgebreid gesproken met je ouders, de politie en de doktoren hier. We hebben lang gepraat over de zelfmoordgedachten waar jij kennelijk al een hele tijd mee rondloopt. En we vrezen dat dat onder de huidige omstandigheden weleens erger zou kunnen worden.'

Nick heeft altijd een fascinatie voor de dood gehad. Dat was niet zo veel bijzonders, weet je. Anderen zijn geobsedeerd door games. Sommigen zijn alleen maar met sport bezig. Ik ken jongens die gek zijn van alles wat met het leger te maken heeft. Nick had iets met de dood. Vanaf dag één, toen hij breeduit op zijn bed lag en verkondigde dat Hamlet Claudius had moeten ombrengen op het moment dat hij daarvoor de kans had, had Nick het over de dood gehad.
Maar dat waren verhalen, meer niet. Hij vertelde verhalen die over de dood gingen. Hij had het over films en boeken met dramatische en heftige sterfscènes. Hij kwam met nieuwsberichten en misdaadreportages. Dat was gewoon zijn ding. En ik had mijn manier van praten aangepast aan die van hem: ik was ook verhalen gaan vertellen. Niets bijzonders. Dat was vanzelf gegaan, zonder dat ik het in de gaten had. Verzinsels waren het, meer niet. Shakespeare schreef verhalen over de dood. Poe schreef verhalen over de dood. Stephen King schrijft over de dood. En dat heeft verder niets te betekenen.
Ik had dus helemaal niet in de gaten dat we het daar steeds vaker over hadden. Dat het persoonlijk werd. Dat Nicks verhalen over de dood verhalen over zelfmoord werden. Over moord. En daarmee de mijne ook. Met dit verschil dat ik nog altijd dacht dat het gewoon verhalen

waren, een manier van praten, meer niet.

Toen ik de e-mails doorbladerde die Panzella me bij zijn eerste bezoek gegeven had, was ik verbijsterd geweest. Hoe kon het dat ik niks gezien had? Hoe was het mogelijk dat ik niets in de gaten had, terwijl die mailtjes bij iedereen alle alarmbellen hadden doen rinkelen? Hoe was het mogelijk dat ik niet had gezien dat Nicks woorden geen fantasie meer waren, maar allang realiteit? Waarom had ik niet gezien dat de rest van de wereld in mijn antwoorden – in mijn hoofd nog steeds fictie – dezelfde obsessie met de dood zou lezen?

Ik weet niet waarom, maar op die manier heb ik het nooit bekeken. Ik zou willen dat het anders was, maar ik heb het gewoon niet gezien.

'U hebt het over die mailtjes? Dat was niet serieus bedoeld. Dat was Romeo en Julia. Dat was Nick. Niet ik.'

Hij praatte door alsof ik niets gezegd had. 'En wij zijn allemaal van mening dat het voor jouw veiligheid op dit moment het beste is om je een tijdje op te nemen op een plaats waar je de hulp kunt krijgen die je nodig hebt om van die suïcidale neigingen af te komen. Intern. Met groepstherapie, individuele therapie, wat medicijnen.'

Ik greep mijn krukken en hees mezelf overeind. 'Nee. Mam, dat heb ik helemaal niet nodig, dat weet je. Zeg jij hem dan dat ik daar geen behoefte aan heb.'

'Het is voor je eigen bestwil, Val,' zei mam, eindelijk opkijkend. Ze had haar vingers al om het handvat van dat koffertje gelegd. 'Het is niet voor lang. Een paar weekjes maar.'

'Valerie,' zei dokter Dentley, 'Valerie, daar kunnen we je helpen en je geven wat je nodig hebt.'

'Hou op steeds mijn naam te zeggen,' zei ik, mijn stem

luider nu. 'Ik wil naar huis, dat is wat ik nodig heb. Als ik al rare neigingen zou hebben, dan kan ik daar thuis ook prima aan werken.'

Dokter Dentley boog zich voorover en drukte op de bel op de afstandsbediening. Er kwam een verpleegster binnen die het koffertje overnam en op de drempel van de deur bleef wachten. Mam stond ook op en sloop een paar passen in de richting van het badkamertje, om niet in de weg te staan.

'We nemen je mee naar de afdeling psychiatrie, hier, Valerie. Dat is op de vierde etage,' zei dokter Dentley met die afgemeten stem van hem. 'Ga zitten, alsjeblieft. Dan brengen we je met de rolstoel, dat is een stuk prettiger.'

'Nee!' zei ik. Mijn moeder knipperde met haar ogen; ik denk dat ik schreeuwde, zonder dat ik dat zelf in de gaten had. Ik kon alleen maar denken aan *One Flew Over the Cuckoo's Nest*, de film die ik bij ckv had gezien; aan Jack Nicholson, schreeuwend dat de tv aan moest; aan die grote indiaan met dat onbewogen gezicht en dat kleine kereltje met die bril. En – en dat is nog het stomste van alles – ik was bang dat iedereen zich zou bescheuren als ze hoorden dat ze mij op een psychiatrische afdeling hadden opgesloten. Christy Bruter zou niet meer bijkomen. *Over mijn lijk*, dacht ik. *Ik ga niet uit mezelf, ik vertik het. Ze zullen me erheen moeten slepen.*

Dat zal dokter Dentley ook gedacht hebben, want op het moment dat ik begon te schreeuwen: 'Nee! Ik ga niet! Nee! Blijf uit mijn buurt!' verdween de vriendelijke uitdrukking op zijn gezicht en knikte hij naar de verpleegster, die de kamer uit stiefelde.

Twee tellen later kwamen er twee grote beveiligers binnen. 'Voorzichtig met dat linkerbeen,' zei dokter Dentley met een klinische stem, voordat ze me vastgrepen en klemvast hielden terwijl de verpleegster op me afkwam met een spuit in haar hand. Ik deinsde instinctmatig achteruit en plofte neer in de rolstoel. Mijn krukken kletterden tegen de vloer. Mam bukte en raapte ze op.

Ik sloeg en trapte wild om me heen, voor zover dat lukte met het gewicht van die kerels boven op me. Ik schreeuwde de longen uit mijn lijf, met zo veel kracht dat het leek of ik delen van woorden geluidloos de lucht in slingerde; ik stelde me voor dat mensen met een buitenlands uiterlijk ze in een ver land als vreemde objecten uit het stof zouden oprapen. Een van de beveiligers bewoog zich even om meer grip op mijn arm te krijgen en gaf me net voldoende ruimte voor een forse trap. Ik schopte met alles wat in me was en raakte hem vol op zijn scheenbeen. Hij slaakte een gesmoorde kreet, tussen opeengeklemde kaken door, en bracht zijn gezicht vlak bij het mijne alsof hij me wilde kussen, maar het hielp me niets. Ik kon geen kant uit. De verpleegster schuifelde achter me langs en ik gebruikte het enige lichaamsdeel dat ik nog vrij bewegen kon – mijn longen – op het moment dat ze de naald, tussen het wiel en de rugleuning door, in mijn heup prikte.

Binnen een paar tellen vormden mijn tranen het enige wat nog protesteren kon tegen wat me overkwam, tranen die mijn hele gezicht natmaakten en zich verzamelden in het kuiltje van mijn hals. Mam huilde ook. Dat gaf me een beetje voldoening, maar lang niet genoeg.

'Mam,' piepte ik toen ze me langs haar heen rolden, 'doe me dit niet aan, alsjeblieft. Hou ze tegen...' Ze reageerde niet. Niet met woorden in elk geval.

Ze rolden me door de gang naar de lift. Ik bleef snikken, de hele weg. 'Ik heb niks gedaan... Ik heb niks gedaan...'

Maar dokter Dentley was verdwenen en ik was alleen met de twee beveiligers en de verpleegster die het koffertje droeg; geen van hen leek me te horen.

We naderden een kruising van twee gangen waar een bordje hing met LIFTEN en een pijl die de juiste richting aanwees. Net voordat we de hoek om gingen passeerden we een kamer met een bekend gezicht.

Ze zeggen dat een mens verandert als hij een bijna-dood-ervaring heeft gehad. Dat je dan ineens de werkelijke betekenis van liefde en tolerantie leert kennen. Dat er na zo'n ervaring geen ruimte meer is voor onbenulligheden of voor haat.

Maar toen de beveiligers me naar de liften duwden en we langs de kamer van Christy Bruter kwamen, zag ik haar ineengedoken op het bed liggen en staren, naar mij. Haar ouders stonden naast haar bed, samen met een jongere vrouw die een jochie op haar arm droeg.

'Ik heb niets gedaan… Ik heb…' snikte ik.

Haar ouders staarden me met bedrukte gezichten aan. En Christy keek naar me met een flauw, wrang glimlachje op haar gezicht. Hetzelfde glimlachje dat ik zo vaak in de bus had gezien. Niets veranderd.

De beveiligers sloegen de hoek om en Christy's kamer verdween uit het zicht. 'Het spijt me,' fluisterde ik. Maar ik denk niet dat ze me gehoord heeft.

Ik vroeg me af of Stacey het hoorde, misschien, op de een of andere manier.

11

*I*k denk dat ik me nog heel vaak zal afvragen hoe ik die eerste tien dagen op de psychiatrie ben doorgekomen. Hoe ik me van het bed naar het toilet heb gesleept, van het toilet naar de groepssessies. Hoe ik 's nachts lag te luisteren naar hoge, schelle stemmen die er de meest krankzinnige dingen uitkraamden. Hoe ik het gevoel had dat ik dieper was gezonken dan ik ooit voor mogelijk had gehouden, toen een monteur de kamer binnenkwam en me zei dat we 'waarschijnlijk wel iets konden regelen' als ik een 'shot' nodig had, en aan de voorkant van zijn overall begon te plukken.

Ik kon me niet eens meer terugtrekken in de stilte, in de veiligheid van het zwijgen. Dokter Dentley zou dat vast en zeker als een terugval beschouwen en mijn ouders adviseren me daar nog wat langer te houden.

Ik werd doodziek van dokter Dentley. Van zijn gele tanden, de schilfers roos op zijn bril, die manier van praten alsof hij een psychologiehandboek voorlas, zijn blik die voortdurend naar interessantere dingen afdwaalde terwijl ik antwoord gaf op die typische zielenknijpersvragen van hem.

Ik hoorde daar niet. Ik had voortdurend het gevoel dat iedereen daar knettergek was, dokter Dentley incluis, behalve ik.

Er was ene Emmit, een boom van een kerel, die constant

door de gangen dwaalde en iedereen om geld vroeg. Morris, die op muren afstapte omdat hij dacht dat daar iets of iemand met hem praten wilde. Adelle, die zulke vuile taal uitsloeg dat ze de helft van de tijd apart gehouden werd. Francie, het meisje dat zichzelf met een aansteker brandwonden toebracht en steeds opschepte over de affaire die ze met haar vijfenveertigjarige stiefvader had.

En je had Brandee, die wist waarom ik daar zat en me overal met droevige, donkere ogen en vragen achtervolgde.

'Hoe voelt het?' vroeg ze in de tv-kamer. 'Je weet wel, mensen doodmaken.'

'Ik heb geen mensen doodgemaakt.'

'Mijn moeder zegt van wel.'

'Wat weet zij er nou van? Ze heeft het mis.'

Op de gangen, in de groep, nergens liet Brandee me met rust. 'Hoe voelt het, als je neergeschoten wordt? Heeft hij het expres gedaan? Was hij bang dat je hem zou verraden? Zijn er ook vrienden van je doodgeschoten, of alleen maar lui aan wie jij een hekel had? Heb je er spijt van? Wat zeggen je ouders ervan? Die van mij zouden helemaal door het lint gaan. De jouwe? Moeten ze je nog wel?'

Ik werd er gek van, alleen van haar al, maar ik deed mijn uiterste best om me in te houden. Meestal negeerde ik haar. Ik haalde mijn schouders op of deed net of ik haar niet hoorde. Soms gaf ik wel antwoord, in de hoop dat ze dan verder haar kop zou houden. Vergeefs. Als ik antwoord gaf, leverde dat alleen maar een stortvloed aan nieuwe vragen op en dan had ik er spijt van dat ik mijn mond had opengedaan.

Het enige goede aan mijn opname was dat Panzella me niet lastig kwam vallen. Of dat was omdat dokter Dentley hem er niet wilde hebben of omdat hij dacht dat ik hem de waarheid had verteld, of omdat hij hard werkte aan het opbouwen van een zaak tegen mij, wist ik niet. Ik wist wel dat ik blij was dat hij niet meer in de buurt was.

Ik deed netjes wat ik moest doen. Ik trok als een keurig meisje mijn pyjama uit en deed een ziekenhuispak aan. Zat in de gezamenlijke huiskamer op de bank en keek naar goedgekeurde tv-programma's of uit het raam naar de snelweg beneden; deed net of ik het opgedroogde snot dat aan de muur gesmeerd was niet zag, of mijn hart niet brak, of ik niet boos, verward en bang was.

Ik wilde slapen, zo veel mogelijk slapen. Ik wilde pijnstillers nemen, me oprollen in mijn bed en pas wakker worden als ik weer thuis was. Maar dat zou als een teken van depressie worden gezien en dan zou ik alleen maar langer moeten blijven. Ik moest doen alsof. Alsof het beter met me ging. Alsof de 'zelfmoordgedachten' minder werden.

'Ik zie nu wel in dat Nick helemaal niet goed voor me was,' beweerde ik ijskoud. 'Ik wil een nieuwe start maken. Ik wil mijn school afmaken. Ja, school!'

Ik verborg de woede die ik voelde opkomen. De woede op mijn ouders, die er niet voor me waren. De woede op Nick, omdat hij dood was. Woede op die lui van school die Nick zo getreiterd hadden. Woede op mezelf, omdat ik het niet had zien aankomen. Ik leerde die boosheid te onderdrukken, ergens achter in mijn brein weg te stoppen, in de hoop dat ze dan vanzelf verdwijnen zou, op zou lossen. Ik leerde doen alsof mijn boosheid allang weg was.

Ik zei de dingen waarvan ik wist dat ze me zouden helpen om er zo snel mogelijk weg te komen. Ik gebruikte de woorden die ze graag wilden horen en sleepte me naar de groepssessies en deed mijn best om niets te zeggen wanneer een van de andere patiënten me uitschold of beledigingen naar mijn hoofd slingerde. Ik at netjes mijn eten op, deed de testen die ik doen moest en werkte op alle mogelijke manieren mee. Als ik er maar weg kon.

Op een vrijdag kwam dokter Dentley mijn kamer binnen en ging op de rand van het bed zitten. Eindelijk. Ik gaf geen krimp, maar krulde mijn tenen, als een manier om zo veel mogelijk afstand te bewaren.

'We gaan je ontslaan,' zei hij, zo zakelijk en vlak dat ik het bijna gemist had.

'Echt?'

'Ja. We zijn heel tevreden over je vooruitgang. Maar je bent nog lang niet beter, Valerie. We ontslaan je, maar er komt wel een intensieve ambulante begeleiding.'

'Hier?' vroeg ik, terwijl ik uit alle macht probeerde de paniek die ik voelde uit mijn stem te houden. De gedachte dat ik elke dag naar het ziekenhuis terug zou moeten, ook al zou dat dan als dagpatiënt zijn, maakte me bang. Als ik dan iets verkeerds deed of zei, had ik zo Jut en Jul weer op mijn nek en een spuit in mijn bil.

'Nee. Je gaat naar…' Zijn stem stierf weg en hij raadpleegde de paperassen op het klembord dat hij vasthield. Hij knikte. 'Ja, je gaat naar Rex Hieler.' Hij keek op. 'Ik denk dat je hem wel zult mogen. Hij is geknipt voor dit geval.'

Ik verliet het ziekenhuis. Een 'geval', maar dan wel een dat vrij was.

Een verpleegster reed me in een rolstoel naar de uitgang. Ik had het gevoel dat al die mensen in dat gebouw, die duizenden ogen, me nastaarden. Waarschijnlijk was dat helemaal niet zo, maar zo beleefde ik het wel. Alsof iedereen wist wie ik was en wat ik daar deed. Alsof de hele wereld naar me keek en zich afvroeg of het waar was wat er werd beweerd. Zich afvroeg of God een wrede God was, omdat ik nog leefde.

Mam had de auto vlak bij de uitgang langs de stoep gezet en kwam met een paar krukken op me af. Ik nam ze van haar over en hobbelde naar de auto en hees mezelf erin, zonder iets tegen haar of tegen de verpleegster te zeggen, die mam binnen nog wat laatste instructies gaf.

We reden naar huis zonder een woord te wisselen. Mam zette de radio op een zender met luistermuziek. Ik draaide het raam een stukje open, sloot mijn ogen en snoof de buitenlucht op. Het rook anders, alsof er iets ontbrak. Ik vroeg me af wat ik doen moest, als ik thuis was.

Ik deed de voordeur open en het eerste wat ik zag was Frankie, die languit op de grond voor de tv lag.

'Hé, Val,' zei hij, en hees zich in een zithouding. 'Je bent thuis.'

'Hé. Leuk haar. Maximaal rechtop vandaag, die spikes.'

Hij grinnikte en streek behoedzaam met zijn hand over zijn hoofd. 'Dat zei Tina ook al,' zei hij. Alsof er niets gebeurd was. Alsof de geur van het ziekenhuis niet nog steeds om me heen hing. Alsof ik niet een suïcidale mafketel was die ook zijn leven kwam vergallen.

Op dat moment was Frankie de meest geweldige broer die iemand zich wensen kan.

12

De praktijk van dokter Hieler zag er gezellig en een beetje intellectueel uit; een oase van boeken en zachte rockmuziek te midden van een woestijn van institutionalisme. Zijn secretaresse, een ontspannen meid met een getinte huid en lange vingernagels, was beleefd en professioneel en loodste mij en mam vanuit de wachtkamer naar de spreekkamer alsof we er een paar zeldzame diamanten kwamen kopen. Ze rommelde wat in een koelkastje, gaf mij een cola en mam een flesje mineraalwater en wuifde in de richting van een openstaande deur. We gingen naar binnen.

Dokter Hieler wurmde zich achter zijn bureau vandaan, nam zijn bril af en glimlachte naar ons, de lippen gesloten, waardoor zijn gezicht iets droefs kreeg. Maar misschien keek hij altijd een beetje zo. Als ik de hele dag naar de ellende van anderen zou moeten luisteren, zou ik ook droef kijken, denk ik.

'Hi,' zei hij, zijn hand naar mam uitstekend. 'Ik ben Rex.'

Mam strekte haar hand uit, te stijf en te formeel voor deze kamer. 'Dag, dokter Hieler,' sprak ze. 'Jenny Leftman. En dit is mijn dochter Valerie.' Ze reikte naar achteren en raakte even mijn schouder aan, net genoeg om me een klein duwtje naar voren te geven. 'Dokter Dentley van Garvin General heeft ons naar u doorverwezen.'

Dokter Hieler knikte. Dat wist hij al, net als wat ze daarna zei. 'Valerie zit op Garvin High. Zat,' verbeterde ze zichzelf. Verleden tijd.

Dokter Hieler zette zich in een stoel met dikke kussens en gebaarde ons om op de bank ertegenover plaats te nemen. Ik liet me op de bank vallen en keek toe hoe mam stijfjes en behoedzaam naar achteren schoof en op het randje plaatsnam, alsof die bank haar kleren bederven zou. Ineens was alles wat mam zei of deed gênant, irritant, frustrerend. Ik had haar de kamer wel uit willen smijten, liever nog mezelf.

'Zoals ik al zei,' begon mam, 'was Valerie op school op het moment van de schietpartij.'

Dokter Hieler wendde zijn ogen naar mij, maar hij zei niets.

'Zij... eh... die jongeman, de dader, was een bekende van haar,' besloot mam. Dat was meer dan ik verdragen kon, die hele schertsvertoning van haar.

'Een *bekende*?' siste ik. 'Hij was mijn vriend, mam. Draai er niet omheen!'

Even bleef het stil, terwijl mam nogal opzichtig probeerde zich een houding te geven – een beetje te opzichtig, vond ik, en ik besefte dat ook dat vooral voor dokter Hieler bedoeld was, om hem maar goed duidelijk te maken met wat voor een monsterlijk kind zij zat opgescheept.

'Dat is erg,' zei dokter Hieler, heel zacht. Tegen mam, dacht ik eerst, maar toen ik opkeek zag ik dat hij mij aankeek, me heel nauwkeurig opnam.

Het bleef een tijdlang stil. Mam snotterde in een zakdoek, ik keek naar mijn schoenen en voelde dokter Hielers blik op mijn kruin.

Eindelijk verbrak mam het zwijgen, haar stem schril en ijl. 'U kunt zich voorstellen dat haar vader en ik ons zorgen om haar maken. Ze heeft veel te verwerken en we willen graag dat ze weer verder kan met haar leven.'

Ik schudde mijn hoofd. Mam dacht nog steeds dat ik een leven had waarmee ik verder kon.

Dokter Hieler ademde diep in en schoof naar de voorkant van de zitting van zijn stoel. Zijn blik liet mij eindelijk los en hij richtte zich weer op mam. 'Nou,' zei hij, zijn stem zo zacht dat het een slaapliedje leek, 'het is belangrijk dat ze verder kan met haar leven, maar voor nu is het waarschijnlijk belangrijker om de emoties die er zijn boven tafel te krijgen en te verwerken, om te proberen alles wat er gebeurd is een plaats te geven.'

'Ze wil er niet over praten,' wierp mam tegen. 'Al vanaf de dag dat ze uit het ziekenhuis kwam...'

Maar dokter Hieler legde haar met een uitgestrekte hand het zwijgen op, zijn blik weer op mij gericht.

'Luister. Ik beweer niet dat ik weet wat jij voelt. Ik ga wat jij hebt doorgemaakt niet bagatelliseren door te beweren dat ik er enig idee van heb hoe het geweest moet zijn,' zei hij tegen me. Ik zweeg. Hij ging weer verzitten. 'Als we het nu eens zo doen. Wat zou je ervan vinden als we je moeder eruit zetten en jij en ik eens een tijdje alleen met elkaar praten? Is dat oké, wat jou betreft?'

Ik gaf geen antwoord.

Maar mam leek opgelucht. Ze stond op. Dokter Hieler stond ook op en liep met haar naar de deur.

'Ik werk veel met meiden van Valeries leeftijd,' zei hij met een vertrouwelijke stem. 'Ik ben behoorlijk open en direct. Niet hard, wel duidelijk. Als er iets op tafel moet komen, dan gebeurt dat ook, zodat we eraan kunnen werken en dingen kunnen verbeteren. Ik probeer eerst vooral te luisteren en steun te geven.' Hij draaide zich om, keek mij aan en richtte zich tot ons beiden – tot mij op de bank, tot mam met haar hand op de klink. 'Het kan zijn dat we halverwege ergens tegen aanlopen wat je anders moet gaan doen. Als dat gebeurt, dan praten we daarover. En dan gaan we ongetwijfeld ook dieper in op wat je denkt en op je gedrag. Vragen?'

Ik zei niets.

Mam liet de klink los. 'Hebt u vaker met zoiets te maken gehad?'

Dokter Hieler keek van haar weg. 'Met geweld wel. Maar nooit met zoiets. Ik denk dat ik kan helpen, maar ik wil u niet iets op de mouw spelden en net doen alsof ik hier alles van afweet.' Hij keek mij weer aan en ik meende dit keer verdriet te zien in die droevige ogen van hem. 'Wat jij hebt meegemaakt is verschrikkelijk.'

Ik zei nog steeds niets. Het was bij dokter Hieler veel gemakkelijker om stil te zijn. Dokter Dentley had me erom vastgehouden; het leek of dokter Hieler niet anders verwachtte.

Mam verliet de kamer en ik concentreerde me op mijn schoenen. 'Ik ben vlakbij,' hoorde ik haar nog zeggen. Ik hoorde dat dokter Hieler de deur dichtdeed en het was ineens zo stil dat ik de klok hoorde tikken. Aan de lucht die ontsnapte uit de kussens van zijn stoel hoorde ik dat hij weer was gaan zitten.

'Dit is een van die momenten waarop niemand de juiste woorden heeft, denk ik,' zei hij heel zacht. 'Het enige wat ik kan doen is proberen me voor te stellen hoe verschrikkelijk het was en nog steeds is.'

Ik haalde mijn schouders op. Ik kon mezelf er nog niet toe zetten om op te kijken.

Hij schraapte zijn keel en zei, iets luider nu: 'Eerst heb je dit allemaal meegemaakt: je bent neergeschoten, je hebt iemand verloren van wie je hield. Dat heeft een enorme impact gehad, op school, thuis, in je vriendschappen, en nu zit je hier, in de spreekkamer van een ouwe zielenknijper die je hoofd onder een vergrootglas wil leggen.'

Ik keek op, alleen met mijn ogen, mijn hoofd gebogen zodat hij mijn grijns niet zou zien. Hij zag het toch, want hij grijnsde terug. Ik mocht hem wel.

'Luister,' zei hij. 'Ik denk niet alleen dat dit hele gedoe heel erg voor je moet zijn, ik realiseer me ook dat jij er waarschijnlijk maar heel weinig invloed op hebt gehad. Hier wil ik het graag anders doen. Ik wil jou een heleboel invloed geven. We gaan niet sneller dan jij wilt. Als ik een onderwerp aansnijd waar jij het niet over wilt hebben of als ik je te veel push, moet je dat zeggen en dan gaan we verder met iets wat gemakkelijker en veiliger is.'

Ik hief mijn kin een stukje omhoog.

'Laten we de volgende keer dat we elkaar zien gewoon beginnen met een kennismaking. Ik wil graag meer van je weten; wat je leuk vindt, wat je interesses zijn, hoe het leven was voordat dit allemaal gebeurde. Dan zien we daarna wel verder. Klinkt dat goed?'

'Oké,' zei ik. Het klonk zwak, maar er kwam geluid uit mijn keel en dat was meer dan ik gedacht had.

13

*I*k werd de volgende ochtend wakker en trof rechercheur Panzella aan de keukentafel, tegenover mam, met een kop koffie voor zich. Mam glimlachte, haar gezicht stralender dan ik ooit gezien had. De rechercheur keek grimmig, zoals altijd, maar zijn houding was losjes, alsof hij best had kunnen glimlachen als hij niet geweest was wie hij is en ik niet wie ik ben.

Ik hobbelde de keuken in; de rubber dopjes onder de krukken gleden onder mijn gewicht een beetje weg op het linoleum. Ik verzette me tegen het gevoel dat de wereld onder me wegdraaide, zoals ik sinds de operatie al vaak gedaan had. Ik gebruikte nog een behoorlijke hoeveelheid medicijnen, pijnstillers en antidepressiva, en stond nog steeds wat wankel op mijn benen.

'Valerie,' zei mam, 'de rechercheur heeft goed nieuws.'

Ik overwoog aan tafel bij te schuiven, maar ging achter het kookeiland staan. In het ziekenhuis had ik gehunkerd naar afstand tussen hem en mij, maar was ik machteloos geweest; nu had ik wel een keus.

Ik bekeek hem goed. Hij had een bruin pak aan, zoals altijd, en het leek of hij zich net had opgefrist, alsof hij onder de douche was geweest voordat hij naar ons huis was gekomen. Ik meende zelfs zeep te ruiken, dezelfde zeep als die wij ook gebruikten. Ik rook aftershave; mijn maag kromp ineen en ik voelde me misselijk worden. Er welden

tranen op, wat ik helemaal niet wilde, en als ik beide benen had kunnen gebruiken was ik misschien wel gillend
het huis uit gerend, weg bij hem.

'Hallo,' zei hij. Hij draaide zijn stoel om mij te kunnen zien,
en schoof zijn koffiemok over de keukentafel mee. Later
zou ik de plakkerige veeg die dat achterliet wegpoetsen
met het gevoel dat ik hem uit mijn leven wiste. Voorgoed.

'Hi,' antwoordde ik.

'Valerie,' zei mam weer, 'meneer Panzella is gekomen om
te zeggen dat jij niet langer een verdachte bent.'

Ik zei niets. Ik was er plotseling niet meer zeker van dat
ik wakker was. Misschien lag ik nog gewoon in het ziekenhuis te slapen. Werd ik over een paar minuten wakker;
zou mezelf naar de groep rijden en daar vertellen over
deze idiote droom, waarop schizofrene Nan iets over ter-
roristen zou schreeuwen, Daisy nerveus zou pulken aan
het verband om haar polsen en Andy waarschijnlijk zou
zeggen dat ik mijn kop moest houden. Die idiote therapeuten zouden maar wat zitten knikken en iedereen, zonder er iets van te zeggen of er iets aan te doen, zijn gang
laten gaan en ons daarna wegsturen om te ontbijten en
onze medicijnen in te nemen.

'Is dat geen fantastisch nieuws?' drong mam aan.

'Oké,' zei ik. Wat moest ik anders zeggen? *Zie je nou wel?*
Waarom? Dat sloeg op dat moment allemaal nergens op.
Ik hield het dus maar bij 'oké,' en voegde daaraan toe:
'Eh... bedankt,' wat ook kant noch wal raakte.

'Er zijn nog wat getuigen gehoord,' legde de rechercheur
uit. Hij nam een slok koffie. 'In het bijzonder eentje. Ze
wilde per se een afspraak met mij en met de officier van
justitie. Haar verklaring was heel gedetailleerd en overtuigend. Je wordt niet vervolgd.'

Ik wist niet wat ik ervan denken moest. Ik kneep mezelf in de arm, want ik begon me opgelucht en vrolijk te voelen, maar dat wilde ik helemaal niet. Hoe langer dit duurde, hoe groter de teleurstelling zou zijn, want dit was natuurlijk een droom. Ik zou dadelijk wakker worden en dan hing me gewoon nog een gevangenisstraf boven het hoofd.

'Stacey?' fluisterde ik schor, beduusd omdat ze het kennelijk nog steeds voor me op wilde nemen, ook al had ze glashelder gemaakt dat ze me voor geen cent vertrouwde en dat onze vriendschap voorbij was.

De rechercheur schudde zijn hoofd. 'Blond. Lang. Derdeklasser. Bleef maar zeggen: "Valerie heeft niemand neergeschoten."'

Het was een beschrijving die bij geen van mijn vriendinnen paste. Bij geen een.

14

'Vertel me eens iets over Valerie,' zei dokter Hieler bij mijn volgende bezoek. Hij hing onderuitgezakt in zijn stoel, een been over een leuning geslagen.

Ik haalde mijn schouders op. Mam hield me voortdurend in de peiling en ik vond die bezorgde blikken van haar verschrikkelijk, maar nu had ik het prettig gevonden als ze gebleven was.

'U bedoelt waarom ik het zo vaak over zelfmoord had, of over die lui aan wie ik een hekel had? Dat soort dingen?'

Hij schudde zijn hoofd. 'Nee. Ik bedoel: vertel me eens iets over jou. Wat vind je leuk? Waar ben je goed in? Wat vind je belangrijk?'

Ik zat roerloos. Het was al zo lang geleden dat er over mij iets belangwekkends te melden viel, iets gewoons, iets wat niet met de schietpartij te maken had. Er viel me zo gauw dan ook niets in.

'Oké, dan begin ik wel,' zei hij met een glimlach. 'Ik gruw van popcorn uit de magnetron. Ik was bijna advocaat geworden. En ik kan een salto achterover. Jij? Vertel gewoon iets. Welke muziek je goed vindt, wat je favoriete ijssmaak is.'

'Vanille,' zei ik. Ik kauwde op mijn bovenlip. 'Eh... die ballon vind ik gaaf.' Ik wees naar het plafond waar een houten heteluchtballon hing die er antiek uitzag. 'Heel kleurig, vind ik.'

Zijn ogen volgden de mijne. 'Ja, ik vind 'm ook gaaf. Niet alleen omdat 'ie er cool uitziet, maar ook om de ironie van dat ding. Hij weegt een ton. Maar in deze kamer kan alles vliegen, maakt niet uit hoe zwaar het is. Zelfs houten ballonnen. Goed, hè?'

'Wauw,' zei ik, de ballon bestuderend. 'Daar zou ik nooit opgekomen zijn.'

Hij grijnsde. 'Ik ook niet. Mijn vrouw wel. Maar ik trek de eer graag naar me toe.'

Ik glimlachte. Iets aan dokter Hieler gaf me een heel veilig gevoel. Hem wilde ik wel iets vertellen. 'Mijn ouders kunnen elkaar niet luchten of zien,' flapte ik eruit. 'Is dat belangrijk?'

'Alleen als jij het belangrijk vindt,' zei hij. 'Nog meer?'

'Ik heb een broertje dat best cool is. Hij is meestal heel aardig. We hebben bijna nooit ruzie, niet zoals andere zussen en broers. Ik maak me wel een beetje zorgen over hem.'

'Waarom?'

'Omdat hij mij als zus heeft. Omdat hij volgend jaar ook naar Garvin High gaat. Omdat hij Nick graag mocht. Eh... ander onderwerp.'

'Vanille-ijs, ongelukkige ouders, cool broertje. Check. En verder?'

'Ik teken graag. Ik bedoel, u weet wel, kunst.'

'Ah!' riep hij uit, nog verder onderuitzakkend. 'Nu komen we ergens. Wat teken je dan?'

'Weet niet,' zei ik. 'Ik heb al tijden niets meer getekend. Niet sinds ik een kind was. Ik vond het stom. Ik weet niet eens waarom ik dit nou gezegd heb.'

'Da's oké. Dus we hebben vanille-ijs, ongelukkige ouders, een cool broertje en graag tekenen, of niet. Verder nog iets?'

172

Ik pijnigde mijn hersens. Dit was veel moeilijker dan ik had gedacht. 'Een salto achterover kan ik niet,' zei ik.

Hij glimlachte. 'Geeft niet. Ik heb gejokt. Ik ook niet. Maar het lijkt me wel gaaf om te kunnen, jou niet?'

Ik moest lachen. 'Ja, vast. Maar op de meeste dagen kan ik niet eens normaal lopen.' Ik gebaarde naar mijn been.

Hij knikte. 'Maak je maar geen zorgen. Over een poosje ren jij weer. Maak je misschien wel salto's. Je weet nooit.'

'Ze gaan me niet vervolgen,' zei ik. 'Voor de schietpartij, bedoel ik.'

'Ik weet het,' antwoordde hij. 'Gefeliciteerd.'

'Mag ik u een vraag stellen?' vroeg ik.

'Natuurlijk.'

'Wanneer u met mam praat... tijdens haar sessies... geeft ze mij dan de schuld van alles?'

'Nee,' zei hij.

'Ik bedoel, vertelt ze dan dat ze een hekel aan Nick had en dat ze heel vaak heeft geprobeerd om ons uit elkaar te halen? Zegt ze dat dit been mijn verdiende loon is?'

Dokter Hieler schudde zijn hoofd. 'Niet dat soort dingen, nee. Ze maakt zich zorgen. Ze is erg verdrietig. Ze geeft zichzelf de schuld en vindt dat ze meer aandacht aan je had moeten besteden.'

'Ja, logisch. Ze wil dat u medelijden met haar hebt en een hekel aan mij, net als de rest.'

'Ze heeft geen hekel aan je, Valerie.'

'Nou ja, als u dat zegt. Maar Stacey wel,' zei ik.

'Stacey? Is dat een vriendin?' vroeg hij achteloos, al had ik zo het idee dat bij dokter Hieler niets, geen enkele vraag, zomaar was.

'Ja. Al vanaf dat we klein waren. Gisteravond kwam ze nog langs.'

'Da's mooi!' Dokter Hieler keek me onderzoekend aan en legde nadenkend een vinger op zijn onderlip. 'Je lijkt er niet erg blij mee.'

Ik haalde mijn schouders op. 'Nou ja. Het is aardig dat ze langskwam. Alleen... Ik weet niet.'

Hij zei niets, liet de zin in de lucht hangen.

Ik haalde opnieuw mijn schouders op. 'Ik heb mijn broertje laten zeggen dat ik sliep, zodat ze weer weg zou gaan.'

Hij knikte. 'Waarom?'

'Ik weet niet. Maar...' Ik friemelde met mijn vingers. 'Ze heeft gewoon nooit aan me gevraagd of ik iets met de schietpartij te maken had of niet. Ze zou aan mijn kant moeten staan, toch? Maar dat doet ze niet. Niet echt. En ze vindt dat ik sorry moet zeggen. Niet tegen haar. Tegen iedereen. In het openbaar, of zoiets. Alsof ik al die gezinnen vergeving moet gaan vragen voor wat er gebeurd is.'

'Wat vind je van dat idee?'

Nu was het mijn beurt om niets te zeggen. Ik wist niet wat ik ervan vinden moest, behalve dat ik nog altijd een knoop in mijn maag kreeg bij de gedachte die mensen onder ogen te moeten komen; de mensen die zo gekwetst waren en die telkens als ik de tv aandeed, een krant opsloeg of de cover van een tijdschrift zag, woedend om gerechtigheid riepen.

'Ik heb Frankie gevraagd haar weg te sturen, niet?' zei ik zachtjes.

'Ja. Maar wilde je echt dat ze wegging?' vroeg hij. Onze blikken hielden elkaar vast, tot hij plotseling opstond en zijn rug achterwaarts boog, de handen op zijn achterhoofd. 'Ik heb gehoord dat 't hem in de benen zit.'

'Dat wat in de benen zit?'

'Een goeie salto achterover.'

15

*F*rankie en ik zaten aan de keukentafel, net als altijd. Hij at zijn cruesli, ik een banaan. Bij zijn elleboog lag een opgevouwen krant op tafel. Pas op het moment dat ik hem zag, realiseerde ik me dat ik sinds mijn thuiskomst geen krant meer had gezien.

'Geef eens,' zei ik, wijzend.

Frankie wierp een blik op de krant, werd bleek en schudde zijn hoofd. 'Mam wil niet dat jij de krant leest.'

'Wat?'

Hij slikte een hap cruesli door. 'Mam zegt dat we ervoor moeten zorgen dat jij geen krant ziet en geen tv, je weet wel, dat soort dingen. En dat we moeten ophangen als er een journalist belt. Maar die bellen niet meer zo vaak, minder dan toen jij in het ziekenhuis lag.'

'Mam wil niet dat ik de krant lees?'

'Dat maakt je alleen maar van streek, denkt ze.'

'Dat is belachelijk.'

'Deze is ze vast vergeten weg te gooien. Doe ik wel.'

Hij pakte de krant en stond op. Ik sprong in de benen en greep ernaar. 'Nee, dat doe je niet,' zei ik. 'Geef me die krant, Frankie. Serieus. Mam heeft geen idee waar ze het over heeft. In het ziekenhuis keek ik altijd tv, als mam niet in de buurt was. Ik heb alles gezien. Bovendien: ik was erbij, bij de schietpartij, weet je nog?'

Hij maakte aanstalten om naar de afvalbak te lopen, maar aarzelde. Ik hield zijn blik vast.

'Maak je niet druk, Frankie,' zei ik zacht. 'Ik raak heus niet in een depressie of zo. Geloof me.'

Langzaam stak hij zijn hand uit. 'Oké. Maar als mam ernaar vraagt...'

'Ja, ja, ik zeg wel tegen haar dat jij Brave Hendrik zelf bent, zoiets.'

Hij pakte zijn lege kom en zette die in de gootsteen. Ik ging weer aan de tafel zitten en las het openingsartikel op de voorpagina.

Schoolleiding ziet solidariteit na tragisch schietincident
Angela Dash

De leerlingen van Garvin High, die afgelopen week weer naar school zijn gegaan, kijken heel anders tegen het leven en elkaar aan. Dat vindt althans schooldirecteur Jack Angerson.

'Als iets van deze verschrikkelijke tragedie nog ergens goed voor is geweest,' verklaarde hij, 'dan is het dat de leerlingen veel meer begrip voor elkaar hebben, zo lijkt het, en ook beter begrijpen wat dat oude gezegde betekent: leven en laten leven.'

Volgens Anderson komt het regelmatig voor dat voormalige rivalen nu samen lunchen en dat oude ruzies worden bijgelegd omdat leerlingen bewuster met elkaar omgaan.

'Het is veel rustiger,' zegt hij. 'Het aantal klachten over kleinigheden bij mentoren en coördinatoren is veel lager dan voorheen.'

Moeilijkheden in de klas behoren tot het verleden, beweert Angerson, die zegt dat de school in de komende jaren een daling van het aantal gedragsgerelateerde problemen verwacht.

'Ik denk dat leerlingen zijn gaan inzien dat iedereen meetelt hier. Dat de kritiek, de keiharde oordelen en snelle conclusies die zo

gewoon zijn onder deze leeftijdsgroep, op termijn nergens toe leiden. Die les hebben ze, helaas op een heel harde manier, wel geleerd. Ze zijn veranderd. Daarom heb ik er vertrouwen in dat deze
groep kinderen van hun wereld een mooiere plaats zullen maken.'
De school is weer opengesteld en de leerlingen kunnen het
schooljaar afmaken, maar Anderson geeft toe dat het lespro-
gramma ondergeschikt zal zijn aan wat hij 'het beperken van de
schade' noemt. Het schoolbestuur heeft een team van ervaren
hulpverleners ingehuurd om de leerlingen te helpen de gebeurtenissen van twee mei te verwerken.

Angerson zegt verder dat leerlingen niet verplicht zijn om naar
school te komen. Er worden geen centrale overgangstentamens
en schoolonderzoeken afgenomen en leerkrachten zetten in op
individuele begeleiding waar dat nodig is om ervoor te zorgen
dat iedere leerling de kans krijgt om toch voldoende studiepun-
ten te behalen.

'Er zijn collega's die in de avonduren hun huis openstellen voor
studiegroepen. Anderen doen dat in de bibliotheek, of online.
Maar veel leerlingen komen inmiddels gewoon naar school,'
aldus Angerson. 'De betrokkenheid bij Garvin High is groot en
veel leerlingen willen hun steun betuigen en laten zien dat zij
zich niet laten wegjagen. In alle oprechtheid: de beslissing om
de school weer open te doen is in belangrijke mate beïnvloed
door de wens van de leerlingen zelf.'

Angerson zegt trots te zijn op de leerlingen van Garvin High, die
zo loyaal aan hun school zijn gebleven, en spreekt de verwach-
ting uit dat velen van hen zich in de toekomst zullen ontwikkelen
tot invloedrijke burgers. 'Ik ben geweldig trots op hen. Zij zijn de
eerste golf van een groep jonge mensen die op een dag deze
wereld zullen veranderen, dat geloof ik echt,' voegt Angerson
daaraan toe. 'Als er ooit zoiets als wereldvrede komt, dan zijn
het deze jongelui die daarvoor zullen zorgen.'

Later die dag smokkelde ik het artikel de kamer van dokter Hieler binnen. Nog voor hij de deur had dichtgedaan, had ik het artikel op tafel gelegd.

'Maakt dit nou een held van hem, dokter Hieler?' vroeg ik.

Dokter Hieler las het artikel snel door, terwijl hij zich in zijn stoel nestelde. 'Van wie?'

'Van Nick. Als die lui die het overleefd hebben nu helemaal voor de vrede gaan, zoals in dat artikel wordt beweerd, dan is hij toch een held? Dan is hij een soort John Lennon, een vredesapostel van deze tijd, maar dan eentje met een pistool.'

'Dat zou een stuk gemakkelijker zijn, hè? Als je hem als held zou kunnen zien. Maar hij heeft een bende kinderen doodgeschoten. Er zullen maar weinig mensen zijn die hem ooit als held gaan zien, denk ik.'

'Maar het lijkt zo oneerlijk. Op school gaat alles gewoon door en niemand doet nog vals, maar Nick is dood. Ik bedoel, dat 'ie dood is, is zijn eigen schuld, maar dan nog. Waarom zijn ze nu pas wakker? Waarom was er eerst zoiets nodig voordat ze het in de gaten hadden? Dat is helemaal niet fair.'

'Het leven is niet fair. Een fair is een kermis, een plek waar je suikerspinnen kunt eten en een ritje in een reuzenrad kunt maken.'

'Dat vind ik een stomme opmerking.'

'Mijn kinderen ook.'

Ik zweeg wrokkig, en tuurde naar het artikel op de tafel totdat de letters voor mijn ogen dansten. 'U zult het wel idioot vinden, maar ergens ben ik toch een beetje trots op hem.'

'Niet idioot, maar ik denk eerlijk gezegd niet dat je trots bent. Volgens mij ben je pissig. Volgens mij had je zo heel graag gewild dat de veranderingen die nu op Garvin High aan de gang zijn veel eerder waren gekomen, dan was dit allemaal misschien wel nooit gebeurd. En ik denk ook dat je niet gelooft dat er echt iets veranderd is.'

En voor het eerst, maar zeker niet voor het laatst, stortte ik bij dokter Hieler mijn hart uit. Ik gooide alles op tafel. Alles. Van het gesprek over *Hamlet* op Nicks onopgemaakte bed en de wens dat Christy Bruter zou boeten voor het kapotmaken van mijn mp3-speler, tot de schaamte die ik voelde. Alles wat ik die agent aan mijn bed niet had kunnen zeggen. Wat ik Stacey niet had kunnen zeggen. Mam niet.

Misschien was het de manier waarop Hieler naar me keek, alsof hij de enige in de wereld was die een beetje zou kunnen begrijpen waarom het zo uit de hand was gelopen. Misschien was het omdat ik er zelf klaar voor was. Misschien was het dat krantenartikel. Misschien was het mijn manier om stoom af te blazen, voordat ik eraan kapot zou gaan.

Ik was een spuwende vulkaan vol vragen en spijt en woede en dokter Hieler liet de vonkenregen rustig op zich neerdalen. Hij keek me indringend aan, sprak zacht, kalm. Knikte somber.

'Denkt u dat ik het op een gegeven moment misschien ook gedaan zou hebben?' vroeg ik hem huilend. 'Als ik een pistool had gehad, zou ik Christy dan ook doodgeschoten hebben? Want toen Nick zei: "Kom, dan regelen we dat," dacht ik dat hij... weet ik veel wat ik dacht, dat hij haar in elkaar zou rammen of zo. En dat voelde goed. Ik weet niet... alsof dat een opluchting zou zijn. Ik *wilde* dat hij haar mores zou leren.'

'Dat is normaal, toch? Maar dat je blij was dat Nick het voor je opnam, wil nog niet zeggen dat jij ook een pistool had gepakt om haar neer te schieten.'

'Ik was kwaad. Ik was verschrikkelijk kwaad! Zij had die mp3-speler gemold en ik was zo ontzettend kwaad.'

'Nogmaals: dat is logisch. Ik zou ook heel erg kwaad geweest zijn. Kwaad is niet hetzelfde als schuldig.'

'Hij stond aan mijn kant, weet u? En dat was zo'n goed gevoel.'

Hij knikte.

'Ik was bang dat hij het uit zou maken, dus dat hij het voor me opnam was zo gaaf. Ik dacht dat het toch nog goed zou komen met ons. Ik heb geen moment aan die lijst gedacht.'

Hij knikte nog een keer en kneep zijn ogen verder dicht naarmate de wanhoop in mijn stem toenam.

Zijn woorden dwarrelden als donzen veertjes door de lucht, het was of hij een warme deken om me heen sloeg. 'Het kwam niet door jou dat zij is neergeschoten, Valerie. Dat heeft Nick gedaan. Niet jij.'

Ik nestelde me dieper in de kussens van de bank en nam een slok cola. Er klonk een klopje op de deur en Hielers secretaresse stak haar hoofd de kamer in.

'De afspraak van drie uur is er,' zei ze.

Dokter Hieler hield zijn blik op mij gericht. 'Zeg maar dat we een beetje uitlopen vandaag,' zei hij. De secretaresse knikte en verdween. Na haar vertrek was ik me scherp bewust van de stilte in de kamer. Ik hoorde een deur dichtslaan in de hal. Ik voelde me kwetsbaar. Ik voelde schaamte, een beetje ongeloof ook, dat ik alles er zomaar had uitgeflapt. Ik wilde weg. Ik wilde dokter Hieler nooit meer zien, me opsluiten in mijn slaapkamer waar de paarden op het behang me mee zouden voeren naar een plaats waar ik niet zo kwetsbaar was.

Maar ik realiseerde me met iets van afschuw, maar ook

kalm en geslagen en nietig, dat ik nog lang niet klaar was. Er was meer, veel meer. Duisterder, lelijker dingen die ik weten moest. Dingen die me niet loslieten en me 's nachts achtervolgden, als jeuk bij mijn oor; als iets wat kriebelt maar waarvan je niet precies weet waar, zodat krabben niet helpt.

'Stel nou dat ik het toen niet serieus meende maar nu wel?' vroeg ik.

'Wat serieus meende?'

'De lijst. Misschien dacht ik wel dat ik het niet echt meende, dat ik die lui niet echt dood wilde, maar wilde ik dat ergens, onbewust, toch wel. En misschien wist Nick dat wel. Misschien wist hij iets van me wat ik zelf niet zag. Misschien heeft iedereen dat wel gezien en is dat de reden waarom ze zo'n hekel aan me hebben. Omdat ik indruk wilde maken. Ik ben degene die alles in gang heeft gezet met die lijst en ik heb Nick het vuile werk laten doen. Dus ik weet niet... Als ik het nu wel serieus neem, zou dat een hoop mensen een beter gevoel geven, denk ik.'

'Nog meer doden... Ik betwijfel of dat iemand een goed gevoel gaat geven, jou zeker niet.'

'Maar dat verwachten ze wel van me.'

'Nou en? Wat maakt het uit wat anderen van je verwachten? Waar het om gaat is wat jij van jezelf verwacht.'

'Dat is het juist. Ik weet niet wat ik van mezelf verwacht! Al mijn verwachtingen zijn kapot, van alles en iedereen. En volgens mij is het voor veel mensen een teleurstelling dat ik nog leef. Christy's ouders vinden zeker dat ik mezelf van kant had moeten maken, net als Nick. Wat hen betreft had Nick beter moeten mikken.'

'Het zijn ouders. Met een heleboel verdriet. Dan nog: ik betwijfel of ze liever hadden gezien dat jij ook dood was.'

'Maar misschien wilde ik wel dat *zij* dood was. Misschien heeft iets in me altijd gewild dat zij van de aardbodem verdwijnen zou.'

'Val…' begon dokter Hieler, en zijn aarzeling zei alles. *Hou op zo te praten. Anders heb ik geen andere keus dan je weer op te laten nemen bij dokter Dentley.* Ik kauwde op mijn wang. Er rolde een traan naar beneden en ik verlangde, niet voor het eerst, met heel mijn hart naar Nick, naar zijn armen om me heen.

'Het is… Ik voel me zo rot. Ik zou willen dat hij in de gevangenis zat, zelfs nu nog. Dan zou ik hem nog kunnen zien,' zei ik. En ineens werd ik overspoeld door de herinnering aan Nick. Aan hoe hij me bij mijn polsen tegen de grond gedrukt hield en me zei dat hij en ik winnaars waren, aan hoe hij zich over me heen boog en me kuste. Ik zat op die bank en voelde me eenzamer dan ooit, kouder dan ik voor mogelijk had gehouden. In mijn hoofd spookte de gedachte rond dat van al het gruwelijke dat er gebeurd was dit het ergste was. Het ergste omdat ik, ondanks alles, Nick nog steeds miste. *Op een dag winnen wij, Valerie*, had hij tegen me gezegd; ik hoorde het hem weer zeggen en begon te huilen. Ellendig, zo diep ellendig dat het pijn deed. Dokter Hieler schoof naast me op de bank en legde een hand op mijn rug. 'Het is zo leeg zonder hem,' snikte ik, en pakte een tissue van Hieler aan. 'Zo verschrikkelijk leeg.'

Deel drie

16

Uit de *Garvin County Sun-Tribune*, 3 mei 2008
door Angela Dash

Max Hills (16) – 'Ik dacht dat zij vrienden waren,' dat is wat een leerling zei na het fatale schot dat Nick Levil loste op Max, die ter plaatse werd doodverklaard. Ze voegde daaraan toe dat het een bewuste actie was. 'Het was echt zijn bedoeling om hem dood te schieten. Hij bukte zich en keek onder de tafel of hij wel de goeie voor zich had, voor hij schoot.'

Max, door vrienden een rustige leerling genoemd die uitmuntte in wiskunde en natuurkunde en zelden aan buitenschoolse activiteiten deelnam, werd regelmatig gezien in gezelschap van Nick Levil, zowel op school als daarbuiten. Ze werden door velen als vrienden gezien en de schoolgemeenschap tast in het duister naar het motief voor Nick Levils aanslag op Max, als die inderdaad zo doelbewust was als wordt beweerd.

'Misschien zag hij hem voor iemand anders aan,' luidt een verklaring, opgetekend uit de mond van eindexamenkandidaat Erica Fromman. 'Of misschien maakte die vriendschap hem niks uit,' een verklaring die de vraag oproept of Nick Levil zijn slachtoffers toch willekeuriger uitkoos dan tot nu toe wordt gedacht.

Volgens Max' moeder, Alaine, was de aanslag op Max geen toeval. 'Afgelopen zomer heeft hij geweigerd om Nick zijn pick-up uit te lenen,' liet zij een verslaggever weten. 'De volgende ochtend, toen Max aan het werk was en de auto op de parkeer-plaats stond, heeft iemand de koplampen kapotgeslagen. Max heeft nooit kunnen bewijzen dat Nick dat gedaan heeft, maar we wisten allebei dat hij het was. Dat was ook het einde van hun vriendschap. Ze hebben sindsdien geen woord meer met elkaar gewisseld. Max was heel kwaad over die koplampen. Hij had die pick-up van zijn eigen geld gekocht.'

Ik kom op de tweede dag thuis van school en twijfel heel erg of ik het op kan brengen om ermee door te gaan. Overstappen aan het eind van het semester? Vergeet het maar. Zolang houd ik het helemaal niet vol.

Ginny Baker blijft weg uit de les, in elk geval uit de lessen die ze samen met mij heeft. Tennille heeft me niet één keer recht in de ogen gekeken. Stacey en ik zitten niet bij elkaar in de pauze. Verder doet iedereen zo'n beetje of ik niet besta, waar ik op zich wel blij mee ben. Al vind ik het ook moeilijk. Als je eruit ligt, is dat niet gemakkelijk, zeker niet wanneer je echt de enige bent en geen vrienden hebt voor wie dat ook geldt.

Ik ben blij weer thuis te zijn, ook al blijft mam me behan-delen alsof ik een kind van zeven ben of zo, en ook al blijft ze zaniken over huiswerk en leraren en – dat vind ik helemaal fijn – vrienden. Ze denkt echt dat ik die nog steeds heb. Ze gelooft wat er in de nieuwsberichten wordt beweerd. Dat we elkaars handen vasthouden en elke dag hele gesprekken voeren over liefde en vrede en tolerantie. Dat kinderen 'ongelofelijk flexibel zijn, zeker als het om vergeving gaat'. Ik vraag me vaak af of die verslaggever, Angela Dash, ze wel allemaal op een rijtje heeft. Wat dat mens schrijft is je reinste flauwekul.

Ik pak thuis iets te eten, zoals altijd, en ga naar mijn kamer. Ik schop mijn schoenen uit, zet de stereo aan en ga met gekruiste benen op het bed zitten.

Ik doe mijn rugtas open, van plan om het huiswerk voor bio te gaan maken, maar pak het zwarte schrijfblok eruit. Ik ga plat op mijn buik liggen en sla het open. Ik heb een schets gemaakt van leerlingen die aan het gymmen zijn, hun monden als gapende gaten, op weg naar de atletiekbaan. Van een leraar – de docent Spaans, señor Ruiz – die uitkijkt over een trappenhuis vol rumoerige studenten, zijn gezicht uitdrukkingsloos en vlak, een lege ovaal. En van mijn persoonlijke favoriet, meneer Angerson, die als een haantje boven op een miniatuurschets van Garvin High zit met een gelaatsuitdrukking die heel erg aan Chicken Little doet denken. Mijn versie van het 'nieuwe en verbeterde klimaat op Garvin High', kijkend naar de werkelijkheid, zoals dokter Hieler me heeft voorgesteld te doen.

Ik verlies alle gevoel voor tijd, druk bezig met het uitwerken van een schets van Stacey en Duke aan hun lunchtafel met ruggen als stenen muren, en zie tot mijn verbazing dat de zon al bijna onder is als ik word gestoord door een klop op de deur.

'Straks, Frankie,' roep ik. Ik heb tijd nodig om na te denken, tijd om te chillen. Ik wil de tekening afmaken, zodat ik daarna bio kan gaan doen.

Er wordt opnieuw geklopt.

'Bezig,' schreeuw ik.

Een paar tellen later gaat de klink omlaag en de deur kiert open. Ik baal ervan dat ik hem niet op slot heb gedaan.

'Ik zei toch dat ik...' begin ik, maar ik stop omdat het hoofd van Jessica Campbell opduikt.

'Sorry,' zegt ze. 'Ik kan ook later terugkomen. Ik heb je

een paar keer gebeld, maar je moeder zei dat je niet aan de telefoon wilde komen.' Aha. Mam censureert dus nog steeds mijn telefoontjes.

'En heeft ze gezegd dat je dan maar langs moest komen?' vroeg ik ongelovig. Mam weet wie Jessica Campbell is. Iedereen weet wie Jessica Campbell is. Haar binnenlaten in mijn huis is… nogal een risico, op z'n zachtst gezegd.

'Nee. Dat was mijn eigen idee.' Jessica komt binnen en doet de deur dicht. Ze loopt naar het bed en blijft bij het voeteneinde staan. 'Eigenlijk zei ze net dat jij me niet zou willen zien. Maar ik zei dat ik het toch wilde proberen en ze liet me binnen. Volgens mij mag ze me niet zo erg.'

Ik grinnik. 'Geloof me, ze zou waarschijnlijk huilen van geluk als ze jou als dochter kon krijgen. Het is niet dat ze jou niet mag, ze mag mij niet. Maar dat is oud nieuws.' Op het moment dat ik dat zeg, realiseer ik me dat het misschien niet zo handig is om zoiets te zeggen tegen iemand die je helemaal niet goed kent. 'Wat kom je doen?' vraag ik, van onderwerp veranderend. 'Zo heel aardig vind jij mij nou ook niet, toch?'

Jessica kleurt en ik denk even dat ze zal gaan huilen. Opnieuw verbaast het me hoe ze veranderd is. Dit is niet de Jessica Campbell die ik gekend heb. Haar air is weg, haar zelfvertrouwen heeft plaatsgemaakt voor een merkwaardige kwetsbaarheid die helemaal niet bij haar past. Ze houdt haar hoofd wat schuin, laat haar haren over een schouder vallen en gaat op het bed zitten.

'Tijdens het vierde lesblok zit ik altijd naast Stacey,' zegt ze.

Ik haal mijn schouders op. 'En?'

'Dan hebben we het soms over jou.'

Ik voel de hitte naar mijn hoofd stijgen. Mijn dijbeen

klopt, als altijd wanneer ik gespannen ben. Dokter Hieler denkt dat het kloppen van mijn been waarschijnlijk iets is wat in mijn hoofd gebeurt, al verwoordt hij het anders. Op een aardige manier wel, maar zo heb ik het onthouden: dat het allemaal in mijn hoofd zit. Ik leg mijn hand op de deuk in mijn dij en druk, zachtjes, door de spijkerstof heen.

Zo zit het dus. Nu ik weer zo'n beetje terug ben in de maatschappij, zullen ze doen wat ze kunnen om me te laten merken dat ik er evengoed uitlig. Ze zullen me niet alleen opwachten bij de kluisjes en me niet alleen bij de lunch het gevoel geven dat iedereen een broertje dood aan me heeft, nu komen ze ook al bij me thuis. Mijn verdiende loon. Is dat het? 'Jij bent naar mijn huis gekomen om me te vertellen dat je met mijn ex-beste-vriendin over mij zit te roddelen?'

'Nee,' zegt Jessica. Ze trekt haar wenkbrauwen op, alsof dat een idiote gedachte is. Ik ken die uitdrukking op haar gezicht, die rimpels in haar voorhoofd maar al te goed. Die betekenen meestal dat er een rotopmerking zal komen. Ik zet me schrap. Maar ze zucht en kijkt naar haar handen. 'Nee. We hebben het erover hoeveel ellende Nick jou bezorgd heeft, dat denken we tenminste.'

'Ellende?'

Ze strijkt met haar middelvingers haarlokken achter haar oren. 'Ja. Je weet wel. Jij hebt niks gedaan, maar hij heeft jou er wel in meegesleept. En toen bleek dat jij onschuldig was, hebben ze daar bijna niets over gezegd.'

'Ze?'

'Je weet wel. Het nieuws. De media. Ze hadden hele verhalen over jou, over je medeplichtigheid en dat de politie het tot op de bodem zou uitzoeken, maar toen bleek dat jij er niets mee te maken had, is daar bijna geen aandacht aan besteed. Dat is niet erg eerlijk.'

Mijn hand op het verband ontspant zich een beetje en mijn vingers pakken het potlood weer vast. Hier klopt iets niet. Jessica Campbell die in mijn slaapkamer zit en het voor me opneemt. Ik durf het niet te geloven.

Ze werpt een blik op het schrijfblok op mijn schoot. 'Er wordt steeds gezegd dat jij met een nieuwe hate list bent begonnen. Is dat hem?'

Ik kijk naar het schrijfblok. 'Nee!' Onwillekeurig sla ik het blok dicht en schuif het onder mijn been. 'Dit is... gewoon, iets waar ik mee bezig ben. Een tekenproject.'

'O,' zegt ze. 'Heeft Angerson er iets van gezegd?'

'Waarom zou hij?' We weten allebei waarom hij dat zou moeten doen, maar geen van ons tweeën zegt het hardop. Jessica kijkt mijn kamer rond. Ik zie haar kijken naar de stapels kleren, de vuile borden op het dressoir, de foto van Nick die gisteravond uit de zak van mijn spijkerbroek gegleden is. Ik heb niet de moeite genomen om hem op te rapen en weer weg te stoppen. Beeld ik het me in, of blijft haar blik een moment bij die foto hangen?

'Leuke kamer,' zegt ze. Maar dat is wel een erg stomme opmerking en ik negeer het. Ik denk dat ze me daar dankbaar voor is.

'Ik heb huiswerk,' zeg ik, 'dus...'

Ze staat op. 'Tuurlijk. Is goed.' Ze zwiept dat blonde haar door de lucht als de slinger van een klok. Volgens mij stond dat zwieren met haar haar ook op de lijst. Ik probeer er niet aan te denken. 'Moet je horen. Waarvoor ik gekomen ben... De LeRa is bezig met een project. Een gedenkplek. Voor de diploma-uitreiking, je weet wel. Zou jij ons daarmee willen helpen?'

Ik bijt op mijn onderlip. Met de leerlingenraad werken aan een project? Er is iets gaande. Ik haal mijn schouders op. 'Ik zal erover nadenken.'

'Cool. We hebben donderdag weer een vergadering, in het kantoor van mevrouw Stone. Brainstormen, meer niet.'

'Weet je wel zeker dat ze mij erbij willen hebben? Ik bedoel, je moet toch gekozen worden in de leerlingenraad?' Nu is het haar beurt om de schouders op te halen. Tegelijkertijd kijkt ze uit het venster, waardoor ik het idee krijg dat de anderen het eigenlijk helemaal niet zien zitten. 'Ik wil jou erbij,' zegt ze, alsof dat het enige is wat telt.

Ik knik, maar zeg niets. Het is alsof ze een paar tellen blijft dralen. Alsof ze niet goed weet of ze moet gaan of nog even wil blijven. Alsof ze zelf niet meer goed weet hoe ze hier in vredesnaam verzeild is geraakt.

'Er wordt veel gepraat over jouw aandeel. In de schietpartij, bedoel ik,' zegt ze op een heel kalme toon. 'Wist jij dat hij zoiets van plan was?'

Ik slik en kijk uit het raam.

'Ik geloof het niet,' zeg ik. 'Ik wist in elk geval niet dat het voor hem allemaal serieus was. Dat klinkt vast hartstikke lam, maar ik kan er op dit moment weinig anders van maken. Nick was geen rotzak.'

Ze denkt een moment over dat antwoord na, volgt mijn blik uit het raam en geeft een knikje met haar hoofd. 'Was het jouw bedoeling om mij te redden?'

'Ik denk het niet,' zeg ik weer en bedenk me dan. 'Nee. Ik weet eigenlijk wel zeker van niet.'

Ze knikt opnieuw. Ik denk dat ze dat antwoord wel verwacht had. Ze vertrekt net zo geruisloos als ze gekomen is.

Later die dag, bij dokter Hieler op de bank met een blikje

cola op mijn knie, neem ik heel die vreemde scène nog eens met hem door.

'Zat ik daar, met Jessica Campbell, op mijn bed. Dat was echt heel bizar. Ik bedoel, ik voelde me... naakt of zoiets, met haar in mijn kamer. Alsof ze allemaal privédingen van me zag. Ik was gewoon zenuwachtig.'

Hij krabt aan een oor en grinnikt. 'Goed.'

'Goed dat ik zenuwachtig was?'

'Goed dat je er zo mee bent omgegaan.'

Met andere woorden: goed dat ik haar niet heb weggestuurd.

In plaats daarvan is ze zelf weggegaan. En na haar vertrek heb ik de stereo harder gezet en ben languit op het bed gaan liggen. Ik heb me op mijn zij gedraaid en naar de paarden op het behang gekeken. Eentje leek te glanzen, heel zacht. Hoe langer ik ernaar keek, hoe meer het leek of hij er elk moment vandoor kon gaan.

17

Uit de *Garvin County Sun-Tribune*, 3 mei 2008
door Angela Dash

*K*atie Renfro (15) – Tweedeklasser Katie Renfro werd buiten de aula slachtoffer van de schietpartij. 'Katie liep er toevallig langs,' vertelde decaan Adriana Tate onze verslaggever. 'Ze kwam net bij het decanaat vandaan. Voor zover ik weet kende zij Nick Levil niet eens.'

Katie werd geraakt door een verdwaalde kogel die was afgeketst tegen de kluisjes vlak bij de aula. Ze werd in haar bovenarm getroffen en raakte niet levensbedreigend gewond.

'Het deed nauwelijks pijn,' vertelde Katie naderhand. 'Het voelde als een bijensteek, zoiets. Ik had niet eens door dat ik was geraakt, totdat een brandweerman tegen me zei dat er bloed langs de achterkant van mijn arm liep. Toen raakte ik in paniek. Iedereen was in paniek, weet je? Daarom vooral, denk ik.'

Katies ouders hebben laten weten dat ze hun dochter definitief van school halen. 'Daar hebben we geen seconde over na hoeven denken,' vertelde Vic Renfro. 'Garvin High is een openbare school en we hebben ons vanaf de eerste dag dat Katie daarnaartoe ging al zorgen om haar gemaakt. Dit was de druppel.'

'Bij zo'n openbare school weet je nooit met wie je kind op school zit,' voegde Kimber Renfro, Katies moeder, daaraan toe. 'Ze laten iedereen maar toe. Ook gestoorde kinderen. En we willen niet dat onze dochter contact heeft met halve garen.'

'Ze maakt er altijd zo'n drama van,' zeg ik. Ik been heen en weer door de kamer, iets wat ik anders nooit doe wanneer ik bij dokter Hieler ben. Maar normaal gesproken ben ik daar ook nooit samen met mam. Zij houdt me voortdurend met argusogen in de gaten. Dat wordt met de dag erger. Je zou denken dat ze me, naarmate de tijd verstrijkt, wat meer zou gaan vertrouwen, maar het lijkt wel of ze steeds minder vertrouwen in me heeft. Alsof ze bang is dat ik, als ze me uit het oog verliest, al is het maar een seconde, meteen weer in een schietpartij beland.

'Neem het me eens kwalijk?' zegt mam. Ze snuift en veegt haar neus af met een verfrommeld papieren zakdoekje dat ze uit haar jaszak vist. 'Ik vind het gewoon heel moeilijk om te geloven dat ze nu ineens wel met die lui om wil gaan, en zij met haar. En een project voor een gedenkplaats? Dan blijft ze maar met dat vreselijke incident bezig. Dat is helemaal niet goed voor haar, dat achteromkijken. Ze zou onderhand vooruit moeten kijken, haar leven weer oppakken, toch?'

'Voor de laatste keer, mam, ik trek helemaal niet met ze op. Daar gaat het niet om. Ik werk met hen aan een project. Meer niet. Een schoolproject. Dat wilde jij toch, dat ik weer mee zou doen aan schoolprojecten? Ik *pak* mijn leven dus op!'

Mam schudt haar hoofd. 'Twee dagen geleden wilde ze niets van school weten en nu wil ze met een schoolproject meedoen, uitgerekend samen met de kinderen die op die lijst van haar stonden,' zegt ze tegen dokter Hieler. 'Dat is toch verdacht? Er klopt iets niet.'

Nu wend ik me ook tot dokter Hieler. 'Zij is niet degene die met Jessica gesproken heeft, dat ben ik. Jessica meende het. Daar was helemaal niets verdachts aan.'

Dokter Hieler strijkt met een vinger langs zijn lip en knikt, maar hij zegt niets.

Mam schudt haar hoofd in ongeloof, alsof ze zich afvraagt hoe ik zo stom kan zijn om Jessica Campbell te geloven. Alsof alles waarin ik geloof een stommiteit is omdat ik ook in Nick geloofd heb. Het is stil in de kamer, mam staart me aan.

'Wat is er nou?' zeg ik na een hele poos. Het klinkt luid, een beetje te luid. 'Wat zit je nou naar me te kijken? Ze eet me niet op, hoor. Het is heus geen valstrik, als je dat soms denkt. Waarom is dat zo moeilijk te geloven? Kijk je geen tv of zo? De hele school is veranderd door de schietpartij, heb je dat niet meegekregen dan? Ze zijn niet meer zo. Er zal me echt niks gebeuren, hoor.'

'Ik ben ook niet bang dat jou iets overkomt,' zegt mam hees. Ze kijkt naar me op, haar ogen rood. Opnieuw dept ze haar neus met het zakdoekje.

Ik kijk van haar naar dokter Hieler. Hij zegt niets, zit doodstil, zijn wijsvinger nog steeds op zijn onderlip.

'Waar maak je je dan druk om?' vraag ik.

'Dat jij hen pijn doet,' zegt mam. 'Dat jij mee wilt doen om af te maken wat Nick heeft laten liggen.'

Ik laat me tegen de rugleuning van mijn stoel vallen. Al dat gesnotter en gesmeek van haar, de regels en verboden, het verstoppen van kranten en de afspraken die ik met dokter Hieler moet maken… Dat is niet om mij te beschermen tegen de boze buitenwereld, maar om de buitenwereld te beschermen tegen mij. Dat ik niet nog meer ellende aanricht, daar gaat het om. Ik ben de slechterik. Dat is hoe zij het ziet. En mijn woorden zullen daar niets aan veranderen.

'Ik heb niets in de gaten gehad, dat is het,' zegt ze, half

tegen mij en half tegen dokter Hieler. 'En kijk eens wat er gebeurd is. Iedereen denkt dat ik een slechte moeder ben en, ik weet niet, daar hebben ze nog gelijk in ook, denk ik. Een moeder zou dit soort dingen in de gaten moeten hebben. Een goeie moeder had het aan zien komen, op de een of andere manier. Ik niet. En hoe meer ik haar loslaat... ik ben zo bang. Straks vallen er nog meer doden en dat wil ik niet op mijn geweten hebben.'

Ze snuit haar neus terwijl dokter Hieler zacht en begripvol tegen haar spreekt. Ik ben te verdoofd om te horen wat hij zegt.

Mam is veranderd. Door mij. Haar ouderschap is veranderd. Haar rol is niet meer zo simpel en overzichtelijk als toen ik geboren werd. Haar belangrijkste taak is niet meer om mij te behoeden voor de gevaren om me heen; nu is het haar taak om de wereld voor mij te behoeden.

En dat is verschrikkelijk oneerlijk.

18

Uit de *Garvin County Sun-Tribune*, 3 mei 2008
door Angela Dash

C hris Summers (16) – Chris stierf als een held, zo verklaarden ooggetuigen.
'Hij probeerde iedereen zo snel mogelijk weg te krijgen,' vertelde de zestienjarige Anna Ellerton. 'Hij hielp mensen door de
deur, de gang op. Dat is typisch Chris, weet u? Dingen regelen.'
Volgens Anna werd Chris door leerlingen die in paniek de aula
uit vluchtten aan de kant geduwd, recht in Nick Levils armen.
'Nick lachte, vroeg hem waar die stoere bink was gebleven en
schoot hem neer,' vertelde Anna. 'Ik dacht dat hij dood was en
rende verder. Ik heb geen idee of hij op slag dood was of niet.
Ik weet alleen dat hij probeerde te helpen. Hij probeerde alleen
maar te helpen.'

Ik maak bijna rechtsomkeert. Door het lange, smalle venster in de deur van het lokaal zie ik een groepje leerlingen
hangen op stoelen die grofweg in een kring zijn gezet.
In het midden zit Jessica Campbell, die met een ernstig
gezicht aan het woord is. Mevrouw Stone, adviseur van
de leerlingenraad, zit op een bankje iets terzijde. Ze heeft
haar benen over elkaar geslagen, een schoen bungelt aan
haar tenen. Ik moet denken aan een krantenfoto van kort

na de schietpartij: die van een pump die op de stoep lag. De eigenares ervan moet te bang, te gewond of te dood zijn geweest om terug te gaan en hem op te halen.

Is het echt nog geen jaar geleden dat we in de aula zaten te luisteren naar de toespraken van de kandidaten voor de leerlingenraad? Is het nog maar zo kort geleden dat Nick en ik met onze klassen in de rijen schoven, elkaars blikken zochten in de menigte en bij elke nieuwe LeRa-kandidaat die het podium beklom met onze ogen rolden om op die manier met ons lijf uit te drukken wat we niet hardop konden zeggen?

'Op wie heb jij gestemd?' vroeg ik hem later die avond. Hij lag met ontbloot bovenlijf naast me in een tent die we in het weiland achter zijn achtertuin hadden neergezet. Het weer was omgeslagen en we waren elke avond in die tent gekropen, gewoon om op onszelf te zijn en elkaar voor te lezen en te praten over wat ons bezighield.

Hij knipte zijn zaklantaarn aan en scheen naar boven. De lichtbundel wierp de dansende schaduw van een spin op het tentdoek, die naar de nok van de tent probeerde te klimmen. Ik vroeg me af wat hij er ging doen. Of is dat waar het in het leven van een spin om gaat: om een voortdurende worsteling naar de top van het een of ander met geen ander doel dan het klimmen zelf?

'Op niemand,' zei Nick vlak. 'Waarom zou ik? Mij een biet wie er wint.'

'Ik heb Homer Simpsons naam opgeschreven,' zei ik. We moesten beiden lachen. 'Ik hoop maar dat Jessica Campbell geen voorzitter wordt.'

'Dat wordt ze toch wel, dat weet je best,' zei Nick. Hij knipte de zaklantaarn uit en het was ineens weer pikkedonker in de tent. Ik zag geen hand voor ogen; het enige waaraan ik merkte dat ik niet alleen was, was de warmte van Nicks lichaam naast me. Ik verschoof in mijn slaapzak en krabde met een teen van de ene voet over de bovenkant van de andere, en beeldde me in dat de spin, die ik nu niet meer kon zien, mijn lijf als zijn volgende bestemming had uitgekozen.

'Denk je dat het zal veranderen in het eindexamenjaar?' vroeg ik.

'Dat Jessica Campbell dan geen Dooie Dame meer tegen je zegt en dat Chris Summers geen eikel meer is, bedoel je?' vroeg hij. 'Nee.'

We zwegen en luisterden naar de kikkers die ergens links van de tent in een sloot een concert gaven.

'Nee. Alleen als wij daar zelf voor zorgen,' voegde hij eraan toe, heel zacht.

Ik sta in de gang, voor de deur van het lokaal waar de leerlingenraad bijeen is, en voel me licht worden in mijn hoofd. Ik leg mijn voorhoofd tegen de koele stenen van de muur. Ik moet even bijkomen en daarna ga ik weg. Ik kan dit niet. Met geen mogelijkheid. Er zijn doden gevallen; als er ooit een situatie is geweest waarin er zo veel is gebeurd dat er niets meer goed te maken valt, dan is het deze wel.

Iemand moet me gezien hebben, want de deur gaat open. 'Hé,' zegt een stem. 'Blij dat je gekomen bent.'

Ik kijk op. Jessica hangt half uit de deuropening. Ze gebaart me binnen te komen. Mijn lijf schakelt over op de automatische piloot en ik drentel achter haar aan.

Iedereen staart naar me. Als ik zei dat niet iedereen even vriendelijk keek, zou ik liegen. Niemand kijkt vriendelijk, dat lijkt er meer op. Ook Jessica niet. Ze kijkt zakelijk, af- standelijk bijna, alsof ze een gevangene naar de dodencel begeleidt.

Meghan Norris kijkt me door halfgesloten oogleden in- dringend aan, haar lippen getuit en gesloten, haar knieën ongeduldig dansend onder het tafeltje. Onze blikken krui- sen elkaar. Ze rolt met haar ogen, kijkt omhoog en daarna uit het raam.

'Oké,' zegt Jessica, terwijl ze weer gaat zitten. Ik ga naast haar zitten, met mijn boeken stijf tegen me aan. Ik ben bang dat ik alsnog onderuit zal gaan. Ik adem diep in, houd mijn adem tien seconden vast, en blaas hem lang- zaam en zo zachtjes mogelijk weer uit. 'Oké,' herhaalt ze. Ze rommelt wat met een stapeltje paperassen, een en al zakelijkheid. 'Ik heb met meneer Angerson gesproken en het is in elk geval zeker dat we een plek krijgen aan de noordwestkant van de binnenplaats, pal naast de buiten- deuren van de aula. Daar kunnen we plaatsen wat we wil- len zolang de MR ermee akkoord gaat, maar dat zal geen probleem zijn.'

'Permanent?' vraagt Mickey Randolf.

Jessica knikt. 'Ja. Er kan iets blijvends komen. Rond de diploma-uitreiking organiseren we dan een inwijdings- plechtigheid.'

'Dan wordt het dus een standbeeld of zoiets,' zegt Josh.

'Ja, of een boom,' zegt Meghan enthousiast. Ze vergeet, al is het maar voor even, dat ik haar persoonlijke levenssfeer vervuil.

'Een standbeeld is duur,' weet mevrouw Stone. 'Hebben we geld voor zoiets?'

Jessica bladert weer in haar documenten. 'De MR doneert een bedrag. We hebben ons eigen banksaldo. En de opbrengsten van de verkoop van... de donuts...' Er daalt een ongemakkelijke stilte neer. Sinds het incident worden er geen donuts meer verkocht. Niet sinds Abby Dempsey, Jessica's beste vriendin, die op twee mei achter de balie stond, is doodgeschoten. Jessica schraapt haar keel. 'Abby had gewild dat we de opbrengst hiervoor zouden gebruiken,' zegt ze. Ik voel ogen prikken, maar kijk niet op om te zien van wie. Ik draai op mijn stoel, adem diep in, houd vast, en adem weer uit.

'Er zijn nog wel meer manieren om wat geld in het laatje te krijgen,' zegt Rachel Manne. 'Als we nou eens lolly's gaan verkopen met een wens op de wikkel, net zoiets als gelukskoekjes?'

'Goed idee,' zegt Jessica. Ze krabbelt iets op een vel papier. 'En we kunnen een ijsparty organiseren.'

'Een ijsparty. Dat is een prima idee. Dan vraag ik meneer Hudspeth of hij met de theaterklas een voorstelling wil verzorgen,' valt mevrouw Stone haar bij.

'O, ja! En dan kan het koor misschien iets zingen of zo,' zegt iemand. Er volgt een levendig gesprek, waarbij een stortvloed aan ideeën over tafel vliegt. Ik word er gelukkig buiten gelaten, niemand let meer op mij.

'Dat is dan besloten,' zegt Jessica. Ze klapt haar schrijfblok dicht en legt haar pen neer. 'Er komt een culturele avond met een ijsparty. Dan moeten we nog wel besluiten wat voor monument er moet komen. Ideeën?' Ze slaat haar armen over elkaar. Niemand zegt iets.

'Tijdcapsule,' zeg ik. Jessica kijkt me aan.

'Wat bedoel je?'

'Een tijdcapsule. Met een plaquette of zoiets erop en de afspraak dat 'ie over, eh, vijftig jaar of zo wordt opengemaakt. Dan kunnen de mensen zien dat deze lichting leerlingen meer was dan alleen... nou ja, dat er meer was.'

Het wordt heel stil in het lokaal; iedereen laat het op zich inwerken.

'We zouden er een bank naast kunnen zetten,' voeg ik eraan toe. 'Met de namen van... van...' Mijn stem stokt; ineens kan ik niet meer verder.

'... de slachtoffers,' zegt Josh, zijn stem een beetje schril. 'Dat wil je zeggen, toch? De namen van de slachtoffers in de bank gekerfd. Of op de plaquette.'

'Van iedereen, of alleen van de mensen die dood zijn?' vraagt Meghan. De atmosfeer is gespannen. Ik houd mijn blik omlaag gericht. Wil niet weten naar wie er gekeken wordt. Naar mij, neem ik aan.

'Van iedereen,' zegt Josh. 'Ik bedoel: Ginny Bakers naam moet er toch ook op, vinden jullie niet?'

'Maar dan is het niet echt een gedenkplaats meer,' zegt mevrouw Stone, en iedereen begint weer te praten, tegelijk en door elkaar heen.

'Maar Ginny's gezicht...'

'... hoeft geen gedenkplaats te zijn, waarom niet een monument...'

'... dan zouden de namen van de hele jaargroep erop moeten staan...'

'Dat zou gaaf zijn...'

'... iedereen is er op de een of andere manier door geraakt...'

'... gedenkplaats, dat kan met het verlies van levens te maken hebben, maar ook met het verlies van andere dingen, zoals...'

'... maar niet alleen ons leerjaar. Er zijn ook brugklassers gestorven...'

'Maar we kunnen moeilijk de namen van iedereen op school erop zetten...'

'Laten we alleen de namen erop zetten van de mensen die gestorven zijn,' zegt Jessica.

'Niet van iedereen,' zegt Josh, luid genoeg om te maken dat iedereen zijn mond houdt. 'Niet van iedereen,' herhaalt hij. 'Niet die van Nick Levil. Gaat niet gebeuren.'

'In feite is hij ook een slachtoffer,' zegt mevrouw Stone bijna fluisterend. 'Als je de namen van alle slachtoffers erop wilt zetten, hoort hij er eigenlijk ook bij.'

Josh schudt met zijn hoofd. Met zijn rood aangelopen hoofd. 'Dat deugt niet, vind ik.'

'Dat vind ik ook,' zeg ik, voordat ik in de gaten heb dat ik mijn ogen heb opengedaan. 'Dat zou niet fair zijn tegenover de anderen.' Ik hap zelf naar adem om wat ik zojuist gedaan heb. Nick was alles voor me. Nog steeds geloof ik niet dat hij een monster was, wat hij op school ook heeft aangericht. En ook als het om mijn eigen rol gaat, heb ik nog altijd niet het gevoel dat ik helemaal vrijuit ga. En nu laat ik hem vallen als een baksteen... Waarom? Om een wit voetje te halen bij de leerlingenraad? Om in het gevlij te komen bij dezelfde gasten die nog maar een paar maanden geleden lachten als Chris Summers weer eens flauw deed tegen Nick, die lachten als Christy Bruter mij Dooie Dame noemde? Om naar Jessica Campbells pijpen te dansen, van wie ik nog altijd niet weet of ze een hekel aan me heeft of werkelijk is veranderd? Of meen ik wat ik zeg? Is er een deel van mij opgestaan waar ik niet eerder oog voor heb gehad, een deel dat een stem geeft aan waar ik zo bang voor ben: dat Nick en ik uiteindelijk niet de slachtoffers, maar de meest brute pestkoppen van allemaal zijn geweest?

Ik voel binnen in me iets veranderen, zo abrupt en heftig dat het bijna fysiek is. Ik splijt in tweeën, bijna letterlijk; in een Valerie van voor de schietpartij en een Valerie van erna. In twee personen die ik niet bij elkaar gebracht krijg. Ik krijg het heel erg benauwd ineens. Ik kan daar niet meer blijven zitten, niet langer hun kant kiezen en Nick verloochenen. 'Ik moet ervandoor,' zeg ik. 'Eh... mijn moeder staat op me te wachten.' Ik grijp mijn boeken en stuif op de deur af, dankbaar dat ik mam heb gebeld om me op de normale tijd te komen halen voor het geval ik de vergadering toch niet aan zou durven. Dankbaar voor mams wantrouwen, dat nu wel heel goed uitkomt omdat zij er vast en zeker staat, op haar nagels bijtend en argwanend loerend naar de ramen en deuren van de school, hyperalert op elk signaal van onraad.

Ik durf niet eens na te denken voordat ik bij mam in de auto stap; durf niet te stoppen voordat ik veilig weggezonken in de passagiersstoel zit, de deur op slot, een afscheiding tussen mij en die vergadering.

'Rijden,' zeg ik. 'Naar huis.'

'Wat is er aan de hand?' vraagt mam. 'Is er iets mis? Wat is daarbinnen gebeurd, Valerie?'

'De vergadering is afgelopen,' zeg ik, en ik doe mijn ogen dicht. 'Rij nou maar.'

'Maar waarom komt dat meisje dan naar buiten rennen? Joh, Valerie, ze rent! Waarom?'

Ik doe mijn ogen open en tuur door het raampje. Jessica komt op de auto afrennen.

'Rijden, mam, toe!' gil ik. 'Mam, alsjeblieft!'

Mam trapt op het gaspedaal, iets te hard misschien. De banden gieren over het asfalt en we spuiten de parkeerplaats af. Ik zie Jessica in de spiegel kleiner en kleiner worden. Ze staat op de stoep, daar waar mijn raampje zich net nog bevond, en kijkt hoe wij ook kleiner en kleiner worden.

'Lieve help, Valerie, wat is er aan de hand? Is er iets gebeurd? Zeg me dat er niets gebeurd is! Valerie, ik word gek als er weer iets gebeurd is!'

Ik negeer haar. Pas als ik iets aan mijn kin voel kriebelen en ontdek dat het een traan is, realiseer ik me dat ik haar niet negeer, maar dat ik niet reageren kan. Ik huil te hard. Een paar minuten later rijden we de oprit op. Zodra mam stopt om te wachten tot de garagedeur open is, vlieg ik ervandoor. Ik duik onder de halfopen garagedeur door het huis in. Halverwege de trap naar boven hoor ik haar blaffen in de keuken: 'Dokter Hieler, alstublieft! Ja, het is heel dringend, dat kun je wel zeggen!'

19

Uit de *Garvin County Sun-Tribune*, 3 mei 2008
door Angela Dash

*L*in Yong (16) – 'Als ik zie wat hij heeft aangericht, dan breekt mijn hart,' antwoordde Sheling Yong op de vraag van een verslaggever naar de verwondingen van haar dochter. 'Ik ben dankbaar dat Lin nog leeft, maar de kogel heeft blijvende schade aangericht. Ze was een veelbelovend violiste. Dat is nu voorbij. Haar vingers functioneren niet meer goed. Ze zal nooit meer kunnen spelen.'
Lin werd in de onderarm geraakt. De kogel verbrijzelde haar pols en heeft de zenuwbanen in haar arm ernstig beschadigd. Lin heeft na vier operaties nog altijd maar een zeer beperkte beschikking over haar middelvinger en haar duim.
'En het is ook nog eens mijn rechterarm,' verklaarde Lin. 'Schrijven gaat dus moeilijk. Ik ben aan het leren om met mijn linkerhand te schrijven. Maar mijn vriendin Abbey heeft het niet overleefd, dus ik probeer maar niet te veel over mijn arm te zeuren. Hij had mij ook kunnen ombrengen, net zo gemakkelijk.'

Na de vergadering van de leerlingenraad heeft mam de secretaresse van dokter Hieler zwaar onder druk gezet om snel ruimte voor ons te maken in zijn agenda.
'Je moeder vertelde dat jij helemaal overstuur uit de ver-

gadering van de LeRa kwam, Valerie,' zegt dokter Hieler, nog voordat ik goed en wel op de bank zit. Ik meen een spoor van ergernis in zijn stem te horen. Ik vraag me af of hij nu te laat thuis komt omdat wij zo nodig nog een gesprek moeten. Ik vraag me af of zijn vrouw het eten voor hem warm houdt in de oven, of zijn kinderen bij de open haard huiswerk aan het maken zijn en wachten tot hun vader thuiskomt om nog iets met hen te gaan doen. Dat is hoe ik me het gezinsleven van dokter Hieler voorstel: een beetje jaren-vijftig-achtig en volmaakt; een modelgezin waar harmonie heerst en nooit een echt probleem bestaat.

Ik knik. 'Klopt. Maar er was niets ernstigs aan de hand.'

'Zeker weten? Je moeder vertelde dat er iemand achter je aan kwam rennen. Is er iets gebeurd?'

Ik denk na over die vraag. Moet ik vertellen dat er inderdaad wel iets gebeurd is? Moet ik hem vertellen dat ik Nick publiekelijk heb laten vallen, dat het hun dan toch gelukt is om het tot mijn hersens te laten doordringen dat hij een slecht mens was? Moet ik hem vertellen dat ik me daar vreselijk schuldig over voel? Dat ik ben bezweken voor de druk van een stelletje popi-gasten en dat ik me daar verschrikkelijk voor schaam?

'O,' zeg ik zo nonchalant mogelijk, 'ik had mijn rekenmachine laten vallen. Dat had ik niet in de gaten. Zij kwam me die achterna brengen. Maar dat komt morgen wel, in het eerste uur. Niks aan de hand. Mam ziet spoken.'

Ik zie aan de manier waarop hij zijn hoofd naar achteren buigt dat hij er geen woord van gelooft. 'Je rekenmachine?'

Ik knik.

'En daar moest jij zo om huilen? Om een rekenmachine?'

Ik knik nog maar een keer, mijn hoofd gebogen naar de

vloer. Ik bijt op mijn onderlip om te voorkomen dat die gaat trillen.

'Mooie rekenmachine dan,' smaalt hij. 'Moet wel een bijzonder goeie zijn.' Omdat ik nog steeds niets zeg gaat hij verder, in korte, afgemeten zinnetjes. 'Wat zul jij je rot gevoeld hebben. Zo'n prachtig apparaat. En die laat je vallen! Spijt als haren op je hoofd natuurlijk. Dat je niet beter uit je doppen hebt gekeken.'

Ik kijk naar hem op. Met een uitgestreken gezicht. 'Zoiets,' zeg ik.

Hij knikt en gaat verzitten. 'Nou ja, zo nu en dan ergens een rekenmachine laten liggen, maakt je niet meteen tot een slecht mens, Val. En als je hem echt kwijt bent en een nieuwe nodig hebt... ach, er zijn er zat. Heel goeie ook.'

Ik bijt nog wat harder op mijn lip en knik.

Een paar dagen later zie ik mevrouw Tate in de kopieerruimte van de vleugel in de school waar zich de kantoren bevinden. Daar moet ik zijn om een telaatbriefje te halen. Ik wil niet door haar gezien worden, maar de secretaresse, die altijd nogal hard praat, schreeuwt bijna: 'Heb je een briefje van de dokter, Valerie?' Tate draait zich om en ziet me.

Ze gebaart naar me dat ik haar moet volgen en we lopen naar haar kantoortje, ik met een roze telaatbriefje in de hand.

Ze sluit de deur. Het lijkt of haar kamer is opgeruimd. Er staan nog steeds stapels boeken op de grond, maar ze zijn nu in één hoek bij elkaar geschoven. Op het bureau liggen geen wikkels en papieren zakken van cafetaria's meer en de wiebelige kast heeft plaatsgemaakt voor een nieuwe, glanzend zwart. Ze heeft al haar foto's boven op die kast gezet, waardoor haar bureau er ordelijk en overzichtelijk uitziet, al liggen er nog altijd stapels losse paperassen, willekeurig door en over elkaar heen gegooid.

Ik ga in de stoel tegenover het bureau zitten, zij plant één bil op een hoek van het blad. Met een goed gemanicuurde nagel duwt ze een loshangend slablaadje tussen haar broodje en glimlacht naar me.

'Hoe is het ermee, Valerie?' vraagt ze heel zacht, alsof ik zo kwetsbaar ben dat ik zou schrikken als ze te luid spreekt. Had die secretaresse maar zo'n stem, denk ik.

'Wel goed, denk ik,' zeg ik. Ik wapper met het roze briefje. 'Afspraak met de dokter. Voor mijn been.'

Ze blikt omlaag. 'Hoe is het met je been?'

'Ook goed, volgens mij.'

'Mooi,' zegt ze. 'Heb je dokter Hieler nog gesproken?'

'Een paar dagen geleden. Na de vergadering van de LeRa.'

'Mooi, mooi,' zegt mevrouw Tate, en ze knikt meelevend. 'Dokter Hieler is een uitstekende therapeut, naar ik gehoord heb. Een vakman.'

Ik knik. Ik denk aan de keren waarop ik me het meest gewaardeerd heb gevoeld en dat zijn bijna allemaal momenten waarin dokter Hieler op de een of andere manier een rol heeft gespeeld.

Mevrouw Tate komt overeind en loopt om het bureau heen. Ze ploft in haar stoel, die krakend protesteert onder haar gewicht.

'Moet je horen, ik wil eens met je praten over de lunchpauze,' zegt ze.

Ik zucht. De middagpauze is niet het meest favoriete moment van mijn dag. De aula heeft nog altijd iets engs en Stacey en ik lopen elkaar vaak tegen het lijf bij de sausbar, waarna zij bij mijn oude vrienden gaat zitten en doet of ze me niet kent en ik afdruip naar de gang, alsof ik het liefst in alle rust mijn lunch op wil eten, alleen, met mijn rug tegen de muur naast het jongenstoilet.

'Ik zie je elke dag op de gang,' zegt mevrouw Tate, alsof ze gedachten lezen kan. 'Waarom eet je niet gewoon in de kantine?' Ze leunt voorover, haar ellebogen op het schrijf-blad, de handen gevouwen voor zich, alsof ze bidt. 'Jes-sica Campbell was hier gisteren. Ze vertelde dat ze jou heeft uitgenodigd om aan haar tafel te lunchen, maar dat jij dat niet wilt. Klopt dat?'

'Ja. Dat heeft ze een tijdje geleden gevraagd. Het is niets persoonlijks of zo. Ik was druk... bezig met een kunstpro-ject.' Ik strijk onwillekeurig met mijn hand over het zwarte schrijfblok.

'Jij hebt helemaal geen ckv.'

'Dit is een eigen project. Ik heb tekenles in het buurthuis vlak bij ons,' lieg ik. Mevrouw Tate weet waarschijnlijk best dat ik het uit mijn duim zuig, maar dat boeit me niet. 'Ik heb niets tegen Jessica, weet u. Ik ben gewoon liever alleen. Bovendien vraag ik me af of Jessica's vrienden mij er wel bij willen hebben. Ginny Baker zit ook altijd aan die tafel. Die wil me zeker niet zien.'

'Ginny Baker heeft een poosje vrij van school. Speciaal verlof.'

Dat wist ik niet. Mijn wangen gloeien. Ik doe mijn mond open en sluit hem meteen weer.

'Dat komt niet door jou, Valerie, als dat is wat je denkt. Ginny heeft een heleboel te verstouwen, traumatische din-gen, en heeft het na het incident heel lastig gevonden om op school te zijn. Ze heeft het goed geregeld met haar lera-ren en werkt voorlopig thuis. Jessica reikt je echt de hand, als je het mij vraagt. Daar moet je niet voor weglopen.'

'Daar loop ik ook niet voor weg,' zeg ik. 'Ik ben naar de LeRa geweest. Alleen…' Mevrouw Tate kijkt me vragend aan, de armen gekruist. Ik zucht. 'Ik zal erover nadenken,' zeg ik. Wat ik eigenlijk bedoel is: ik ga echt niet bij die gasten aan tafel zitten, bekijk het maar. Ik sta op en klem het stapeltje boeken steviger onder mijn arm.

Mevrouw Tate blijft een moment stil naar me zitten kijken en staat dan ook op. 'Hoor eens, Valerie,' zegt ze, terwijl ze trekt aan de zomen van een jasje dat haar te strak zit en niet erg comfortabel lijkt. 'Ik wilde het niet zo doen, maar zonder toestemming buiten de aula eten mag niet meer. Meneer Angerson heeft een verbod uitgevaardigd op solistische activiteiten van leerlingen.'

'Wat houdt dat in?'

'Dat betekent dat je niet meer in je eentje iets mag doen. Als je betrapt wordt, volgt er straf.'

Ik weet even niet wat ik daarop moet zeggen. Ik heb zin om te schreeuwen: *Wat is dit? Een gevangenis? Zijn jullie cipiers geworden of zo?* Maar waarschijnlijk zegt zij dan: *Dat waren we altijd al*, dus ik laat het maar zo.

'Het zal wel,' zeg ik en loop naar de deur.

'Valerie,' zegt ze, en ze geeft me een zacht tikje tegen mijn elleboog, 'geef hun een kans. Jessica doet oprecht haar best.'

'Haar best, waarvoor?' vraag ik. 'Ben ik haar persoonlijke project geworden of zo, of dat van de klas? Een of ander proefkonijn? Waarom laat ze me niet gewoon met rust? Dat hebben ze altijd gedaan en dat ging prima.'

Mevrouw Tate haalt haar schouders op en glimlacht. 'Volgens mij wil ze je vriendin zijn.'

Maar waarom, wil ik schreeuwen. *Wat moet Jessica Campbell opeens van me? Waarom doet ze nu ineens zo aardig?*

'Ik heb geen behoefte aan vriendinnen,' zeg ik. Mevrouw Tate knippert even met haar ogen, een rimpel boven haar wenkbrauwen, haar lippen op elkaar geperst. Ik zucht. 'Ik wil mijn school afmaken, meer niet,' zeg ik. 'Dokter Hieler vindt ook dat ik me daarop moet concentreren nu. De boel op de rit houden.'

Dat is niet helemaal waar. Dokter Hieler heeft nooit gezegd dat ik 'nog even door de zure appel heen moet bijten' of zoiets onzinnigs. Dokter Hieler is er vooral om ervoor te zorgen dat ik mezelf niet van kant maak.

Mevrouw Tate zegt niets meer, wat ik uitleg als een teken dat ik kan gaan. Ik loop het kantoortje uit, met een dijbeen dat klopt van het duwen en kneden van de dokter eerder die ochtend, het telaatbriefje in mijn hand, met maar één ding in mijn hoofd: hoe krijg ik het voor elkaar om in de middagpauze uit die aula vandaan te blijven?

20

Uit de *Garvin County Sun-Tribune*, 3 mei 2008
door Angela Dash

A manda Kinney (67) – Mevrouw Kinney, hoofdconciërge van
Garvin High, werd door een verdwaalde kogel in haar knie
geraakt op het moment dat ze bezig was een groepje kinderen
in een berghok in veiligheid te brengen. 'Dat stond al open. Ik
was net bezig schone zakken in de prullenbakken te doen,' vertelde ze een verslaggever vanuit haar huis, waar ze met haar
knie in het verband en haar been op een stapel kussens het bed
houdt. 'Ik propte zo veel mogelijk kinderen in dat hok en deed
de deur dicht. Volgens mij wist hij helemaal niet dat wij daar zaten. Ik had pas in de gaten dat ik een schotwond had toen een
van de kinderen me vertelde dat ik bloedde. Mijn broekspijp zat
onder het bloed, en bij de knie zat een gaatje.'
Mevrouw Kinney, die met veel leerlingen op Garvin High op zeer
goede voet staat, kende Nick Levil goed. 'Hij woonde hier maar
een paar straten vandaan. Ik kende hem al vanaf dat hij in Garvin kwam wonen. Ik vond het een aardige knul. Leek vaak boos
om niks, maar wel aardig verder. Zijn moeder is ook een best
mens. Dit moet heel verschrikkelijk voor haar zijn.'

'Sorry dat ik zo laat ben,' zeg ik, haastig binnenvallend. Ik
plof op de bank en pak het blikje cola dat dokter Hieler

zoals gewoonlijk voor me op de salontafel heeft gezet. 'Moest nakomen, op zaterdag, en dat liep uit omdat de leraar ergens les aan het geven was en de tijd niet in de gaten had gehouden.'

'Geen probleem,' zegt dokter Hieler. 'Ik moest toch nog wat administratie doen.' Maar ik zie dat hij even opzij kijkt, naar de klok. Ik vraag me af of hij nu een wedstrijd van de F-jes mist. Misschien de gymles van zijn dochter. Een lunchafspraak met zijn vrouw. 'Waarom moest je nakomen?'

Ik rol met mijn ogen. 'Lunch. Ik heb niet in de aula gegeten, zoals ze willen. Ik heb elke dag moeten nablijven en vrijdag heeft meneer Angerson besloten me nu dus op zaterdag te laten nakomen. Die denkt dat ik wel bijdraai als ik maar genoeg straf krijg, zeker. Maar dat gaat niet werken. Ik wil daar niet eten.'

'Waarom niet?'

'Met wie dan? U moet niet denken dat ik zomaar op iemand af kan stappen, zo van: Hé, mag ik hier zitten? En dat iedereen dan zegt: Tuurlijk, joh! Ik mag niet eens bij mijn oude vrienden zitten.'

'En hoe zit het dan met dat andere meisje? Van de leerlingenraad?'

'Jessica's vrienden zijn de mijne niet,' zeg ik. 'Nooit geweest. Daarom hebben Nick en ik hen ook op de Hate…' Ik zwijg abrupt, beduusd dat ik dat woord zo gemakkelijk bijna in de mond genomen had. Ik probeer het van me af te schudden en snijd vlug een ander onderwerp aan. 'Angerson heeft weer iets nieuws verzonnen: solidariteit op school, vanwege de goede naam van de school in de pers natuurlijk. Maar dat is zijn probleem, niet het mijne.'

'Klinkt alsof het niet alleen zijn probleem is. Nakomen op zaterdag lijkt me niet de leukste manier om je weekend door te komen, toch?' Volgens mij keek hij opnieuw naar de klok.

'Boeit me niet.'

'Meer dan je wilt laten merken, volgens mij. Waarom zou je het niet eens een dag proberen?'

Daar heb ik geen antwoord op.

Mam is weg als ik uit de sessie kom. Op de deur van dokter Hielers kamer zit een geel memoblaadje waarop staat dat ze even een boodschap is gaan doen en dat ik op de parkeerplaats op haar moet wachten. Ik gris het van de deur en steek het in mijn broekzak, voordat dokter Hieler het ziet. Als hij het leest zal hij zich verplicht voelen om bij me te blijven en ik voel me er al beroerd genoeg over dat het zo laat is geworden. En ik heb geen zin in nog meer gepraat.

Ik verlaat het pand en blijf buiten even staan, niet zeker wat te doen. Ik moet ervoor zorgen dat dokter Hieler me niet ziet als hij naar buiten komt. Even overweeg ik weg te duiken achter een heg naast het gebouw, maar ik ben bang dat mijn been niet zo dol op zo'n duik zou zijn, bovendien zit er een of ander beest onder; ik hoor geritsel en zie tot twee keer toe wat takken bewegen.

Ik duw mijn handen in mijn zakken en slenter de parkeerplaats op, met de punt van mijn schoen kiezels voor me uit schoppend. Algauw sta ik bij de weg. Ik stop en kijk om me heen. Het is de heg, of het kantorencomplex aan de overkant van de weg. Of gezien worden door dokter Hieler en weer naar binnen moeten voor een verlenging van de sessie. Dank je feestelijk. Ik haal mijn handen uit mijn zakken en kijk naar de langsrazende auto's. Onder de kantoorgebouwen aan de overkant is een rij winkels met een supermarkt. Misschien staat mams auto daar wel. In de verkeersstroom ontstaat even wat ruimte en ik hobbel zo snel ik kan de straat over.

Mams auto staat er niet; ik loop twee keer over de parkeerplaats heen om er zeker van te zijn. Ze is ook de parkeerplaats bij het kantoor van dokter Hieler nog niet opgereden, dat kan ik van hieruit zien. Ik heb dorst.

Ik ga de supermarkt binnen, op zoek naar een kraan. Ik stop bij de stellage met tijdschriften en blader er een paar door, wandel door de gang met snoepgoed en baal ervan dat ik geen geld bij me heb. Ik heb trek in een reep. Maar ik begin me al snel te vervelen.

Weer buiten gekomen ga ik op mijn tenen staan en rek mijn nek om de parkeerplaats bij dokter Hieler goed te kunnen overzien. Mams auto staat er niet, die van dokter Hieler ook niet meer. Ik zucht en ga op de stoeprand zitten, met mijn rug tegen de glazen pui van de supermarkt. Dat gaat goed totdat de bedrijfsleider me er wegstuurt; klanten vinden het niet prettig als er daklozen bij de winkel rondhangen, zegt hij. Daar worden ze nerveus van, zegt hij. 'Dit is het Leger de Heils niet, dame,' zegt hij.

Ik slenter een paar deuren verder, speurend naar een plekje waar ik zitten kan.

Bij de gsm-shop is het loeidruk, net als bij de kapper waar mam me altijd mee naartoe neemt. Ik tuur door de ruiten en zie een klein meisje dat huilend bij haar moeder op schoot zit, die haar hoofdje vasthoudt zodat de kapster de blonde peuterkrullen beter onder handen kan nemen. Ik gluur door de ramen van de gsm-shop, waar iedereen een gestreste indruk maakt, de verkopers ook.

Ik ben algauw aan het einde van de rij winkels en sta op

het punt om weer om te keren als er aan de zijkant van het complex een deur opengaat. Er stapt een vrouw naar buiten met een enorme boezem, gekleed in een gesmokte denimblouse, bezaaid met nepstenen, die onder de verfspatten zit. Ze schudt een kleed uit en het regent glitters. Ze lijkt de goede fee uit Assepoester wel, achter dat kleurrijke en glinsterende waas.

Ze ziet me kijken en glimlacht.

'Er wordt weleens geknoeid,' zegt ze opgewekt en ze verdwijnt weer naar binnen, het glinsterende kleed achter zich aan slepend.

Ik geef het toe: ik ben heel nieuwsgierig geworden. Ik wil weten wat er geknoeid kan worden dat zo schitterend is en zo glanst. Knoeien betekent meestal rotzooi en troep, niet iets moois.

Als de deur achter me dichtvalt wordt de rest van de wereld buitengesloten. Het is er vol en donker en het ruikt er naar een oude kerk op paaszondag. Er staan stellages tot aan het plafond met rijen en rijen planken die doorbuigen onder het gewicht van bustes van klei, keramische potten en houten kisten. Manden, potten, kartonnen dozen met de meest wonderlijke vormen. Ik slenter een van de gangen door en voel me heel klein.

Aan het einde van de gang loop ik ademloos een grote open ruimte in. Overal staan ezels, minstens een dozijn, en onder een op het oosten gericht venster staat een met kranten bedekte lange tafel. Rondom staan manden en dozen vol met allerlei materialen: verf, stof, linten, hompen klei, potloden.

De in gesmokt denim geklede dame die ik buiten gezien heb zit op een kruk voor een ezel en zet brede paarse lijnen op een schildersdoek.

'Ik vind die ochtendzon altijd zo inspirerend, jij niet?' zegt ze zonder zich om te draaien.

Ik geef geen antwoord.

'Natuurlijk, het licht in de supermarkt is een stuk helderder, maar ik...' Ze heft haar penseel en prikt het hoog in de lucht. 'Ik geniet van het inspirerendste zonlicht van de dag. Die mensen in de winkels hebben de zonsondergang. Maar het is de zonsopkomst die de grootste verwondering wekt. Dat is altijd zo wanneer iets opnieuw geboren wordt.'

Ik heb geen idee wat ik daarop zeggen moet. Ik ben er niet eens zeker van dat ze het tegen mij heeft. Ze zit met de rug naar me toe en is zo geconcentreerd aan het werk dat ik me afvraag of ze niet in zichzelf spreekt.

Ik vind het evengoed een fascinerende plek. Ik weet niet waar ik het eerst kijken moet. Ik wil dingen aanraken – met mijn vingers aan de keramische potten voelen, mijn neus in dozen steken en de geur opsnuiven, mijn handen in hompen verse klei duwen – maar ik ben bang dat ik, als ik beweeg, al zijn het alleen mijn lippen maar, en toegeef aan die neiging, voorgoed verdwalen zal in dit labyrint van nog niet gecreëerde dingen.

Ze zet nog een paar vette vegen op de hoeken van het doek, staat op van haar kruk en doet een stap naar achteren om het werk goed te kunnen zien.

'Daar!' zegt ze. 'Perfect.' Ze legt haar palet op de kruk, het penseel erbovenop, en keert zich naar mij, eindelijk. 'Wat vind je ervan?' vraagt ze. 'Te veel paars?' Ze keert zich weer om en keurt het werk nog eens kritisch. 'Nooit te veel paars,' mompelt ze. 'De wereld heeft meer paars nodig. Almaar meer, weet je.'

'Ik hou van paars,' zeg ik.

Ze klapt tweemaal in haar handen. 'Kijk!' zegt ze. 'Da's dan duidelijk! Thee?' Ze rommelt wat rond achter een balie met een kassa en ik hoor porselein rinkelen. 'Hoe drink jij het?' vraagt ze met gedempte stem.

'Eh,' zeg ik, en ik schuifel wat naar voren. 'Ik... ik heb geen tijd. Ik moet weer naar buiten. Mijn moeder.'

Haar hoofd plopt boven de toonbank uit, een lok donkerbruin haar hangt over haar voorhoofd. 'O! En ik hoopte al dat ik vandaag wat gezelschap zou hebben. Het is hier altijd zo stil als mijn klassen weg zijn. Te stil. Prima voor de muisjes, niet voor Bea. Dat ben ik.' Ze nipt aan een ragfijn kopje, beschilderd met konijntjes. Ze houdt haar pink omhoog.

'U geeft hier les?' vraag ik.

'O ja,' zegt ze. Ze komt met een blos op haar wangen achter de balie vandaan. 'Ik geef les. Veel, heel veel. Pottenbakken, schilderen, macramé-en, je verzint het maar en ik geef er les in.'

Ik leun iets opzij en steek een vinger in een emmer vol houten kralen.

'Geeft u les aan iedereen?'

Ze fronst haar wenkbrauwen. 'Nee,' antwoordt ze, en kijkt naar mijn hand in de emmer. Ik trek hem snel terug, twee kralen rollen kletterend op de grond. Ik bloos, maar zij glimlacht, alsof ze mijn schaamte vertederend vindt. 'O, nee, niet aan iedereen. Er zijn er bij van wie ik les krijg.'

Ik sta op het punt om te gaan als ze mijn hand grijpt. Ze keert hem met de palm omhoog en bestudeert hem, haar getekende wenkbrauwen optrekkend tot onder haar pony. 'O!' roept ze uit. 'O!'

Ik doe een poging om mijn hand terug te trekken, maar zet weinig kracht. Ik vind haar aanraking wat vreemd, maar ben ook nieuwsgierig naar wat dat 'O!' van haar te betekenen heeft.

'Ik moet gaan,' zeg ik, maar ze negeert het.

'Ik weet wanneer ik met een medekunstenaar van doen heb. Jij bent er een, toch? Natuurlijk ben jij er een. Je houdt van paars!' Ze keert zich om, grijpt mijn hand nog wat steviger beet en trekt me achter zich aan naar het doek waaraan zij zelf zojuist heeft zitten werken. Ze pakt met haar vrije hand het palet en het penseel van de kruk en wijst. 'Zitten,' zegt ze.

'Ik moet echt...'

'O, ga zitten! Die kruk houdt er niet van als een uitnodiging afgeslagen wordt.'

Ik ga zitten.

Ze geeft me het penseel. 'Schilder,' zegt ze. 'Vooruit.'

Ik staar haar aan. 'Hierop? Op dit werk?'

'Werk? Werken doe je van negen tot vijf. Dit is een schilderij. Hup, schilderen.' Ik blijf haar aanstaren. Ze duwt mijn hand naar het doek. 'Vooruit.'

Langzaam doop ik het penseel in zwarte verf en zet een streek op het doek, haaks op de paarse.

'Hm,' zegt ze, en daarna: 'Ooh.'

Het geeft me een gevoel dat ik het best kan omschrijven als wonderbaarlijk. Of diep. Allebei misschien. Ik weet het niet. Ik weet alleen dat ik na die ene streep en de daaropvolgende streken en de vlekken die ik als boompjes langs de rand van het doek zet niet kan stoppen. Ik weet alleen dat ik heel ver weg ben en dat de kreten, het gebrom en de babykreetjes van Bea achter me wanneer ik kies voor andere kleuren amper tot me doordringen. 'O, ja, jouw beurt, oker! Wil kobaltblauw soms ook een beurt?'

Ik word ruw gestoord door getril in de zak van mijn spijkerbroek; mijn mobieltje dat me losrukt van het canvas dat ineens weer een gewoon schildersdoek lijkt.

'O, afschuwelijke technologie,' mompelt Bea, terwijl ik opneem. 'Waarom communiceren we niet meer gewoon met postduiven? Prachtig pluimvee met een briefje aan de poot. Ik zou best wat duivenveren kunnen gebruiken hier. Of pauwenveren. Ja, pauwenveren! Al heeft niemand ooit pauwen voor communicatie gebruikt, volgens mij...'

'Waar zit je?' blaat mam aan de andere kant van de lijn. 'Ik ben doodongerust. Dokter Hieler is nergens te bekennen, jij ook niet. In vredesnaam, Valerie, waarom kun je niet gewoon blijven wachten, zoals ik je gevraagd heb? Heb je enig idee wat ik me allemaal in mijn hoofd heb gehaald?'

'Ik kom eraan,' murmel ik in het apparaat. Ik laat me van de kruk glijden en stop het mobieltje weer in mijn zak. 'Sorry,' zeg ik tegen Bea. 'Mijn moeder...'

Ze wappert met een hand door de lucht en pakt met de andere een bezem waarmee ze in één streep naar een hoopje zaagsel onder de houten werkbank bij de muur loopt. 'Nooit spijt hebben dat je een moeder hebt,' zegt ze. 'Wat haar overkomt kan je spijten, maar niet dat ze er is. Moeders zijn dol op paars, bijna allemaal. En ik kan het weten, ik had een erg paarsige moeder.'

Ik haast me door de gang waardoor ik ook gekomen ben, met het gevoel alsof ik een duister en mysterieus bos ont- vlucht, en ben bijna bij de deur als Bea's stem me achter- haalt.

'Ik hoop dat ik je volgend weekend terugzie, Valerie.'

Ik glimlach en vlieg de deur door naar buiten. Pas als ik de auto induik, buiten adem en bezweet van de haast en de opwinding, realiseer ik me dat ik Bea helemaal niet heb verteld hoe ik heet.

21

De lunch bestaat uit een soort bikkelharde Mexicaanse pizza, perfect voor een maandag, wat mij betreft. Ik heb op een maandag als deze, na noodgedwongen de veilige cocon van geluk en rust van mijn kamer te hebben ingewisseld voor de spotlights op Garvin High, wel zin in iets als versteende pizza.

Na zaterdag was de rest van het weekend dodelijk saai. Mam en pap zeiden om de een of andere reden geen woord tegen elkaar en Frankie was met een vriend naar een kamp van de kerk. Niet dat wij naar een kerk gaan, iets wat na de schietpartij in reportages op tv keer op keer is genoemd, maar als ik het goed heb gaan er een paar meisjes uit de kerk van die vriend van Frankie mee en heeft hij zijn zinnen op een van hen gezet. Als Frankie in dat weekend een meisje krijgen kan, zal hij daar geen twee keer over nadenken, kamp van de kerk of niet. Ik vind dat behoorlijk fout, maar op zo'n kamp heeft hij in elk geval geen last van de stille oorlog die mam en pap thuis met elkaar uitvechten.

Ik heb het op mijn kamer aardig uitgehouden. Mijn ouders verwachtten inmiddels niets anders meer en lieten het zo. Ze riepen me niet eens meer voor het avondeten. Ik vermoed dat zij het zelf ook oversloegen. Op de momenten dat ik dacht dat zij weg waren en ergens anders hun eigen ding deden, sloop ik zachtjes naar beneden en hamsterde wat eten uit de koelkast dat ik dan, als een wasbeer met etensresten uit een vuilnisbak, meenam naar mijn kamer.

Op zaterdagavond hoorde ik de voordeur dichtslaan en sloop ik naar de keuken, waar ik pap aan de keukentafel trof, gebogen over een kom cruesli.

'O,' zei ik. 'Ik dacht dat jullie allebei weg waren.'

'Je moeder is naar een of andere praatgroep,' zei hij, starend in zijn kom. 'Er is geen bal te eten in dit klotehuis. Tenzij je van cruesli houdt.'

Ik keek in de koelkast. Hij had gelijk. Er stonden wat pakken melk, een fles ketchup, een kommetje overgebleven sperziebonen en een half doosje eieren, dat was alles.

'Cruesli dan maar,' zei ik, en graaide een doos van de koelkast.

'En die zooi is slof,' zei hij.

Ik keek naar hem. Zijn ogen waren roodomrand, zijn gezicht ongeschoren. Zijn handen waren ruw en beefden en ik besefte dat ik al lang niet meer echt naar hem gekeken had. Het viel me nu pas op hoe hij was afgetakeld. Hij was oud geworden. Levensmoe.

'Cruesli is wel goed,' zei ik nog maar eens, zachter dit keer, en ik pakte een kom uit de kast.

Ik strooide cruesli in de kom en goot er een scheut melk bij. Pap at zwijgend. Toen ik de keuken uitliep zei hij: 'Alles in dit klotehuis is slof.'

Ik stopte, een voet op de drempel. 'Hebben jij en mam ruzie gehad of zo?'

'Zouden we daar iets mee opschieten?' antwoordde hij.

'Moet ik... Zal ik een pizza bestellen of zoiets? Voor het eten, bedoel ik.'

'Zouden we daar iets mee opschieten?' herhaalde hij. Hij

had een punt, leek me, en ik liep de trap maar weer op naar mijn kamer, zette de radio aan en at mijn cruesli op. Hij had gelijk. Het was slof.

Ik mik de versteende pizza op mijn bord en lepel een slijmerige vruchtencocktail in een hoekje ernaast als ik naast me de stem van meneer Angerson hoor.

'Je bent niet van plan weer op de gang te gaan eten, toch?' vraagt hij.

'Eigenlijk wel, ja,' zeg ik, en ik ga door met waar ik mee bezig ben. 'Ik vind het prettig op de gang.'

'Dat is niet wat ik hoopte dat je zou zeggen. Zal ik dan alvast maar een leerkracht voor zaterdag oproepen?'

Ik keer me om en kijk hem strak in de ogen, met elk grammetje vastberadenheid dat ik nog in me heb. Angerson doet niet de minste moeite om het te begrijpen. 'U doet maar.'

Stacey, die voor me in de rij stond, neemt haar dienblad op en stiefelt naar haar tafel. Uit mijn ooghoek zie ik haar iets tegen Duce en Mason en de rest zeggen. Hun gezichten draaien zich mijn kant op. Duce lacht.

'Het zal me niet gebeuren dat jij de kans krijgt hier op school opnieuw een drama te veroorzaken, jongedame,' zegt meneer Angerson tegen me. In zijn nek, tussen zijn kin en zijn stropdas, ontstaat een rode vlek. *Fijn is dat, zo'n medaille en die brief en dat gezwam over vergeving en dat ik een held ben, daar heb je wat aan*, denk ik. 'Er is een nieuwe regel hier op school dat niemand zich terug mag trekken. We willen geen eenlingen. Wie zich regelmatig aan de rest van de schoolgemeenschap onttrekt, wordt in de gaten gehouden en streng aangepakt. Ik vind het niet leuk om te zeggen, maar als het te gek wordt, kan het zelfs reden zijn om iemand van school te sturen. Ben ik duidelijk?'

Degenen die achter me in de rij stonden lopen inmiddels langs me heen en ik zie dat er naar me gekeken wordt. Sommigen hebben een nieuwsgierige grijns op hun gezicht, anderen zijn fluisterend met elkaar over mij aan het praten. 'Ik heb dat drama niet veroorzaakt,' zeg ik. 'En ik doe nu ook niks verkeerds.'

Hij perst zijn lippen op elkaar en kijkt me met half dichtgeknepen ogen aan. De rode vlek heeft zich tot over zijn wangen uitgebreid. 'Ik raad je aan heel goed over je opties na te denken,' zegt hij. 'Als een persoonlijk gebaar naar de overlevenden hier op school.'

Hij laat het woord 'overlevenden' vallen als een bom en dat werkt. Het overrompelt me. Het lijkt of hij het extra luid uitspreekt zodat iedereen het horen kan. Hij draait zich om en loopt weg. Ik blijf een tijdje roerloos staan voor ik me weer over de fruitcocktail buig. Ik schep nog wat op, met bevende handen, ook al lijkt het of mijn maag ineens stampvol is.

Ik reken af en neem het dienblad mee de aula in. Het is of iedereen me aanstaart en ik voel me een konijn, gevangen in de koplampen van een auto. Ik kijk strak voor me uit, alleen maar strak voor me uit, en loop naar de gang.

Ik hoor Angerson ergens in de keuken een paar jongens vertellen waar de frieten wel horen en waar niet en zet me schrap voor een nieuwe confrontatie als ik zijn voetstappen om de hoek hoor naderen.

'Weet je zeker dat dit is wat je wilt?' vraagt hij terwijl ik me op de grond laat zakken, het dienblad zorgvuldig op mijn schoot in evenwicht houdend.

Ik open mijn mond om hem te antwoorden, maar word

onderbroken doordat de gang ineens volstroomt met kabaal. Jessica Campbell komt de hoek omzeilen, een dienblad in haar handen. Ze zwiert om Angerson heen en laat
zich naast me op de grond zakken. Ze zet het dienblad
kletterend op het linoleum en schudt haar rugtas van zich
af.

'Dag, meneer Angerson,' zegt ze vrolijk. 'Sorry dat ik wat
later ben, Valerie.'

'Jessica,' zegt hij, alsof hij een vraag stelt. 'Wat doe jij hier?'
Ze schudt een pakje melk en opent het. 'Lunchen. Met Valerie,' antwoordt ze. 'We hebben iets te bespreken, dingen
van de leerlingenraad. Dit lijkt me de beste plek om on-
gestoord te kunnen praten. Daarbinnen is zo veel kabaal,
daar kun je je eigen gedachten niet eens horen.'

Meneer Angerson kijkt of hij het liefst ergens een gat in
had geramd. Hij blijft een minuutje dralen, doet dan of hij
iets alarmerends ziet in de aula en haast zich erheen om
'het brandje te blussen'.

Jessica giechelt zachtjes.

'Wat doe jij nou?' vraag ik.

'Lunchen,' zegt ze, en neemt een hap van haar pizza. Ze
trekt een grimas. 'Goeie help, dit is van beton.'

Ondanks mezelf moet ik lachen. Ik pak mijn pizza en
neem ook een hap. We eten zwijgend, zij aan zij. 'Dank
je,' zeg ik uiteindelijk met een mond vol pizza. 'Hij zoekt
gewoon een reden om me van school te kunnen trappen.'

Jessica wuift met een hand. 'Angerson is een sukkel,' antwoordt ze. En ze lacht als ik mijn schrijfblok openklap en
een schets maak van een kerel in zijn blote gat, die alleen
een colbert en een stropdas draagt.

22

Uit de *Garvin County Sun-Tribune*, 3 mei 2008
door Angela Dash

*A*bby Dempsey (17) – Abby, vicevoorzitter van de leerlingenraad, bemenste een kraam waar donuts werden verkocht
om de kas van de raad te spekken. Zij werd tweemaal in haar
keel geraakt. De politie vermoedt dat het om verdwaalde kogels
ging, bedoeld voor een leerling die een meter links van Abby in
de rij stond te wachten.
Abby's ouders waren niet beschikbaar voor commentaar. Vrienden van het gezin lieten weten dat zij zwaar zijn aangeslagen
door het verlies van hun enige kind.

Mam heeft gebeld en op de voicemail ingesproken dat ze
een vergadering heeft en me niet kan komen oppikken. In
eerste instantie ben ik pisnijdig omdat ze kennelijk vindt
dat ik, na alles wat er gebeurd is, de bus maar moet nemen. Alsof ik zomaar naast dat groepje van Christy Bruter
in een stoel kan ploffen. *Hoe kan ze*, denk ik bij mezelf.
Hoe kan ze me zo voor de wolven gooien?
Ik neem aan dat ik niet hoef te zeggen dat ik er niet over
pieker om de bus te nemen, of mam me nou komt halen
of niet. Ons huis is maar een kilometer of drie bij school
vandaan. Ik heb dat stuk vaak genoeg gelopen, maar dan

wel in de periode dat mijn beide benen nog goed waren. Ik betwijfel of ik het nu ook kan en durf te wedden dat mijn dij halverwege zo heftig zal gaan bonken dat ik ergens zal moeten rusten, een gemakkelijke prooi voor wie kwaad wil.

Maar een dikke kilometer moet ik toch kunnen halen en paps kantoor is niet veel verder dan dat. Natuurlijk: een ritje met pap staat niet bepaald boven aan mijn verlanglijstje, en dat is voor hem waarschijnlijk niet anders, maar het is altijd beter dan met de bus mee.

Er is een tijd geweest dat ik me behoorlijk geneerde voor het kantoor van mijn vader. Het had indrukwekkender moeten zijn. Hij was toch meneer de Grote Advocaat? Maar hij houdt kantoor in een betonnen bijgebouwtje dat, als je het mij vraagt, er alleen maar is neergezet als opvulling van de lelijke ruimte. Vandaag ben ik er blij mee dat hij daar werkt, zo dicht bij school. De oktoberzon geeft geen enkele warmte meer en al na een paar blokken lopen begin ik er spijt van te krijgen dat ik toch niet de bus genomen heb.

Ik ben maar een paar keer eerder in paps kantoor geweest; hij rolt op zijn werk nou niet bepaald de rode loper uit voor zijn gezin. Hij doet alsof hij ons zo min mogelijk in aanraking wil brengen met de louche types voor wie hij soms werkt, maar ik denk dat het vooral is omdat hij op zijn werk kan ontsnappen aan zijn leven thuis. Stel je voor dat wij voortdurend bij hem op de stoep staan. Wat heeft hij dan nog aan die lange dagen en dat harde werken?

Mijn been bonkt en is stijf en ik zwalk inmiddels over straat als een monster uit een horrorfilm als ik de dubbele glazen deur van paps kantoor openduw. Ik ben blij dat ik het gehaald heb.

Het is binnen lekker warm; ik blijf een paar minuten in de hal staan en masseer mijn dij, voordat ik doorloop. De warme luchtstroom voert de geur van magnetronpopcorn mee en ik voel een steek van trek in mijn maag. Ik ga op de geur af en loop de vestibule door en de hoek om naar de wachtruimte.

Paps secretaresse knippert even met haar ogen als ze me ziet. Ik heb haar één keer eerder ontmoet, op een gezinspicknick van het bedrijf, maar ik weet niet meer hoe ze heet. Britni of Brenna; iets hips en trendy. Ik weet nog wel dat ze vierentwintig is en ongelofelijk glanzend haar heeft, dat chocoladebruin van kleur is en als een zorro-cape over haar rug valt. Ook herinner ik me nog haar grote dromerige ogen die langzaam knipperen, met pupillen waarin je verdrinkt en irissen van een kleur die ik het best omschrijven kan als lentegroen. Ik weet nog dat ze aardig is en verlegen en dat ze langer dan anderen lachte wanneer pap een van zijn stomme afgezaagde grapjes maakte.

'O,' zegt ze, en haar wangen kleuren rood. 'Valerie.' Het is een vaststelling. Er is geen spoor van een glimlach. Ze hapt naar adem, slikt zoals ze dat in films weleens doen en ik stel me voor hoe ze onder haar bureaublad alvast naar een rode knop reikt voor het geval ik een pistool zal trekken of zoiets.

'Hi,' zeg ik. 'Is mijn vader er? Ik heb een lift nodig.'

Ze zet zich af en duwt haar bureaustoel-op-wieltjes naar achteren. 'Hij heeft een telefonische verg...' begint ze, maar ze maakt de zin niet af omdat net op dat moment de deur van paps kantoortje openvliegt.

'Hé, liefje, kun jij het dossier van Santosh even...?' zegt hij, met zijn neus in een stapeltje documenten. Hij loopt achter Britni of Brenna langs. Zij blijft roerloos zitten, een blos op haar gezicht. Pap legt een hand op haar schouder en knijpt er zachtjes in, een gebaar dat ik hem bij mam nog nooit heb zien maken. Britni of Brenna buigt haar hoofd en sluit haar ogen. 'Wat is er, schatje? Je bent zo gespannen...' begint pap, die eindelijk opkijkt en abrupt stopt als hij mij ziet.

Zijn hand schiet van Britni/Brenna's schouder naar de papierwinkel die hij vast heeft. Het is een subtiele beweging, zo subtiel dat ik me bijna afvraag of ik het wel goed gezien heb. Misschien had ik nog gedacht dat ik het me verbeeld had als ik Britni of Brenna's gezicht niet had gezien, dat inmiddels vuurrood aangelopen is. Haar ogen zijn strak op het bureaublad voor haar gericht. Het lijkt of ze zich schaamt.

'Valerie,' zegt pap, 'wat kom jij hier doen?'

Ik ruk me los van Britni of Brenna. 'Ik heb een lift nodig,' zeg ik. Tenminste, ik denk dat ik dat zeg. Ik weet het niet zeker, want mijn lippen zijn helemaal gevoelloos geworden. Britni of Brenna mompelt iets, staat op en loopt naar het toilet. Ik heb een donkerbruin vermoeden dat ze daar niet vandaan zal komen voordat ik vertrokken ben. 'Mam, eh... mam had een vergadering.'

'O,' zegt pap. Beeld ik het me nu in, of kleurt zijn gezicht ook een beetje? 'O, ja. Oké. Geef me één minuutje.'

Hij beent zijn kantoortje in en ik hoor hem dingen verplaatsen, lades die dichtgaan, gerammel van sleutels. Ik sta als aan de grond genageld en vraag me af of ik nou iets heb gezien wat er helemaal niet is.

'Klaar?' vraagt pap. 'Ik moet wel weer terug, dus laten we opschieten.' Helemaal pap. Altijd druk. Ik had niet anders verwacht.

Hij doet de deur open, maar ik ben verstijfd.

'Is dit waarom jij en mam zo'n hekel aan elkaar hebben?' vraag ik.

Even lijkt het of hij zich van de domme wil houden. Hij houdt zijn hoofd een tikje scheef en sluit de deur.

'Jij denkt iets te weten, maar je weet niets,' zegt hij. 'Kom, we gaan. Het zijn jouw zaken niet.'

'Het is dus niet om mij,' zeg ik. 'Het is niet mijn schuld dat jij en mam een hekel aan elkaar hebben. Het komt door jou.' Dit komt toch als een schok, ook al weet ik heel goed dat mijn ouders niet bepaald verliefd meer op elkaar zijn, ook voor de schietpartij al niet. En om de een of andere reden voel ik me beroerder nog dan eerst. Ergens hoopte ik, denk ik, dat het om mij was. Dan hadden ze, wanneer ik het huis uit was, misschien weer de ruimte om van elkaar te houden, ruimte voor geluk. Maar nu Britni of Brenna met haar mooie, blozende gezichtje in beeld is, is het heel onwaarschijnlijk dat mam en pap ooit nog verliefd naar elkaar zullen kijken. Ineens lijkt de schade van al die ruzies van de afgelopen jaren onherstelbaar. Ineens begrijp ik ook waarom ik me zo aan Nick heb vastgeklampt, alsof mijn leven ervan af hing; hij begreep niet alleen wat het is om je hoofd boven water te houden als de sfeer thuis verknald is, hij begreep ook wat het is om te weten dat het nooit meer goed zal komen. Iets in mij moet dat ook geweten hebben, al heel lang.

'Valerie, laat het rusten.'

'Al die tijd dacht ik dat het aan mij lag dat jij en mam een hekel aan elkaar hebben, maar jij hebt gewoon een verhouding met je secretaresse. Wat ben ik toch een idioot!'

'Nee.' Hij zucht en wrijft over zijn slaap. 'Je moeder en ik hebben geen hekel aan elkaar. Jij hebt er geen idee van hoe het zit tussen je moeder en mij. En het zijn jouw zaken niet.'

'Dus?' vraag ik. 'Dus dit is oké?' Ik wijs naar de deur van het toilet. 'Dit is oké?' Gezien de context van het gesprek denkt hij vast dat ik doel op wat er tussen hem en Britni of Brenna is. Maar ik heb het eigenlijk over de leugen. Hij liegt over wie hij is, net zoals ik dat gedaan heb. En dat is oké. Maar het voelt helemaal niet oké. En ik vraag me af hoe het kan dat hij, na alles wat er gebeurd is, kennelijk nog altijd denkt dat het oké is om niet eerlijk te zijn over wie je werkelijk bent.

'Weet mam hiervan?'

Hij sluit zijn ogen. 'Ze heeft een vermoeden. Maar, nee, ik heb het haar niet verteld, als dat is wat je bedoelt. En ik zou het op prijs stellen als jij dat ook niet doet, zeker niet omdat je niet echt weet wat er allemaal speelt.'

'Ik moet ervandoor,' zeg ik en ik wurm me langs hem heen naar buiten. De koude lucht voelt heerlijk, zo veel beter dan voordat ik naar binnen ging.

Ik loop de stoep op in de richting van waaruit ik gekomen ben en houd mijn oren gespitst. Ik hoop dat hij achter me aan komt, me naroept. *Stop, Valerie! Je begrijpt het ver-keerd, Valerie! Ik hou van je moeder, Valerie! En die lift dan, Valerie?*

Maar dat gebeurt niet.

23

Ik loop naar school terug. Ik weet niet wat ik anders moet doen. Onder het lopen spreek ik een boodschap voor mam in.

'Hé, mam. Ik had uitleg nodig voor een huiswerkopdracht en heb de bus gemist,' verzin ik. 'Ik wacht wel tot jij me na jouw vergadering komt ophalen.'

Ik ga de school binnen en drop mijn spullen naast de enorme prijzenkast, waar bezoekers van de school met geen mogelijkheid omheen kunnen, vol glimmend gepoetste bekers voor gewonnen football- en atletiekwedstrijden en met een megagrote foto van een footballcoach die er allang niet meer is. Uit een allang voorbije glorietijd. Uit een voorgoed verleden tijd.

Ik ga op de grond zitten, voor de prijzenkast, en haal mijn schrijfblok tevoorschijn. Ik wil tekenen, mijn emoties vastleggen in een schets. Maar ik weet niet goed hoe. Mijn brein is zo vol van alles dat ik het moeilijk vind om de werkelijkheid te zien zoals ze echt is. Ik kan me er niet toe zetten de contouren van Britni of Brenna's gezicht te schetsen. Kan me er niet toe zetten paps schuldige ogen te tekenen – zijn grote geheim is ontdekt. Zou hij met haar gaan trouwen? Zouden ze samen kinderen krijgen? Ik kan me er geen voorstelling van maken dat pap een mollig roze baby'tje in zijn armen houdt, grappige geluidjes maakt, zegt dat hij van hem houdt. Dat hij hem mee zal nemen naar honkbalwedstrijden. Dat pap een leven zal leiden dat hij als zijn 'echte leven' beschouwt, het leven waar hij recht op heeft, in plaats van zijn leven nu.

Ik zet de punt van het potlood op het papier en begin te tekenen. De eerste lijn wordt de omtrek van een zwangere vrouwenbuik, meteen. Ik schets er een foetus in, ineengedoken, zuigend op een piepklein duimpje, veilig weggeborgen tussen de buikwand en een navelstreng. Ik teken een identieke lijn ertegenover. Een traan langs de flank van een smalle neus. Mijn moeders ogen. Een woedende haal tussen beide lijnen in. Nog een traan, hangend aan een wimper, met mijn naam erin geschreven.

In de verte hoor ik een kluisje dichtslaan, en voetstappen naderen. Ik klap het schrijfblok dicht en doe of ik door de deuren naar buiten staar. Mijn vingers krullen zich om het blok, dat tot nu toe een soort bril is geweest waardoor ik de wereld om me heen kan zien zoals die werkelijk is maar waarin ik nu een groot en gênant geheim bewaar.

'O, hé.' Jessica Campbell stapt op me af.

'Hé,' antwoord ik.

Jessica houdt voor me stil en laat haar rugtas vallen. Ze tuurt door de voordeur. Ze zucht en gaat met gekruiste benen naast haar rugtas zitten, een metertje bij me vandaan. 'Ik wacht op Meghan,' zegt ze, alsof ze een verklaring wil geven voor de reden waarom ze naast me komt zitten, nu er geen Angerson is om me van te verlossen. 'Ze had een herkansing voor een proefwerk Duits. Ik heb haar een lift aangeboden.' Ze schraapt aarzelend haar keel. 'Wil jij een lift? Ik kan je meenemen, als je wilt en als je op Meghan kunt wachten. Die zal zo wel klaar zijn.'

Ik schud mijn hoofd. 'Mijn moeder komt me halen,' zeg ik. 'Denk dat ze er zo is.' Ik zwijg even en zeg dan: 'Dank je.'

'Geen probleem,' mompelt ze, voor ze haar keel opnieuw schraapt.

Ergens in de gang waar de natuurkunde- en scheikunde-lokalen zijn gaat opnieuw een kluisje dicht en we kijken allebei in de richting van het geluid van een paar pratende scholieren. Hun stemmen sterven weg en we horen een houten deur dichtslaan, waarna het op slag weer stil wordt.

'Kom je naar de vergadering van de LeRa, morgen?' vraagt Jessica. 'We hebben het dan over de voortgang van het herdenkingsproject.'

'O,' zeg ik. 'Ik dacht dat die vergadering een eenmalig iets was. Ik dacht... Nou ja, ik heb jullie de vorige keer nogal laten zitten. Plus, je weet wel, ik dacht dat je gekozen moest worden om zitting te nemen in de leerlingenraad. Ik heb zo het idee dat er niet zo veel op mij zouden stemmen.'

Ze kijkt een beetje maf en lacht; een schril en nerveus lachje is het. 'Nee, dat denk ik ook niet,' zegt ze. 'Maar ik zeg je nog een keer dat het oké is. Iedereen weet dat jij aan dat project meedoet. Geen probleem dus.'

Ik trek een wenkbrauw op en geef haar een ik-weet-het-nog-zo-net-niet-blik. Ze lacht opnieuw, luider en opge-ruimder nu. 'Wat? Ik meen het! Echt,' zegt ze.

Ik kan het niet helpen. Ik lach ook. Het duurt maar even of we liggen beiden dubbel van het lachen, onze hoofden steunend tegen de stenen muur; de spanning vloeit weg uit onze botten.

'Luister,' zeg ik, en ik bewonder de graffiti op de voet van de prijzenkast. 'Ik vind het echt tof wat je voor me doet. Maar ik wil niet dat er mensen om mij uit de LeRa stap-pen.'

'Niet iedereen is tegen je, weet je. Sommigen vonden het meteen al een goed idee.'

'Ja, Meghan, wil ik wedden,' zeg ik. 'Die wil mijn beste vriendin zijn, weet je. Morgen trekken we dezelfde kleren aan. Zijn we net een tweeling.'

We kijken elkaar even aan en moeten weer lachen.

'Niet bepaald,' zegt Jessica. 'Maar ze heeft ermee ingestemd. Ik kan behoorlijk overtuigend zijn.' Ze grijnst vals en trekt met haar wenkbrauwen. 'Echt, maak je niet druk om Meghan. Die went er wel aan. We hebben jouw inbreng nodig. *Ik* heb je nodig. Je bent slim en je bent, nou ja, hartstikke creatief. Dat missen we. Alsjeblieft?'

Aan het einde van de gang gaat een deur open en Meghan stapt de gang in. Jessica graait haar rugtas en jas van de grond en schokschoudert. 'Jij hebt niemand neergeschoten,' zegt ze. 'Ze hebben geen reden om een hekel aan je te hebben. Dat heb ik ze ook al heel vaak gezegd.' Ze gaat staan en hangt haar rugtas om. 'Zie je morgen dan?'

'Oké,' zeg ik. Ze loopt naar Meghan toe en ineens daagt er iets. Wat zei rechercheur Panzella ook weer over de verklaring van een meisje waardoor ik niet langer als verdachte werd aangemerkt? *Blond. Lang. Derdeklasser. Bleef maar zeggen: 'Valerie heeft niemand neergeschoten...'*

'Jessica?' roep ik. Ze draait zich om. 'Eh, dank je.'

'Niets te danken,' zegt ze. 'Komen morgen. Oké?'

Een paar minuten later verschijnt mam bij de ingang van de school en toetert. Ik hobbel naar buiten en stap in. Mam zit nors achter het stuur.

'Niet te geloven,' zegt ze. 'Heb je de bus gemist.' Ik ken die stem: geïrriteerd, gefrustreerd. Zoals vaak wanneer ze thuiskomt van haar werk.

'Sorry,' zeg ik. 'Ik moest helpen bij een opdracht.'

'Waarom ben je niet naar je vader gegaan? Die had je ook best thuis kunnen brengen.'

Die vraag is als een porrende vinger tegen mijn borst. Ik voel dat mijn hart sneller gaat kloppen. Voel mijn maag zich samenballen, alsof hij de waarheid eruit wil persen. Hoor mijn brein roepen: *Ze moet het weten! Ze heeft er recht op het te weten!*

'Pap was bezig met een klant,' lieg ik. 'Ik had net zo lang op hem moeten wachten.'

Ik neem aan dat ik me eigenlijk schuldig moet voelen omdat ik mam niet vertel wat ik weet. Maar pap heeft niemand vermoord. Net zomin als ik.

24

De volgende zaterdag smeek ik mam me na de sessie met dokter Hieler af te zetten bij Bea's atelier.
'Ik weet 't niet, hoor, Valerie,' zegt mam, een frons boven haar wenkbrauwen. 'Lessen in kunst? Ik heb nog nooit van die vrouw gehoord. Ik wist ook helemaal niet dat daar een atelier zat. Weet je zeker dat het er pluis is?'
Ik rol met mijn ogen. Mam heeft al dagen een bar slecht humeur. Hoe meer ik probeer de draad weer op te pakken, hoe minder zij me lijkt te vertrouwen. 'Natuurlijk is het er pluis. Ze is een kunstenares, mam, meer niet. Kom op nou, laat me gewoon gaan. Dan kun jij ondertussen boodschappen doen.'
'Ik weet het niet, hoor.'
'Alsjeblieft? Kom op, je zegt steeds dat je vindt dat ik weer normale dingen moet gaan doen. Teken- en schilderlessen zijn hartstikke normaal.'
Ze zucht. 'Oké, maar ik ga met je mee. Ik wil zien wat het is. Ik heb je eerder je gang laten gaan, toen heb je met Nick Levil aangepapt en moet je zien wat ons dat heeft opgeleverd.'
'En dat laat je me elke dag weten ook,' mopper ik, rollend met mijn ogen. Ik duw mijn duim hard in de deuk in mijn dij om te voorkomen dat ik tegen haar uitval. Met de stemming waarin zij verkeert, kan ze zich anders zomaar bedenken en me niet bij Bea afzetten.

We lopen samen het atelier binnen. Op de drempel, op het moment dat we de bedompte atmosfeer in stappen, voel ik mam aarzelen.

'Wat is dit?' zegt ze met een donkere stem.

'Sst,' sis ik, al weet ik eigenlijk niet goed waarom ik wil dat ze stil is. Misschien omdat ik bang ben dat Bea ons hoort en me toch liever niet in de les heeft. Of omdat mams negatieve energie het prachtige paars van het ochtendlicht verstoort.

Ik loop door de gang naar achteren waarvandaan tinkelende muziek komt, ritmisch gerinkel van bellen en een zacht gemurmel van stemmen. Ik zie de gebogen ruggen van schilders achter hun ezels. Aan de zijkant zit een oudere dame, die van papier ingewikkelde vormen en dieren aan het vouwen is, en onder een tafel speelt een jongetje met speelgoedauto's. Bea staat over een spiegel gebogen en brengt op de rand een prachtig mozaïek van schelpen aan. Aan het eind van de gang sta ik stil, er ineens van overtuigd dat ik Bea verkeerd begrepen heb en dat ik hier helemaal niet hoor te zijn. *Ze wilde alleen maar aardig zijn. Het was niet haar bedoeling dat ik ook echt zou komen*, denk ik. *Ik kan maar beter weer gaan.*

Maar voordat ik die gedachte in daden kan omzetten richt Bea zich op en glimlacht naar me, haar haren hoog opgestoken en met linten en kralen versierd.

'Valerie,' zegt ze en ze spreidt haar armen. 'Mijn paarse Valerie!' Ze klapt tweemaal in haar handen. 'Je bent er weer. Ik hoopte al dat je zou komen.'

Ik knik. 'Ik hoopte dat ik… eh, dat ik wat les van je zou kunnen krijgen. Schilderen.'

Ze komt op ons af, maar let niet meer op mij. Haar grijns is een brede glimlach geworden en ze omhelst mijn moeder.

Mijn moeder verstijft, zie ik, maar Bea fluistert een tijdje in haar oor en ik zie dat ze zich weer ontspant. Bea laat haar los en mams stuurse blik heeft plaatsgemaakt voor nieuwsgierigheid. Bea is een heel apart mens, dat is duidelijk. Ze is het soort mens dat mam normaal gesproken veel te excentriek zou vinden, maar dat maffe past zo goed bij haar en is zo echt dat mam het toch pruimt, hoe humeurig ze ook is.

'Wat is het leuk u te ontmoeten,' zegt Bea tegen mam. Mam knikt, slikt, maar zegt niets terug. 'Natuurlijk kun je mee schilderen, Valerie. Daar staat nog wel een ezel voor je.'

'Hoeveel kost het?' vraagt mam, rommelend in haar handtas.

Bea wuift met haar handen. 'Geduld en creativiteit, vooral. Tijd en oefening, dat ook. En zelfacceptatie. Maar dat vindt u allemaal niet in die handtas.'

Mam verstijft weer, kijkt Bea weifelend aan en knipt haar tas dicht. 'Ik ben bij de supermarkt. Je hebt een uur,' zegt ze. 'Eén uur.'

'Eén is mijn favoriete cijfer,' lacht Bea. 'We leven met één dag tegelijk en het is heerlijk om aan het eind van een dag te kunnen zeggen dat je er weer iets moois van gemaakt hebt, niet? En soms is het gewoon al prachtig als je een dag weer doorgekomen bent.'

Mam reageert niet, maar draait zich om en zoekt aarzelend haar weg door de gang naar de uitgang. Ik voel een vlaag frisse lucht het atelier in waaien op het moment dat ze de deur opent en weer sluit.

Eén. Eén dag. Eén uur. Eentje maar. De woorden tollen door mijn hoofd.

Ik keer me naar Bea. 'Ik wil graag schilderen,' zeg ik. 'Ik heb het nodig, geloof ik.'

'Dan moest je maar vlug aan de slag gaan. Jij bent sinds vanochtend al aan het schilderen.' Ze tikt met een vinger tegen haar slaap. 'Daar bovenin. Schilderen en schilderen, met een hoop paars, veel paars. Dat schilderij is onderhand wel klaar. Je moet 't nu alleen nog op het doek zetten.'

Ze leidt me naar een kruk en ik ga zitten, zwaar onder de indruk van de schilderijen waar de kunstenaars om me heen zwijgend mee bezig zijn. Een vrouw werkt aan een besneeuwd landschap, een ander brengt heel nauwkeurig warme rode kleuren aan op een gedetailleerde potloodtekening van een boerenschuur. Een man is een jachtvliegtuig aan het schilderen naar een foto die hij met plakband boven aan de ezel heeft bevestigd. Bea stommelt naar een karretje dat vlakbij staat en komt terug met een penseel en een palet.

'Goed,' zegt ze. 'Eerst de grijzen, voor de schaduwpartijen. Veel verder zul je vandaag ook niet komen, denk ik. Maar daarna moet het toch een tijdje drogen, voordat je die prachtige kleuren die jij in je hoofd hebt erop kunt zetten.'

Ze maakt een pot open en giet wat bruine gelei-achtige vloeistof naast de verf op het palet. 'En denk eraan om je verf hiermee te mengen. Dan droogt het sneller.'

Ik knik, neem het penseel en begin te schilderen. Niet eerst een schets, geen foto's of voorbeelden, alleen het beeld in mijn hoofd, meer niet – dokter Hieler zoals ik hem zie. Weinig schaduw. Niks donkers.

'Hm,' zegt Bea, die over mijn schouder meekijkt. 'O, ja!' En daarmee beent ze naar een andere hoek van het atelier. Ik hoor haar fluisterend instructies geven aan de andere kunstenaars, hen zachtjes aansporen en bemoedigen. Op een gegeven moment moet ze heel hard lachen omdat een van de schilders haar vertelt dat hij die ochtend zijn mobiel in zijn blender heeft gemikt en het ding op de pureestand heeft gezet. Maar ik kijk niet op. Geen moment. Ik heb geen tijd om te kijken, niet voordat ik opnieuw de tochtvlaag in mijn nek voel en mams stem door de gang hoor komen, zo staccato dat hij hier helemaal niet past: 'De tijd is om, Valerie.'

Ik kijk op en zie Bea naast me staan, tot mijn verrassing, haar hand op mijn schouder. 'De tijd is nooit om,' fluistert ze. Ze kijkt naar het doek, niet naar mij. 'Er is altijd tijd voor verdriet, zo is er ook altijd tijd voor genezing. Tijd genoeg.'

25

*I*k ben net de hoek om, bij de natuurkundelokalen, als Meghan mijn naam roept en me achterna komt hollen. Ik houd in, kijk even een tikje bezorgd naar het kantoortje van mevrouw Stone waar de LeRa-vergadering zo zal beginnen en stop onwillig.

'Hé, Valerie, wacht even,' roept Meghan. Ze stuift met dansende haren op me af. 'Ik wil even met je praten.'

Normaal gesproken was ik gewoon doorgelopen. Meghan heeft er geen enkele twijfel over laten bestaan dat zij vindt dat ik de verantwoordelijkheid draag voor wat er gebeurd is en heeft me weinig goeds te melden, lijkt me.

Maar ik kan nergens heen. In dit gedeelte van de school is er op dit tijdstip geen levende ziel te bekennen. De sporters zijn in de sporthal of buiten, de rest is al naar huis.

'Hoi,' zegt ze hijgend, als ze bij me is. 'Op weg naar de vergadering van LeRa?'

'Ja,' antwoord ik aarzelend en ik kruis mijn armen voor mijn borst. 'Jessica vroeg of ik kwam.'

'Cool. Loop ik met je mee,' zegt Meghan. Ik kijk haar een tel langer aan en loop dan langzaam in de richting van de kamer van mevrouw Stone. 'Dat idee van je vind ik echt goed,' zegt ze na een paar passen. 'Dat van die tijdcapsule. Wordt hartstikke gaaf.'

'Dank je,' zeg ik. We lopen verder. Ik bijt op mijn lip, denk even na en zeg: 'Ik bedoel het niet vervelend of zo, maar waarom loop je met me mee? Nu ineens?'

Meghan kijkt me schuin aan, ze lijkt er even over na te denken. 'Eerlijk? Jessica heeft tegen me gezegd dat ik wat aardiger tegen je moet zijn. Nou ja, gezegd niet echt, maar, je weet wel... Ze was kwaad dat ik je buitensloot. We hebben er ruzie over gehad. We hebben het weer goed gemaakt, maar ik vond dat ze eigenlijk wel gelijk had. Ik kan het in elk geval proberen.' Ze haalt haar schouders op. 'Je doet niet gemeen of zo. Je bent meestal heel rustig.'

'Ik weet vaak niet goed wat ik zeggen moet,' zeg ik. 'Ik was altijd wel rustig. Eerst viel dat niet zo op, denk ik.'

Ze kijkt me even aan. 'Ja. Da's waar, denk ik,' zegt ze.

Voor ons zien we de kamer van mevrouw Stone. Er brandt licht en we horen het geluid van stemmen door de deur komen, die van mevrouw Stone erbovenuit. Er wordt gelachen. We staan stil.

'Ik wil je iets vragen,' zegt Meghan. 'Eh... Iemand heeft me verteld dat mijn naam ook op de lijst stond. En ik vraag me af, nou ja... Waarom? Ik bedoel, een heleboel mensen praten erover dat de slachtoffers het ook wel een beetje aan zichzelf te wijten hebben, weet je. Omdat ze Nick pestten, bijvoorbeeld. Maar ik kende jullie helemaal niet. Ik heb nooit een woord met hem gewisseld.'

Ik pers mijn lippen op elkaar en wou dat ik alvast in mevrouw Stone's kamer was, met Jessica als mijn beschermengel. Meghan heeft gelijk: we kenden haar voor de schietpartij helemaal niet zo goed. We hebben nooit echt een woord met haar gewisseld en hadden eigenlijk ook niets tegen haar persoonlijk. Toch hadden we het gevoel dat we genoeg over haar wisten, vooral door de mensen met wie ze omging.

Ik kan me nog precies herinneren waarom we haar op de lijst hebben gezet.

Nick en ik zaten te lunchen toen Chris Summers en die vage vriendjes van hem langs onze tafel liepen alsof de aula van hen was, zoals altijd.

'Hé, freak,' zei Chris, 'hou dit eens bij je voor me.' Hij haalde een stuk kauwgom uit zijn mond en mikte dat in Nicks aardappelpuree. Zijn maten schaterden het uit en sprongen met hun handen tegen de borst gedrukt rond alsof ze dronken waren.

'O, man, dat is smerig...'

'Die is goed, kerel...'

'Eet smakelijk, freak...'

Zij stommelden naar hun eigen tafel, hun hoongelach ging met hen mee. Ik zag de woede die in Nick opkwam; zijn ogen stonden donker en dreigend, als twee zwarte gaten in zijn hoofd, zijn kaken had hij stijf op elkaar geklemd. Het was anders dan die avond bij de bioscoop. Toen zag hij er verdrietig uit, geslagen. Nu was hij ziedend. Hij maakte aanstalten om op te staan.

'Niet doen,' zei ik, met mijn hand op zijn schouder. Nick had die maand al twee keer moeten nablijven omdat hij had gevochten en Angerson dreigde met een schorsing. 'Ze zijn het niet waard. Hier, neem mijn puree maar.' Ik schoof mijn blad naar hem toe. 'Ik hou niet van aardappels.'

Hij verstijfde; zijn neusvleugels trilden, zijn handpalmen hield hij vlak op de tafel gedrukt. Hij haalde een paar keer diep adem en liet zich weer op zijn stoel zakken. 'Nee,' zei hij zacht, en duwde het blad naar me terug. 'Ik heb geen trek meer.'

We zaten de rest van de lunch zwijgend naast elkaar. Ik loerde naar de tafel achter ons waar Chris Summers zat. Ik prentte me de lui die bij hem aan tafel zaten – onder wie ook Meghan Norris – goed in. Ze bogen voor hem als knipmessen, alsof hij een of andere god was. Toen ik die avond was thuisgekomen had ik het schrijfblok gepakt en ze een voor een op de lijst gezet.

Dat leek zo logisch, toen. Ik haatte hen om wat ze Nick aandeden, mij, ons. Maar nu, hier, bij de kamer van me-vrouw Stone, is het anders. Hier in de gang is Meghan helemaal geen kreng. Ze is een gewoon mens, in de war, en ze doet haar best om het goed te maken. Net als ik.

'Het was niet om jou,' zeg ik eerlijk. 'Het ging om Chris. Jij zat een keer naast hem, tijdens de lunch en…' Ik maak de zin niet af omdat ik besef dat zij het, in het licht van alles wat er is gebeurd, toch niet zal begrijpen; hoe kwaad Nick en ik die dag ook waren en hoe gemeen Chris ook tegen Nick was. Ik begrijp het zelf amper meer. 'Het was stom. Nee, het was verkeerd.'

Gelukkig steekt Jessica op dat moment haar hoofd om de deur van mevrouw Stone's kamer en ze ziet ons staan.

'O. Hé!' zegt ze. 'Ik meende al dat ik stemmen hoorde. Kom, we gaan zo beginnen.'

Ze verdwijnt weer. Meghan en ik staan nog even wat on-gemakkelijk bij elkaar in de gang.

'Nou ja,' zegt ze uiteindelijk. 'Het maakt nu allemaal ook niet zo veel meer uit, denk ik. Toch?' Ze glimlacht. Gefor-ceerd, maar niet nep. En dat waardeer ik.

'Nee,' zeg ik. 'Ik denk het niet.'

'Kom. Anders zijn we te laat en dan gaat Jess weer moeilijk doen.'

We lopen de kamer in en voor het eerst heb ik niet de neiging om er weer vandoor te gaan.

26

Uit de *Garvin County Sun-Tribune*, 3 mei 2008
door Angela Dash

*N*ick Levil (17) – Getuigenverklaringen en het politieonderzoek hebben ondubbelzinnig aangetoond dat derdeklasser
Nick Levil de schutter was. Wat onduidelijk blijft, is hoe hij tot zijn
daden kwam. 'Hij was een beetje apart, maar ik zou hem geen
eenling willen noemen of zo,' vertelde Nick Levils jaargenoot
Stacey Brinks aan onze verslaggever. 'Hij had een vriendin en
vrienden. Hij had het weleens over zelfmoord, best vaak eigenlijk, maar hij heeft nooit iets gezegd over anderen vermoorden.
Niet tegen ons in elk geval. Misschien dat Valerie het wist, maar
wij in elk geval niet.'
De politie heeft aan de hand van de beelden van bewakings-
camera's een nauwkeurige reconstructie kunnen maken van
de dramatische rondgang die Nick Levil gisterochtend door de
aula van de school maakte. Nadat hij in een volgepakte aula
verscheidene leerlingen neergeschoten had, schoot hij eerst
zijn vriendin, Valerie Leftman, in haar bovenbeen en sloeg
daarna de hand aan zichzelf. Een aantal nieuwszenders heeft
beelden uitgezonden van dat gruwelijke einde van Nick Levils
moorddadige rondgang. Zijn familie toonde zich zeer aangedaan.
'Mijn zoon mag dan de schutter zijn geweest, hij is ook slachtoffer,' liet Nick Levils moeder zich in een gesprek met verslagge-

vers ontvallen. 'Die afschuwelijke mediafiguren. Hebben ze dan niet in de gaten hoeveel verdriet ons dit doet? Denken ze er niet bij na hoe het moet zijn om te zien hoe je zoon zich een kogel door het hoofd jaagt, keer op keer opnieuw?'

Nick Levils stiefvader voegde daaraan huilend toe: 'Ook onze zoon is dood. Vergeet dat niet, alsjeblieft.'

Ik weet niet hoe, maar op de een of andere manier wen ik eraan om vriendinnen met Jessica Campbell te zijn. Het eind van het semester nadert en als dokter Hieler daar geen feestje van gemaakt had, was het misschien ongemerkt aan me voorbijgegaan.

'Ik heb je toch gezegd dat je het eind van het semester zou halen?' zei hij. 'Joh, wat ben ik toch goed!'

'Doe nou maar niet zo stoer,' plaagde ik hem. 'Wie zegt dat ik na de kerstvakantie terugga? Best kans dat ik alsnog voor een andere school kies.'

Maar na de kerstvakantie ga ik natuurlijk gewoon terug en die eerste dag in januari duw ik de deuren open zonder de zenuwen en de knikkende knieën van mijn eerste schooldag na de schietpartij.

Iedereen lijkt zo langzamerhand aardig gewend te zijn aan het idee dat ik er weer rondloop; ongetwijfeld helpt het dat Jessica en ik elke dag in de pauze bij elkaar zitten.

En ik doe nog steeds mee in de vergaderingen van de leerlingenraad, en ook actiever. Ik help zelfs de kamer van mevrouw Stone te versieren voor haar verjaardag. Het zal een bijzondere vergadering worden. We zullen een minuut of vijf wat zaken bespreken die met het herdenkingsproject te maken hebben en de rest van de tijd gebakjes eten en mevrouw Stone eraan herinneren dat ze oud aan het worden is. Het moet een verrassing zijn en we werken hard om de boel klaar te hebben voordat mevrouw Stone van haar busdienst terugkomt.

'Ik ga naar het concert van JT,' kondigt Jessica aan. Ze helt gevaarlijk voorover op een stoel die kantelt onder haar gewicht. Ze wiebelt even heen en weer, hervindt de balans, gaat op haar tenen staan en maakt zich zo lang als ze kan. Ze trekt een strook plakband van een rol en plakt het eind van de blauwe slinger die ze vasthoudt op de muur. 'Jullie?'

'Nee. Mag niet van mijn moeder,' zegt Meghan, die het andere uiteinde van de slinger vasthoudt. Jessica werpt haar de rol plakband toe. Meghan probeert hem te vangen en laat de slinger los. 'Hè, jakkes!'

'Ik heb 'm,' zeg ik. Ik doe een stap, buk en pak de slinger. Ik wikkel hem een paar slagen in de rondte, zoals Meghan het bedacht had, en reik hem haar aan.

'Dank je,' zegt ze. Ze gaat op haar tenen staan en bevestigt hem aan de muur. Jessica blaast ondertussen een ballon op die ze in het midden van de slinger vastknoopt.

Ik neem een ballon uit het bakje op het bureau en begin mee te blazen. Achter me plooien er een paar een tafelkleed over een tafel, daarop komt cake en gebak. Josh is naar de keuken om de drankjes te halen die Jessica's moeder eerder die dag heeft langsgebracht.

'Kon ik maar,' zegt Meghan. 'Justin Timberlake is te gek.'

'Oeh! Hij is zo hot! Vind je niet?' strooit Jessica zout in de wonde.

Meghan slaakt een diepe zucht. 'Mam laat me nooit gaan. Die is zo paranoia de laatste tijd. Mijn vader vindt dat ze het los moet laten, maar nu heeft ze het over een privé-school waar ik volgend jaar naartoe moet. Ze vindt het idee dat ik op een openbare zit verschrikkelijk. Alsof er nog een keer een schietpartij komt! Ze moet echt nodig in therapie.'

Ik knoop de ballon die ik heb opgeblazen vast en pak een volgende.

'Pap heeft van iemand van zijn werk kaartjes gekregen,' zegt Jessica. 'Hij kwam thuis en zei: "Hé, Jess, heb jij weleens van ene Dustin Timberland gehoord? Een of andere zanger…" Wij lachen. En ik: "Hallo! Ja, natuurlijk heb ik van Justin Timberlake gehoord!" En hij weer: "Ik heb twee kaartjes voor een concert. Die mag je hebben, maar dan moet je wel samen met Roddy." En nou komt mijn broer een weekend thuis van de universiteit en gaat met me mee, wat wel oké is, denk ik. Hij is wel cool.'

'Dat zouden mijn ouders never nooit doen, me met Troy mee laten gaan,' zegt Meghan. 'Die hangt met losers als Duce Barnes rond. Als ik met Troy meega is het risico dat er op me geschoten wordt alleen maar groter.' Haar gezicht krijgt een blos en ze kijkt met een scheef oog naar mij.

Ik ken Troy wel. Als Nick niet in de buurt was, ging Troy weleens met Duce om. Troy heeft een jaar of drie geleden eindexamen gedaan en heeft op Garvin nog altijd de reputatie van een heethoofd. Hij heeft een keer een hele serie deuken geramd in een rij kluisjes en daar flinke problemen mee gekregen. Meghan kijkt tegen hem op en adoreert hem, al lijkt ze totaal niet op hem.

Een minuut lang zegt niemand iets. Ik leg een knoop in de ballon die ik heb opgeblazen en laat hem op de grond vallen. Ik draai me om, pak er nog een uit het bakje en stop hem in mijn mond.

'Ga jij naar dat concert, Valerie?' vraagt Meghan.

Ik schraap mijn keel. Ik voel me bij Meghan nog niet helemaal op mijn gemak en dat is wederzijds, volgens mij. 'Eh,' begin ik, om even uit te proberen hoe ik klink. Veel relaxter dan ik me voel. 'Ik denk het niet. Ik heb zo'n beetje levenslang huisarrest.'

'Waarom?' vraagt ze. Jessica springt van haar stoel en komt me helpen met de ballonnen.

'Nou ja. De schietpartij,' antwoord ik. Ik voel mijn gezicht branden.

Meghan kijkt me verwonderd aan en zegt: 'Maar dat was jouw schuld toch niet. Jij bent zelf neergeschoten.'

'Klopt. Maar ik ben bang dat mijn ouders dat toch anders zien. Die hebben het alleen maar over het risico dat ik weer met "verkeerde mensen" omga.'

Meghan maakt een kreunend geluid. 'Wat oneerlijk,' zegt ze rustig.

Jessica legt een knoop in haar ballon. 'Heb je ze al eens gevraagd of je weer uit mag?' vraagt ze.

Ik schud mijn hoofd. 'Ik zou ook niet weten waarheen.' Ik haal mijn schouders op. Achter ons zijn ze nog altijd bezig de tafel te dekken en kandelaars neer te zetten.

'Jess, nodig haar uit voor dat feest bij Alex,' zegt Meghan. Ze springt van haar stoel en kijkt keurend naar de slinger. 'Hoe vinden jullie het?'

Jessica zet haar handen op haar heupen en monstert de muur. 'Perfect, als je het mij vraagt. Wat vind jij, Val?'

Ik ga staan. 'Ziet er goed uit.'

We zetten ons nog een paar minuten aan het opblazen van de resterende ballonnen en Jessica zegt: 'Meghan had het over dat feest, net. Dat is op de vijfentwintigste. Iedereen gaat. Het is een schuurfeest. Ben jij weleens naar zoiets toe geweest?'

Ik schud mijn hoofd en leg een knoop in een ballon.

'Het is op de boerderij van Alex Gold. Zijn ouders zitten twee weken in Ierland. Dat gaat dus een heftig feest worden, volgens mij.'

'De vorige keer ben ik mijn schoenen kwijtgeraakt,' lacht Meghan. 'En Jamie Pembroke werd helemaal ondergekotst. Weet je nog?' Zij en Jessica lachen. 'Je moet komen, Val,' voegt Meghan eraan toe. 'Het wordt mega.'

'Ja. Ga mee!' zegt Jessica. Ze knijpt me in de arm. 'Na afloop blijft de hele club bij mij thuis slapen.'

Ik doe of ik erover nadenk, of ik het een te gekke uitnodiging vind, maar in mijn hoofd gaan alle alarmbellen af, zo luid dat ik amper denken kan. Het is één ding om met Jessica naar LeRa-vergaderingen te gaan en met haar te lunchen, maar het is iets heel anders om naar een feest te gaan waar ook al haar vrienden zullen zijn. Ik kan alleen maar raden naar wat sommigen van hen ervan zouden vinden als ze mij meenam. Ik kan alleen maar raden naar wat Nick ervan gevonden had als ik ga. Dat is meer dan ik aankan.

Maar Jessica kijkt me zo oprecht aan, zo uitnodigend, dat ik het niet kan maken om nee te zeggen zonder op zijn minst te doen alsof ik het zal vragen. 'Oké,' zeg ik. 'Ik ga het proberen.'

Jessica straalt en zelfs Meghan glimlacht een beetje. 'Top!'

'Wat is dit?' vraagt mevrouw Stone, die op de drempel staat. Ze is nog bezig haar jas uit te doen en haar neus is rood van de koude wind die vanochtend vanuit het niets is gaan waaien.

'Verrassing!' roepen we in koor. De kamer vult zich met geroep en gejuich.

Mevrouw Stone legt een hand op haar borst en kijkt de

kamer rond, maar ze lijkt extra lang naar mij, Jessica en Meghan te kijken; wij staan naast elkaar, stoten met onze schouders tegen elkaar en juichen om het hardst mee.

'Wat een geweldige verrassing,' zegt ze, en ze wrijft in haar ogen.

27

'*H*et spijt me, meiden, maar jullie moeten hier weg,' zegt meneer Angerson. 'De bouwvakkers komen zo en die moeten hierlangs.'

Jessica en ik staan met onze dienbladen in onze handen bij elkaar.

De hele ochtend zijn er al bouwlui in- en uitgelopen, die hamerend en borend en met zware machines zo veel kabaal maken dat het lastig is om je te concentreren, waar dan ook maar op. Ze hangen nieuwe deuren in de kozijnen van de lokalen, deuren zonder glas, en vervangen de ruiten aan beide zijden door kogelvrij materiaal. De nieuwe deuren gaan van binnenuit op slot op het moment dat ze worden gesloten waardoor je, als je tijdens de les naar de wc moet, moet aankloppen om weer naar binnen te kunnen. Het betekent natuurlijk ook dat we in een veilig fort zullen zitten in het geval dat er iemand de school binnenkomt met een geweer of een bom of iets dergelijks.

'Oké,' zegt Jessica. We kijken elkaar aan en keren ons gelijktijdig naar de aula.

'Kom,' zegt ze, op het toontje van Jessica-de-Commandant dat ik me nog heel goed herinner. 'Je kunt bij mij zitten.'

Ze werpt haar haar vol zelfvertrouwen over haar schouder en steekt haar borst vooruit, moedig de meute trotserend.

Mijn voeten zijn zwaar en koud, maar ik loop toch maar achter haar aan. Ze leidt me naar wat ik altijd het RMBhoofkwartier noemde en dat alleen al maakt dat ik het bijna in mijn broek doe.

'Hé daar!' zegt Jessica. Ze plaatst haar dienblad op tafel en zet rammelend een paar lege stoelen bij de tafel neer. Het geklets aan tafel sterft meteen weg.

'Hé, Jess,' zegt Meghan. Maar het klinkt zwakjes en ik zie geen glimlach. Dat moment waarop we samen ballonnen aan het opblazen waren bij de LeRa-bijeenkomst kan net zo goed een hallucinatie zijn geweest. 'Hi, Val.'

Ik dwing mijn mond tot een glimlach, maar praten is er even niet bij.

'Ik dacht dat jij op de gang zat tegenwoordig,' zegt Josh. 'Met haar.'

'Daar heeft Angerson natuurlijk een eind aan gemaakt,' zegt Jessica. Ze gaat zitten en keert zich naar mij. 'Kom, Val. Ga zitten. Dat vindt niemand erg.'

Iemand maakt een sissend geluid als ze dat zegt, maar ik zie niet wie.

Ik ga zitten, gefocust op het eten op mijn dienblad, maar ik weet dat ik geen hap door mijn keel zal krijgen. De jus lijkt ineens een bruine drab en het vlees ziet eruit alsof het van plastic is gemaakt. Mijn maag wringt zich in duizend bochten.

'Hé, Jess, ga jij naar het tuinfeest?' vraagt iemand.

'Ja. Wij allebei.'

'Wie allebei?'

Jessica wijst met haar vork naar mij. 'Ik heb Val uitgenodigd om na afloop bij mij te blijven slapen.'

'Dat meen je niet,' zegt Josh op die typische Josh-manier.

'Jawel,' zegt Jessica. 'Hoezo?' Ik hoor een scherp randje in haar stem, een klank die ik maar al te goed ken. Hoe vaak heb ik dat niet gehoord als ze iets tegen mij zei? *Waar kijk*

*jij naar, Dooie Dame? Mooie laarzen, Dooie Dame. Alsof
ik met die loser-vriendjes van jou praat, Dooie Dame. Heb
je ergens last van? Waar heb je last van? Heb jij ergens een
probleem mee, Dooie Dame?* Maar dit keer heeft ze het niet
tegen mij, maar tegen de vriendengroep waarvan zij de
koningin is. Ik voel me opgelucht en meteen daarna schuldig over mijn opluchting. Op dit moment kan ik je niet
zeggen wie er meer veranderd is: Jessica Campbell of ik.
'Ik heb het mijn ouders eigenlijk nog helemaal niet gevraagd,' mompel ik tegen Jessica. 'Dat wil ik dit weekend
doen.'
Ze wuift de opmerking weg, haar aandacht is op de andere zijde van de tafel gericht. Ze heeft haar ogen tot spleet-
jes geknepen, en tart haar vrienden om een opmerking te
maken over mijn aanwezigheid aan de tafel. Ze houdt haar
vork rechtop voor zich. De atmosfeer aan tafel verandert
en krijgt iets ongemakkelijks.
Iedereen staart naar zijn eigen dienblad en er wordt niet
meer gesproken. Sommigen mompelen wat onder elkaar;
het is duidelijk dat het over mij gaat, maar niet zo luid dat
ik het horen kan.
Wat ik wel versta is dat iemand zegt: 'Neemt ze dat schrijfblok ook mee?' Iemand anders lacht en antwoordt: 'Of een
vriendje?'
Dat is de druppel. Stom van me om te denken dat ik hier-
tussen zal passen, zelfs na al die maanden. Zelfs met Jessica naast me. *Kijk naar de werkelijkheid*, dat is wat dokter
Hieler wil dat ik doe. *Zie wat er werkelijk is.* Nou, ik zie
nu heel duidelijk wat de werkelijkheid is en daar is weinig
goeds bij. Er is niets veranderd. Alles is nog steeds zoals
het altijd geweest is. Met dit verschil dat ik voorheen hun
namen op een lijst heb gezet en naar Nick toe ben ge-

gaan om troost te vinden. Ik ben een andere persoon nu en weet niet wat ik ermee aan moet; ik kan alleen maar vluchten.

'Glad vergeten,' zeg ik, terwijl ik opsta en mijn dienblad pak. 'Ik moet voor het zesde nog een verslag voor Engels inleveren, anders krijg ik een 1.' Ik doe luchtig maar mijn keel is kurkdroog en ik weet zeker dat er achter in mijn strot iets klikt als ik spreek.

Ik breng het blad naar de afwasbalie. Ik smijt alles wat erop ligt in een afvalbak en schuifel zo snel ik kan de kantine uit. Vaag hoor ik de stem van dokter Hieler: *Als je gewicht blijft verliezen, Valerie, begint je moeder geheid weer over anorexia.* Ik struin rechtdoor naar het meisjestoilet in de gang waar de lokalen voor communicatie en ckv zijn en sluit mezelf op in het toilet voor gehandicapten. Daar blijf ik zitten tot de bel gaat en ik spreek met mezelf af dat ik van ze lang zal ze leven niet naar dat feest ga.

28

*I*k zit op mijn bed en bewonder de kakelverse roze nagellak op mijn tenen. Ik heb mijn teennagels al zo lang niet meer roze gelakt dat ik me afvraag of de lak nog wel goed is. Rond de hals van het flesje is hij helemaal korrelig en de lak zelf heeft zich in twee laagjes verdeeld: roze op de bodem en doorschijnend bovenin. Het leek wat dik, dus ik heb er een paar druppels nagellakremover aan toegevoegd; dat lijkt geholpen te hebben.

Normaal gesproken gebruikte ik zwart. Of navyblauw. Soms mosgroen of wat bleekgeel. Maar ooit, heel lang geleden, was het hoofdzakelijk roze. Alles was roze, toen. Ik denk dat ik op een gegeven moment helemaal klaar was met roze, en dat ik nu wel klaar ben met zwart, ik weet het niet.

Wat ik wel weet is dat ik eindelijk aan mijn nieuwsgierigheid heb toegegeven en mijn oude doos met nagellak tevoorschijn heb gehaald, die al eeuwen, sinds het Lieve Schattige Prinsesje Valerie verdwenen is, in het kastje onder de wasbak in de badkamer heeft gestaan, en mijn teennagels roze heb gelakt. Dat ik een paar dagen roze teennagels heb, daar zal niemand last van hebben, toch?

Ik zit nog steeds te wachten tot ze droog zijn, en blaas er kleine pufjes lucht overheen die weinig effect lijken te hebben, als er op mijn deur geklopt wordt, heel zachtjes. Ik buig me naar de stereo en zet hem zachter. 'Jo?'

De deur gaat op een kier open en pap steekt zijn hoofd de kamer in. Hij trekt een grimas in de richting van de stereo, dus zet ik hem maar helemaal uit.

'Kunnen we even praten?' vraagt hij.

Ik knik. Hij en ik hebben elkaar sinds dat Britni/Brenna-incident op zijn kantoor, een paar weken geleden, niet meer gesproken.

Hij komt binnen en zoekt zich een weg door de kamer alsof hij door een mijnenveld moet. Met zijn voet duwt hij een stapeltje T-shirts aan de kant. Hij draagt schoenen. Sportschoenen. En een spijkerbroek en een polo. Zijn casual outfit, maar wel netjes genoeg om de deur mee uit te gaan.

Hij komt op de rand van het bed zitten. Hij zegt eerst niets en staart alleen maar naar mijn teennagels. Ik trek mijn voeten in een reflex onder me, bedenk met een schok dat ik de lak misschien verknoei zo en zet mijn voeten meteen weer terug. Er is er één beschadigd, eentje maar. Met mijn duim veeg ik de meeste lak eraf en staar naar mijn voet, die er met die ene nagel, knalroze aan de randen maar kaal middenin, ineens heel erg kwetsbaar uitziet. Alsof ik er een begin mee heb gemaakt om er echt mooi uit te zien maar er halverwege maar weer mee gestopt ben.

'Nieuw kleurtje?' vraagt hij, wat ik voor een vader een wat maffe vraag vind. Is het normaal dat vaders zich bezighouden met de nagellak die hun dochters op hun tenen smeren? Ik weet het niet zeker, maar het lijkt me niet echt iets wat mijn vader zou opvallen, dus ik ben op mijn hoede.

'Nee. Heel oud,' antwoord ik.

'O.' Hij blijft een tijdje stil zitten. 'Hoor 'es, Val, even over Briley…'

Briley, denk ik. Dat was het: Briley.

'Pap,' begin ik, maar hij steekt een hand op om me tegen te houden. Ik slik. Een zin die begint met: *Hoor 'es, Val, over Briley*, is niet het begin van een leuk gesprek. Dat weet ik wel zeker.

'Luister gewoon even,' zegt hij. 'Je moeder...'

Hij zwijgt. Zijn mond gaat een paar keer open en dicht, alsof hij niet goed weet waar hij beginnen moet. Zijn handen bewegen wat stuurloos in zijn schoot. Hij laat zijn schouders hangen.

'Pap, ik ben niet van plan om mam iets te vertellen. Dit is niet nodig...' begin ik opnieuw, maar hij onderbreekt me weer.

'Jawel,' zegt hij. 'Dit is wel nodig.'

Ik val stil. Mijn tenen worden koud. Ik kijk er onderzoekend naar en bedenk dat ze van roze weleens ijzig blauw zouden kunnen worden, net als zo'n ring die van kleur verandert. Misschien is dat bleke geel helemaal geen kleur uit het verleden. Ik begin me af te vragen wie nou de echte Valerie is, de oude of de nieuwe; een onzekerheid die ik vanaf de schietpartij voortdurend heb gevoeld, alsof ik ieder moment van gedaante kan veranderen.

'Ik heb het verteld,' zegt hij eindelijk. 'Ik heb haar alles verteld. Je moeder.'

Ik zeg niets. Ik weet niet wat ik zeggen moet. Wat kan ik zeggen?

'Ze reageerde niet zo best, dat is vanzelfsprekend. Ze is heel boos. Ze heeft me gevraagd om weg te gaan.'

'Wauw...' zucht ik.

'Ik weet niet of het voor jou iets uitmaakt, maar ik hou van Briley. Al heel lang. We gaan waarschijnlijk trouwen.'

En of dat me wat uitmaakt. Maar waarschijnlijk niet op de manier die hij hoopt. Ik realiseer me met een bitter soort genoegen dat ik nu ook een 'stiefmonster' zal krijgen. En op de een of andere manier past dat naadloos bij de rest van mijn bestaan. Even voel ik spijt: een stiefmonster is nog iets wat Nick en ik anders gezamenlijk hadden gehad.

We zitten een tijdje naast elkaar zonder iets te zeggen. Ik vraag me af wat pap denkt, waarom hij blijft dralen. Wacht hij op een generaal pardon van mij? Dat ik zeg dat het oké is? Dat ik een of ander grootmoedig gebaar maak waarmee ik aangeef dat ik Briley met open armen zal ontvangen?

'Hoelang zijn jij en... eh... dat mens al bij elkaar?' wil ik weten.

Hij heft zijn hoofd en kijkt me recht in de ogen. Het is misschien wel de eerste keer dat ik mijn vader ooit recht in de ogen heb gekeken en de diepte die ik erin zie overrompelt me. Ik heb pap altijd als nogal eendimensionaal gezien, denk ik. Nooit iets wat niet over werk ging. Nooit een emotie, behalve boosheid en ongeduld.

'Dit is al van ver voor de schietpartij.' Hij grinnikt heel even. 'Die hele schietpartij heeft je moeder en mij in zekere zin dichter bij elkaar gebracht. Dat maakt het nog lastiger om bij haar weg te gaan. Ik heb Briley's hart de afgelopen maanden vaak gebroken. Ik zou de afgelopen zomer al bij haar intrekken. We hoopten om deze tijd getrouwd te zijn. Maar de schietpartij...'

Hij laat de zin hangen, zoals zo veel mensen die dat woord gebruiken doen, alsof ze daarna alles zelf invullen, zelf verklaren. Maar ik weet heel goed wat hij bedoelt, ook zonder dat hij verdergaat. De schietpartij heeft alles veranderd. Voor iedereen. Zelfs voor Briley, die helemaal niets met Garvin High te maken heeft.

'Ik kon daarna niet bij Jenny weggaan. Ze is door een hel gegaan. Ik respecteer je moeder en het is niet mijn intentie haar pijn te doen. Ik hou alleen niet van haar. Niet zoals ik van Briley hou.'

'Je gaat het doen, dus,' zeg ik. 'Weggaan, bedoel ik.'

Hij knikt traag. 'Ja, het is het enige wat ik kan doen. Ik moet wel.'

Ik wil dat er iets in me is dat daar razend om wordt. Dat *Nee, dat is het niet!* tegen hem schreeuwt. *Nee, dat moet je niet!* Maar ik kan het niet. Want de waarheid is, en dat weten we allebei, dat hij lang, heel lang geleden al is weggegaan. Hij is door mij blijven hangen, terwijl hij eigenlijk ergens anders wil zijn. Ook hij is een slachtoffer van de schietpartij, op een eigen, rare manier. Een van degenen die niet op tijd weg kon komen.

'Ben je boos?' vraagt hij, wat ik een idiote vraag vind.

'Ja,' zeg ik. En dat ben ik ook. Ik ben er alleen niet zo zeker van dat ik kwaad op hem ben. Maar ik vraag me af of hij dat belangrijk vindt, of hij dat wil weten. Ik denk dat het wel belangrijk voor hem is om te merken dat ik genoeg om hem geef om boos te zijn.

'Zul je het me ooit vergeven?' vraagt hij.

'Zul jij het mij ooit vergeven?' val ik uit, mijn ogen borend in de zijne.

Hij kijkt me een paar tellen indringend aan en staat dan stilletjes op en loopt naar de deur. Hij keert zich niet om, pakt de deurklink en houdt die vast, meer niet.

'Nee,' zegt hij, zonder me aan te kijken. 'Misschien maakt dat me tot een slechte vader, maar ik weet niet of ik dat kan. Wat het politieonderzoek ook heeft aangetoond, jij had met de schietpartij te maken, Valerie. Jij hebt die namen op die lijst gezet. Mijn naam ook. Je had het goed hier. Je mag dan de trekker niet overgehaald hebben, je hebt die ramp wel mede veroorzaakt.'

Hij doet de deur open. 'Het spijt me. Het spijt me echt.' Hij stapt de gang op. 'Ik laat mijn nieuwe adres en telefoonnummer bij je moeder achter,' zegt hij nog, voordat hij langzaam uit mijn blikveld stapt.

29

*I*k besluit, zoals altijd, dat het beter is om het avondeten maar over te slaan en iets te eten te scoren zodra iedereen naar bed is. Ik wacht tot de kier onder mijn deur zwart wordt en alle lampen uit zijn en hobbel mijn kamer uit.

Ik slof naar de keuken en smeer een boterham met pindakaas en jam bij het lichtje van de koelkast. Ik doe de koelkast dicht, ga aan de keukentafel zitten en eet in het donker. Dat voelt beter, veiliger. Alsof ik een geheimpje heb. Als een manier om alleen te zijn en me af te sluiten voor de onbenulligheid om me heen. Want dat is het, toch? Onbenullig. Als je klasgenoten van de wereld worden geschoten lijkt al het andere – zelfs een vader die vertrekt – niet meer zo heel erg belangrijk.

Ik stop het laatste hapje in mijn mond en sta op het punt om in de benen te komen als ik iets hoor in de woonkamer. Een lang, vochtig snuiven en een blafje, zo klinkt het. Ik verstijf.

Het geluid klinkt opnieuw, dit keer gevolgd door het onmiskenbare geritsel van een tissue die uit het kartonnen doosje getrokken wordt.

Ik loop zachtjes het hoekje om en tuur de donkerte in.

'Hallo?' zeg ik zachtjes.

'Ga slapen, Valerie. Ik ben het maar,' zegt mam vanuit het in duisternis gehulde fort van de bank. Ze klinkt schor, haar neus lijkt verstopt.

Ik blijf stil staan. Ze snuift opnieuw. Ik hoor dat ze nog een tissue uit de doos pakt. In plaats van naar de trap loop ik de woonkamer in en blijf achter de leunstoel staan. Ik leg mijn handen op de rugleuning.

'Gaat het?' vraag ik.

Ze geeft geen antwoord. Ik stap om de stoel heen met het idee om erin te gaan zitten, maar bedenk me, loop een paar passen door en laat me op mijn knieën zakken, op iets meer dan een meter van de bank. Nu zie ik haar contouren en het wit van haar kamerjas, dat zich splitst bij haar knieën waardoor haar huid tegen de lichte achtergrond onwaarschijnlijk bruin lijkt in het donker.

'Gaat het wel?' herhaal ik.

Weer blijft het lang stil en ik overweeg om dan toch maar naar bed te gaan, zoals ze gezegd heeft, als ze zegt: 'Je hebt toch iets te eten gepakt? Ik heb tegen dokter Hieler gezegd dat ik je al in geen weken meer iets heb zien eten.'

'Ik ben er 's nachts steeds uit geweest. Ik heb geen anorexia, hoor, als je daar soms bang voor bent.'

'Dat was ik wel,' zegt ze, en ik hoor nieuwe tranen in haar stem. Ze snuift nog maar eens en de kamer vult zich met een zacht gejammer, dat opwelt en weer wegsterft. Als het ten slotte wegblijft, zucht ze diep. 'Je bent zo mager geworden en ik zie je nooit iets eten. Wat moet ik dan denken? Dokter Hieler zei al dat je waarschijnlijk eet als ik niet in de buurt ben.'

Een punt erbij voor dokter Hieler. Soms vergeet ik hoe vaak hij het voor me opneemt, zonder dat ik dat weet. Ik vraag me af hoe vaak hij mam niet terugfluit als ze zich weer eens iets idioots in het hoofd haalt.

'Pap is weg?' vraag ik na een poosje.

Ze knikt, denk ik, want ik zie de donkere schim voor me

iets bewegen. 'Hij woont bij haar, nu. Dat is het beste ook, denk ik.'

'Zul je hem missen?'

Ze zucht diep en ademt langzaam uit. 'Dat doe ik al. Maar ik mis niet de man met wie ik de laatste paar jaren heb geleefd. Ik mis de kerel tegen wie ik "Ja" zei. Maar ik betwijfel of jij dat begrijpt.'

Ik bijt op mijn lip, afwegend of ik die sneer van haar als een belediging zal opvatten en er iets van zal zeggen.

'Een beetje wel,' zeg ik. 'Ik mis Nick ook. Ik mis de tijd dat we gingen bowlen, dat soort dingen, dat we gewoon happy waren. Ik weet wel dat jij denkt dat hij alleen maar slecht was, maar dat is niet zo. Nick was ook heel lief en hartstikke slim. Dat mis ik.'

Ze snuit haar neus. 'Ja. Dat geloof ik wel,' zegt ze. Dat voelt zo geweldig goed, dat ik er geen woorden voor kan vinden. 'Weet je nog...' begint ze, maar haar stem sterft weg. Ik hoor opnieuw een waterig gesnotter en een tissue die het doosje verlaat. 'Weet je nog, die zomer dat we naar South Dakota gingen? Herinner jij je nog dat we met opa's ouwe stationcar gingen, dat we die gigantische koelbox vol met eten stouwden en er gewoon vandoor gingen omdat je vader vond dat jij en Frankie Mount Rushmore gezien moesten hebben?'

'Ja,' zeg ik. 'Ik weet nog dat jij het potje meenam voor het geval iemand onderweg nodig moest. En dat Frankie krabbenpoten at bij een restaurant ergens in Nebraska en de hele tafel onderkotste.'

Mam gniffelt. 'En dat je vader met alle geweld dat vreselijke kitsch-paleis wilde bezoeken.'

'En dat *Museum of Rocks* dan. Weet je nog dat ik zo moest huilen omdat ik dacht dat er allemaal rocksterren zouden

zijn, maar het alleen maar een verzameling stenen was?'
'En je grootmoeder, die de hele weg die afschuwelijke sigaretten pafte.'
We grinniken en zwijgen, in gedachten weer bij die verschrikkelijke trip. Een zalige verschrikkelijke trip was het geweest.
Dan zegt mam: 'Ik heb jullie dit nooit willen aandoen, gescheiden ouders.'
Ik denk daar even over na. 'Nee. Maar ik denk dat ik het wel oké vind. Pap vond het vreselijk hier. Hij is dan misschien niet de meest geweldige vader van de wereld, maar niemand verdient het om zich zo ellendig te voelen.'
'Jij wist het al,' zegt ze.
'Ja. Ik zag Briley op zijn kantoor, een paar weken geleden. Ik heb het geraden.'
'Briley.' Mam zegt het alsof ze de naam wil proeven. Vindt ze dat die een meer sexy klank heeft dan haar eigen naam? Aantrekkelijker is dan Jenny?
'Heb jij het Frankie al verteld?' vraag ik.
'Dat heeft je vader gedaan,' zegt ze. 'Meteen nadat hij met jou gesproken had. Ik heb tegen hem gezegd dat ik niet van plan was jullie harten te breken. Ik vond dat hij jullie zelf maar moest vertellen dat hij met een twintigjarig grietje hokt, dat leek me wel zo fair. Ik dop zijn boontjes niet langer. Ik ben het zat om steeds maar weer de kwaaie pier te zijn.'
'Trekt Frankie het een beetje?' vraag ik.
'Niet zo best. Hij is zijn kamer nog niet uit geweest. En nu ben ik bang dat er nog een kind van mij in de problemen komt en ik weet... niet... of... ik dat... wel aankan... in mijn eentje...'
Haar stem breekt in een vloed van tranen, zo plotseling en

aangrijpend dat er spontaan ook in mijn eigen ogen tranen opwellen. Als je op dat moment was langsgelopen en haar zo had horen huilen, dan zou je gezworen hebben dat ze alles kwijt was wat ze ooit had gehad. Ik vraag me af of zij het zelf ook zo voelt.

'Frankie is een goed joch, mam,' zeg ik. 'Hij heeft goeie vrienden. Hij zal heus niet...' *Doen wat ik deed*, had ik bijna gezegd, maar ik voel de schaamte weer opkomen en zeg in plaats daarvan: '... in de problemen raken.'

'Ik hoop het,' zegt ze. 'Op de meeste dagen heb ik al geen idee wat er allemaal in jou omgaat. Ik ben ook maar een mens. Ik kan niet iedereen op mijn nek nemen.'

'Je hoeft mij niet meer op je nek te nemen,' zeg ik. 'Het gaat goed met me, mam, heus. Dokter Hieler vindt dat ik grote sprongen maak. Ik volg de schilderlessen bij Bea. En ik doe mee met het project van de leerlingenraad.'

Opeens spoelt er een golf van medelijden over me heen, een medelijden met haar waarvan ik niet wist dat ik het in me had. Ineens wil ik degene zijn die haar troost geeft, die haar South Dakota teruggeeft. 'Ik wilde je eigenlijk vragen of ik volgend weekend bij Jessica Campbell mag blijven slapen.' Het is of mijn keel wordt dichtgeknepen.

'Dat blonde meisje bedoel je, dat hier steeds weer op de stoep staat?'

'Ja. Ze is de voorzitter van de leerlingenraad en zit in het volleybalteam. Ze is oké, geloof me. We lunchen altijd samen. We zijn vriendinnen.'

'O, Val,' zegt ze, haar stem dik en zwaar. 'Zou je dat wel doen? Ik dacht dat jij een hekel aan die meiden had.'

Mijn stem stijgt een octaaf. 'Nee, mam. Echt. Zij is degene waar ik voor gesprongen ben. Ik heb haar leven gered. Ik heb haar gered. En nu zijn we vriendinnen.'

En weer is het een tijd lang stil. Mam snuift nog een paar keer en het klinkt zo benauwd, dat ik het gevoel krijg dat ik zelf nauwelijks kan ademhalen. 'Soms vergeet ik het,' zegt ze, woorden die door de duisternis op me af drijven. 'Soms vergeet ik dat jij die dag ook een held was. Vaak zie ik alleen maar het meisje dat een lijst maakte van de mensen die ze dood wilde.'

Ik weersta de neiging om dat beeld te corrigeren. Ik wilde die mensen niet dood, wil ik zeggen. En jij had nooit van die lijst geweten als Nick niet door het lint was gegaan. Nick is door het lint gegaan, niet ik. Niet ik!

'Soms zit ik zo vol van het beeld van jou als de grote boosdoener, als degene door wie ons gezin nu in puin ligt, dat ik vergeet dat jij ook degene bent die een eind aan de schietpartij heeft gemaakt. Daar heb ik je nooit voor bedankt, volgens mij. Of wel?'

Ik schud mijn hoofd, nee, ook al weet ik dat ze dat niet kan zien. Ik heb het vermoeden dat ze het wel kan voelen, net als ik.

'Is zij jouw vriendin? Echt?'

'Ja. Ik mag haar heel graag, eigenlijk.' En dat is de waarheid, besef ik met een schokje.

'Dan moest je maar gaan. Naar je vriendin. Jij moet plezier maken.'

Mijn maag draait om. Ik ben er helemaal niet zeker van dat ik dat zal kunnen: plezier maken met die lui. Hun idee van plezier maken is totaal iets anders dan wat ik ooit heb gekend.

30

'*I*k neem aan dat u weet dat mijn vader weg is,' zeg ik, terwijl ik met mijn rug naar dokter Hieler toe gekeerd zijn boekenkast bestudeer; hij zit zoals gewoonlijk in zijn stoel: één been over een armleuning geslingerd, de rechterwijsvinger nadenkend en loom op zijn onderlip.

'Je moeder heeft het me verteld,' zegt hij. 'Wat vind je daarvan?'

Ik haal mijn schouders op en kijk naar de beeldjes boven op de boekenkast. Een olifant van porselein, een figuurtje van een arts en een baby vlak na een Blijde Geboorte, een geslepen brok kwarts. Cadeautjes van cliënten. 'Ik wist het al. Het verbaasde me niet, niet echt.'

'Soms kan iets wat je verwacht toch pijn doen,' stelt hij.

'Ik weet het niet. Ik denk dat ik lang geleden al klaar was met pap. Dat heeft toen wel pijn gedaan, denk ik, maar nu... Ik weet het niet... nu is het ook wel een opluchting.'

'Dat snap ik.'

'Bedankt voor wat u met dat hele anorexia-gedoe met mam gedaan hebt, trouwens,' zeg ik. Ik laat de boekenkast voor wat die is en plof achterwaarts neer op de bank. Hij knikt. 'Maar je moet wel genoeg eten. Dat weet je, toch?'

'Ja. Ik weet het. Ik eet ook wel. Ik ben zelfs weer een paar pondjes aangekomen. Geen punt. Het is niet dat ik wil afvallen of zo.'

'Dat geloof ik ook wel. Ze maakt zich zorgen, meer niet. Soms moet je je ouwelui een lol doen. Laat haar af en toe zien dat je eet. Oké?'

Ik knik. 'Is goed. U hebt gelijk.'

Hij grijnst, steekt een vuist omhoog. 'Alweer gelijk! Ik zou hier mijn brood mee moeten gaan verdienen!'

Ik grinnik en rol met mijn ogen. 'O! Bijna vergeten. Ik heb iets voor u gemaakt.'

Hij trekt zijn wenkbrauwen op en leunt voorover om het doek aan te pakken dat ik uit mijn rugtas vis.

'Dat had je niet hoeven doen,' zegt hij.

Hij keert het schilderijtje om en kijkt er aandachtig naar. Het is het portret dat ik de zaterdag ervoor in Bea's atelier afgemaakt heb.

'Dit is ongelofelijk,' zegt hij. Hij zegt het nog een keer, enthousiaster nog. 'Dit is echt ongelofelijk! Ik wist helemaal niet dat jij dit kon.'

Ik kom achter hem staan en kijk over zijn schouder naar mijn *Portret van een Hieler*. Niet de man die ik 's zaterdags spreek in zijn kamer, maar de echte Hieler, zoals ik hem zie: een kalme vijver, een bundel zonlicht, een weg uit de diepe, donkere tunnel waar ik in leef.

Ik knik. 'Ja. Ik ben gek op schilderen, denk ik. Ik heb een vrouw leren kennen die een studio heeft, aan de overkant van de straat hier, en ik mag voor niks bij haar schilderen. Ik ben ook begonnen met een schetsboek. Ik teken de dingen zoals ik ze zie. Niet wat anderen willen dat ik zie, maar wat er werkelijk is. Dat heeft me geholpen. Al zijn er lui die denken dat ik een nieuwe Hate List aan het maken ben. Maar goed. Die lui teken ik dan ook maar.'

Hij zet het doek voorzichtig tegen de lamp op de tafel

naast hem. 'Mag ik dat schetsboek ook zien? Wil je dat de volgende keer meenemen?'

Ik glimlach bedeesd. 'Oké. Ja. Oké.'

31

Jessica Cambells huis ruikt naar vanille. Het is er brandschoon, net als in de SUV waarmee haar moeder ons net heeft opgepikt, en heeft kleuren die me aan reclames doen denken. Heldere violetten, de kleur van bosviooltjes, groenen, de kleur van wijnranken, en felle gelen die bijna pijn doen aan mijn ogen als ik er lang naar kijk.

We zitten aan de keukentafel – Jessica, Meghan, Cheri Mansley, McKenzie Smith en ik – en eten zoute krakelingen die haar moeder speciaal voor ons zelf heeft gemaakt. Ze brengt ze binnen op een ovalen schaal met een afbeelding van *het Laatste Avondmaal* erop, samen met plastic schaaltjes met mosterd, barbecuesaus en gesmolten kaas.

Jessica en Cheri hebben het over Doug Hobson, die na een atletiektraining eerder die week blazend en puffend het clubhuis binnengekomen is. Ze lachen en proppen hun mond vol krakelingen, zo zorgeloos dat ik het gevoel heb dat ik in een bioscoop naar een film zit te kijken. Meghan en McKenzie zitten met hun neus in een modetijdschrift. Ik zit zwijgend aan het hoofdeind van de tafel en knabbel aan een krakeling.

Jessica's moeder staat bij de gootsteen en kijkt stralend naar haar dochter. Ze lacht met hen mee wanneer ze weer een of ander grappig verhaal opdissen, maar mengt zich niet in de gesprekken. Af en toe, wanneer ze een korte blik op mij werpt, verflauwt haar glimlach even. Ik probeer er niet op te letten.

We eten de schaal leeg en gaan naar Jessica's kamer, waar ze een cd opzet die ik niet ken. Ze komen alle vier in de benen en beginnen te dansen. Ze slaken kreetjes en gilletjes waarvan ik denk dat ik ze met geen mogelijkheid uit mijn strot geperst zal krijgen. Ik zit op het bed toe te kijken en glimlach, onbedoeld en zonder het in de gaten te hebben. Ik bedenk dat ik hen, als ik mijn schetsblok bij me had, precies zo zou kunnen tekenen als ze op dat moment zijn. Ik heb voor de verandering het gevoel dat ik me in de werkelijkheid bevind.

Na een tijdje klopt Jessica's moeder op de deur en opent hem op een kier. Ze glimlacht, stralend en met een volmaakt gebit, en kondigt aan dat het avondeten klaarstaat. We gaan naar beneden, waar op het aanrecht zelfgemaakte pizza's op ons staan te wachten. Drie soorten. De bodem perfect bruin en knapperig. Het vlees heerlijk gaar. De groenten boterzacht. Knoflookboter op de randen, precies het juiste laagje kaas bovenop. Bijna te mooi om op te eten.

Ik kan het niet helpen, maar ik probeer me voor te stellen wat er van Jessica's moeder geworden was als ik niet tussen Nick en Jessica in was gesprongen. Als ze haar meisje was kwijtgeraakt. Had ze dan nog steeds perfecte pizza's gebakken, decoratieve schalen citroenen op de keukentafel gezet, vanillekaarsen gebrand? Ze lijkt me niet iemand die pesten wel oké vindt. Weet ze dat Jessica mij Dooie Dame noemde? Zou het haar tegenvallen van Jessica, als ze het wist? Zou ze teleurgesteld zijn in zichzelf, dat zij een dochter had opgevoed die zoiets deed? Wat zou haar meer verdriet hebben gedaan: een dochter die gestorven was of een dochter die de schutter had kunnen zijn?

Na het eten proppen we ons in Jessica's auto en vertrekken. We laten haar moeder wuivend achter bij de deur, alsof we kleuters zijn die voor het eerst op schoolreisje gaan. Het is een flinke rit naar Alex' huis, over onverharde wegen. Na een tijdje heb ik geen idee meer waar we zijn; we rijden over landweggetjes waarvan ik niet eens wist dat die in Garvin bestonden.

Alex' huis is een wat vervallen stenen boerderij, half verscholen achter een boomgaard. Er brandt geen licht, waardoor het geheel een wat spookachtige aanblik heeft, ook al staat de oprijlaan vol met geparkeerde auto's.

Aan het einde van de oprijlaan staat het hek van een weiland open en Jessica stuurt haar auto het gras op. Het lijkt wel een grote parkeerplaats, alsof heel Garvin naar het feest gekomen is, en Jessica manoeuvreert haar auto tussen de andere. Zodra we uit de auto geklommen zijn, horen we stampende muziek. Voor ons ligt een schuur waarvan de deuren wagenwijd openstaan, een vierkant vlak blacklight en dwarrelende gekleurde vlekken dansen over het ruige gras.

Daarbovenuit horen we gelach en kreten en daar weer bovenuit de geluiden die je verwacht op een boerderij: een blaffende hond in de verte, onophoudelijk loeien, kwakende kikkers in een plas vlakbij.

Jessica, Meghan, McKenzie en Cheri stuiven opgewonden pratend en huppelend op de maat van de muziek op de schuur af. Ik volg een stuk langzamer, bijtend op mijn onderlip, met een bonzend hart en benen zo zwaar als lood. De schuur is stampvol, ik heb moeite om Jessica en de anderen in die zee van mensen terug te vinden. Ik baan me zo goed en zo kwaad als dat gaat een weg door de menigte en kom terecht bij een enorme badkuip vol ijs en drankjes. Er ligt vooral bier in, maar na wat zoeken vis ik er een blikje fris uit. Ik heb sinds Nick is overleden geen druppel alcohol gedronken en ben er niet zeker van of ik er nog wel tegen kan.

'Wil je er niet liever zo eentje?' roept iemand achter me. Ik draai me om en zie Josh staan met een biertje in zijn hand. 'Dit is een feestje, man.'

Hij komt een stap dichterbij, grist het blikje uit mijn hand, mikt het in de ijsmassa, rommelt wat in het bad en haalt een flesje bier tevoorschijn. Hij wipt de kroonkruk eraf.

'Hier.' Hij werpt me een glimlach toe die al zijn tanden ontbloot.

Ik pak het biertje met bevende handen aan. Ik denk aan Nick. Aan de keren dat wij samen een feestje vierden. Aan de keren dat we ons slap lachten om de ideeën die wij hadden over de feestjes van lui als Jessica en Josh. Aan hoe teleurgesteld Nick was geweest als hij mij hier een biertje met Josh had zien drinken. Aan dat het er niet meer toe doet wat Nick gedacht had omdat Nick dood is. En op de een of andere manier geeft die gedachte de doorslag. Ik neem een teug.

'Ben jij hier met Jess?' schreeuwt Josh boven de muziek uit.

Ik knik en zet het flesje weer aan mijn lippen.

We luisteren een tijdje naar de muziek en kijken naar de meute. Josh heeft zijn biertje op en smijt het flesje bij een stapel lege flesjes, ergens achter een baal hooi. Hij steekt een hand in de badkuip en pakt er, even rillend, een nieuw biertje uit.

Ik neem ook weer een slok en zie tot mijn verbazing dat het flesje al half leeg is. Mijn armen en benen zijn warm geworden. Mijn hoofd is een beetje lichter en ik begin dit hele feest toch een heel goed idee te vinden. Ik neem opnieuw een slok en begin met mijn hoofd mee te bewegen op het ritme van de muziek.

'Zin om te dansen?' vraagt Josh.

Ik kijk achterom. Hij kan het niet tegen mij hebben. Op de vergaderingen van de leerlingenraad keurt hij me geen blik waardig. En hij is ook niet bepaald degene die in de pauze een stoel voor me aangeschoven heeft. Deze ommezwaai is wel heel erg... onverwacht.

Hij lacht. 'Ik heb het tegen jou, hoor,' zegt hij.

Ik lach ook. En het is geen ingehouden lach, iets wat me zelf verbaast. Ik zet het flesje aan mijn mond en merk dat het al leeg is. Ik smijt het rinkelend achter de hooibaal en vis een nieuw uit het ijs. Josh grijpt het uit mijn hand, wipt de kroonkruk eraf en geeft het terug.

'Ik dans niet meer eigenlijk,' zeg ik, en ik neem een flinke slok. 'Mijn been...'

Maar als ik omlaag kijk ziet mijn been eruit als alle andere. En ik realiseer me dat het niet bonst ook. Ik neem opnieuw een flinke slok.

'Kom op,' zegt hij, slaat een arm om mijn schouders en leunt tegen me aan. 'Dat heeft geen mens in de gaten.'

Ik drink en lik mijn lippen af. Hij ruikt lekker. Naar zeep. Van die mannelijke zeep die Nick ook gebruikte. Ik houd van die geur. En ineens borrelt er een verlangen in me op, zo groot dat het pijn doet. Ineens ben ik zo alleen, dat ik het gevoel heb dat ik opgesloten zit in een kist. Ik sluit mijn ogen en leg mijn hoofd tegen Josh' schouder. Er danst van alles achter mijn gesloten oogleden. Ik glimlach, doe mijn ogen weer open en sla de rest van het flesje achterover. Ik gooi het op de hoop en pak zijn hand.

'Waar wachten we op?' roep ik. 'Kom! We gaan dansen.'
Ik verbaas me erover hoe gemakkelijk de bewegingen komen; terugkomen, moet ik zeggen. Ik weet nog goed dat er een tijd was waarin dansen een van de dingen was die ik het liefste deed en met de alcohol in mijn lijf is het moeilijk om in de werkelijkheid te blijven. Ik denk aan de talloze keren dat ik in Nicks armen heb gedanst, zijn adem in mijn nek. *Je bent prachtig, weet je dat? Deze schoolfeesten zijn een verschrikking, maar ik heb in elk geval het mooiste meisje in de zaal in mijn armen.'*
De muziek gaat over in iets langzaams en ik laat toe dat Josh zijn armen om mijn middel slaat. Ik leun tegen hem aan, met mijn ogen dicht. De leren mouwen van zijn sportjack kraken tegen mijn wang en ik drink het geluid in, samen met zijn geur, mijn oor tegen de ruwe structuur van de letters op zijn jack. Met mijn ogen dicht is het Nicks leren jack dat ik ruik, is het zijn rits die ik tegen mijn oor voel. Hoor ik hem zeggen dat hij van me houdt. Dat hij altijd van me zal houden.
Een minuut lang is de beleving zo intens dat ik er wat beduusd van ben als ik mijn ogen weer opendoe en Josh zie. 'Ik moet even wat frisse lucht hebben, denk ik,' zeg ik. 'Mijn hoofd tolt helemaal. Iets te snel gedronken.'
'Tuurlijk,' zegt hij. 'Oké.'
We worstelen ons door de menigte naar de uitgang. Links en rechts zijn mensen aan het zoenen en aan het roken, sommigen zitten elkaar achterna in het licht en de muziek die uit de open schuurdeur naar buiten stromen. We lopen de hoek om, naar de zijkant van de schuur, waar niemand is. Josh laat zich op het gras vallen en ik ga naast hem zitten en veeg met mijn palmen langs mijn bezwete voorhoofd.

'Dank je,' zeg ik. 'Ik heb maar weinig beweging gehad, de afgelopen maanden. Ik ben een beetje uit vorm.'

'Geen probleem,' zegt Josh. 'Ik was ook wel aan een pauze toe.' Hij glimlacht naar me. Een oprechte glimlach. En dit is een cool feest. Heel anders dan Nick en ik ons hadden voorgesteld.

Plotseling klinkt er geritsel in het korenveld vlakbij en er duikt een drietal knapen op die onze kant op komen. Eentje herken ik, Meghans broer Troy. De andere twee zijn jongens die veel met Troy omgaan, maar hoe zij heten weet ik niet.

'Kijk 'es aan, wat heb jij hier dan, Joshy?' zegt Troy. Hij blijft wijdbeens voor ons staan, zijn armen gekruist voor zijn borst. 'Met het moordenaarswijffie in de weer? Linke soep, man! Hé, ik heb gehoord dat zij erop geilt als je mensen afknalt.'

Josh' glimlach dooft als een nachtkaars en maakt plaats voor het stalen masker dat ik maar al te goed ken. 'Met haar? Je bent gek, man. Ik hou haar een beetje in de gaten, voor Alex. Zorgen dat ze geen rotzooi trapt.'

Ik word volkomen overvallen door de uitwerking die zijn woorden op me hebben, alsof iemand me in mijn maag stompt. Zo voelt het, als een dreun, letterlijk. Daar ga ik weer. Ik dacht dat Josh me leuk vond, maar was te stom om te zien hoe het echt zat. De oude Val in de bocht. Mijn hoofd tolt en de tranen springen me in de ogen. *Stomkop*, denk ik. *Val, je bent een enorme oen.*

'Dank je vriendelijk, maar ik heb echt geen oppas nodig,' zeg ik. Ik doe mijn best om stoer te klinken, maar mijn stem beeft en ik pers mijn lippen op elkaar. 'Ga gerust,' zeg ik als ik ze weer van elkaar krijg. 'Ik was toch al van plan om weg te gaan.'

Troy hurkt neer en knijpt in mijn knieën. Hij kijkt me brutaal aan, van dichterbij dan ik prettig vind.

'Ja, Joshy. Ga gerust. Ik zorg wel voor de Dooie Dame.'

'Cool,' zegt Josh. Hij krabbelt overeind en verdwijnt. Vlak voordat hij de hoek omgaat, kijkt hij me nog even aan. Ik zou durven zweren dat ik even een blik van spijt zie, maar hoe kan ik nog vertrouwen op wat ik zie? Wanneer het aankomt op het lezen van de gedachten en bedoelingen van mensen zijn er maar weinigen op de wereld die dat slechter doen dan ik. Ik kan net zo goed NEEM MIJ MAAR IN DE MALING op mijn voorhoofd zetten.

'Als zij zich niet netjes gedraagt,' zegt Troy, die zich nu zo dicht over me heen gebogen heeft dat zijn adem de haartjes op mijn voorhoofd in beweging brengt, 'zal ik eens een stevig woordje met haar wisselen. In de taal die zij het best begrijpt.' Hij strekt zijn duim en wijsvinger alsof hij een pistool vastheeft en zet zijn vingertop tegen mijn slaap. Ik kruip boos weg.

'Kras op, Troy,' grom ik. Ik probeer op te staan. Maar hij verstevigt zijn greep op mijn been, zijn pink klauwt in mijn vlees, gevaarlijk dicht bij het litteken. 'Au. Je doet me pijn. Laat me los.'

'Wat nou?' zegt Troy. 'Niet zo dapper meer, zonder vriendje?' Zijn mond is nu zo dichtbij dat ik druppeltjes speeksel op mijn oor voel. 'Ik hoorde van Alex al dat jij er vanavond ook zou zijn. Maar als je het mij vraagt zitten die nieuwe vriendjes van je niet echt op je te wachten.'

'Alex is mijn vriendje niet. Ik ben hier met Jessica,' zeg ik. 'Het maakt ook niet uit, ik ga toch weg. Laat me los.'

Zijn vingers knijpen nog harder in mijn been. 'Mijn zusje was ook in de aula, weet je,' zegt hij. 'Ze zag hoe haar vrienden voor haar ogen werden afgemaakt, dankzij jou

en dat klote-vriendje van je. Ze heeft er nog steeds nachtmerries van. Hij kreeg wat 'ie verdiende, maar jij bent er
veel te goed van afgekomen. Daar klopt geen bal van. Jij
had ook een kogel door je kop moeten hebben, Dooie
Dame. Dat vind ik niet alleen, iedereen denkt er zo over.
Kijk maar eens om je heen. Waar is Jessica dan, als zij jou
zo graag mee wilde hebben? Zelfs de lui die je meegenomen hebben, blijven liever bij je uit de buurt.'
'Laat me los,' zeg ik opnieuw. Ik trek aan zijn vingers,
maar hij knijpt alleen maar harder.
'Weet je, dat vriendje van je is echt niet de enige die weet
hoe je aan een gun kunt komen, hoor,' zegt hij. Langzaam
gaat hij weer rechtop staan. Hij reikt naar zijn broeksband
en haalt een zwart, smal voorwerp tevoorschijn. Hij steekt
het in mijn richting en op het moment dat het maanlicht
erop valt, hap ik naar adem en duw mijn rug stijf tegen de
muur van de schuur.
'Kijk, had dat vriendje van je ook zo'n pistool?' vraagt hij,
terwijl hij het ding schattend met zijn hand naar links en
naar rechts draait. Hij mikt op mijn been. 'Komt dit je bekend voor? Niet zo moeilijk om aan zo'n ding te komen,
hoor. Deze is van mijn pa. Ligt ergens achter een balk in
onze kelder. Ik zou zo een heleboel mensen van de wereld kunnen knallen als ik zou willen, net als Nick.'
Ik probeer er niet naar te kijken en mezelf te dwingen
sterk te zijn, op zijn minst op te staan en weg te rennen.
Maar ik kan nergens anders naar kijken dan naar dat zacht
glanzende wapen in Troys hand en ik heb het gevoel dat
mijn botten van was zijn, mijn spieren van rubber. Mijn
oren piepen net als tijdens de schietpartij en ik heb het
gevoel dat ik geen adem meer krijg. Beelden van de aula
dansen voor mijn ogen. 'Hou op,' kreun ik. Tranen rollen

over mijn wangen, en ik veeg ze met trillende handen weg.

'Blijf uit de buurt van mijn zus en haar vrienden,' zegt hij.

'Dit is melig, man,' zegt een van zijn vrienden. 'We nokken, ik heb 't wel gezien. Dat ding is niet eens geladen.'

Troy kijkt me diep in de ogen en grijnst breed. Hij zwaait het wapen voor mijn neus heen en weer en lacht alsof het één grote grap is geweest, meer niet. 'Je hebt gelijk,' zegt hij tegen zijn vriend. 'We nokken.' Hij schuift het pistool weer in zijn broeksband en ze slenteren naar de ingang van de schuur.

Ik blijf op de grond zitten. Uit mijn keel komen rauwe klanken; huilen is het niet echt, snikken ook niet, iets ertussenin. Ik heb het gevoel dat mijn ogen uit hun kassen zullen springen en kan maar aan één ding denken: weg hier. Ik stommel overeind en ren zo hard ik kan het weiland over, in de richting van de snelweg. De pijn in mijn been, dat telkens als mijn voet de aarde raakt hevig bonst, verbijt ik.

Ik blijf rennen totdat mijn longen branden en ik alleen nog strompelen kan. Eerst ga ik over landweggetjes, daarna volg ik over verharde wegen de spoorweg tot ik bij de snelweg uit zal komen. Ergens halverwege houd ik halt en zijg neer op een heuveltje bij een bosven, om op adem te komen en mijn been wat rust te gunnen. Ik kruip naar de rand van het vennetje, ga op mijn buik liggen en spetter het koude water in mijn gezicht. Ik ga zitten, met mijn spijkerbroek op de vochtige ondergrond, en staar naar de kraakheldere hemel die zo vol beloften leek.

Eindelijk bereik ik de snelweg en even verderop staat een benzinestation. Ik pak mijn mobiel uit mijn jas en bel pap. Op zijn mobiele nummer, het nummer dat ik aan mijn contacten heb toegevoegd terwijl ik mezelf voorhield: *Dat nummer ga ik dus nooit bellen. Op dat nummer ga ik hem dus nooit bellen.*

De telefoon gaat tweemaal over.

'Pap?' zeg ik. 'Kun je me komen halen, alsjeblieft?'

32

*P*ap komt me halen bij het pompstation. In zijn pyjama, zijn gelaat hoekig en verbeten, de handen vast om het stuurwiel geklemd. Ik glijd naast hem op de voorstoel, maar hij weigert me aan te kijken en zit zwijgend en met opeengeklemde kaken voor zich uit te staren.

'Heb je gedronken?' vraagt hij als hij van de parkeerplaats de weg oprijdt.

Ik knik.

'Dat meen je niet, Valerie,' zegt hij. 'Heb je me daarom gebeld? Omdat je te veel gedronken hebt?'

'Nee,' zeg ik, terwijl ik mijn hoofd tegen de hoofdsteun leg. 'Ik heb wel gedronken, maar niet veel.'

'Ik ruik het toch.'

'Een paar biertjes maar, meer niet. Zeg het alsjeblieft niet tegen mam. Alsjeblieft. Die wordt gek als ze het hoort.'

Hij kijkt me aan met een blik waarin duidelijk te lezen staat: *en ik dan?* maar houdt wijselijk zijn mond. Misschien omdat hij beseft dat ik niet de enige ben die mam tot wanhoop drijft. Haar leven is heel anders gelopen dan zij zich had voorgesteld en daar speelt hij ook een belangrijke rol in.

'Ik vind het onbegrijpelijk dat je moeder jou naar feestjes laat gaan,' mompelt hij binnensmonds.

'Ze probeert me vertrouwen te geven,' zeg ik.

'Ze zou beter moeten weten,' antwoordt hij, en hij kijkt

me vluchtig aan voordat hij de invoegstrook verlaat en de snelweg oprijdt.

We rijden in stilte verder. Pap schudt om de paar seconden afkeurend zijn hoofd. Ik kijk naar hem en vraag me af hoe het zover heeft kunnen komen. Hoe de man, die ooit zijn babydochter in zijn armen heeft gehouden en haar gezichtje heeft gekust, haar op een dag zo rigoureus uit zijn leven en uit zijn hart heeft kunnen bannen. Hoe het kan dat hij, ook al zoekt ze zijn hulp – pap, kom me halen alsjeblieft, red me – haar alleen maar beschuldigen kan. Hoe het zover is gekomen dat zijn dochter alleen maar met afkeer en boosheid en wrok naar hem kan kijken; omdat hij dat zelf jarenlang heeft uitgestraald en haar ermee heeft aangestoken waarschijnlijk.

Misschien is het de alcohol of het rauwe gevoel dat ik heb na de bedreigingen van Troy, maar om de een of andere reden lukt het me niet de razernij die ik voel tot bedaren te brengen. Hij is mijn vader. Hij zou me moeten beschermen, op z'n minst bezorgdheid moeten tonen als ik hem midden in de nacht ergens in een negorij bij een pompstation bel om me op te komen pikken.

'Waarom?' barst ik uit, voor ik me bedenken kan.

Hij werpt opnieuw een snelle blik op me. 'Waarom wat?'

'Waarom zou mam me niet moeten vertrouwen, pap? Hoe komt het dat jij alleen maar het slechte van me ziet, waar komt die starheid vandaan?'

Ik staar naar de zijkant van zijn hoofd in de hoop dat hij oogcontact zal maken. Dat doet hij niet. 'Het gaat hartstikke goed de laatste tijd, maar dat interesseert je geen moer.'

'En toch heb je jezelf vanavond weer in de nesten gewerkt,' zegt hij.

'Jij weet helemaal niet wat er vanavond gebeurd is,' zeg

ik, mijn stem hoger dan normaal. 'Het enige wat jij weet is dat ik schuldig ben, alleen maar omdat ik erbij betrokken ben. Je zou op z'n minst kunnen doen alsof het je iets kan schelen, weet je. Je zou op z'n minst kunnen proberen het te begrijpen.'

Pap produceert een boosaardig lachje. 'Ik zal je zeggen wat ik begrijp,' zegt hij met een bijtende klank in zijn stem, alsof ik voor een rechtbank sta. 'Ik begrijp dat jij, zodra je je eigen gang kunt gaan, problemen veroorzaakt. Dat is wat ik weet. Ik begrijp dat ik een rustig avondje met Briley had gepland en dat het jou weer gelukt is om dat in de war te schoppen.'

Ik leun achterover en lach honend. 'Het spijt me, hoor, dat ik dat heerlijke leventje met die schattige Briley van je in de war stuur,' zeg ik. 'Sorry dat ik je met je echte gezin lastigval. Maar als ik je...'

Pap snijdt me de pas af. Zijn stem buldert door de auto. 'Ik begrijp dat die moeder van je jou je gang maar laat gaan. Als ik erbij geweest was, had je nooit naar dat stomme feest gemogen vanavond.'

Ik sper mijn ogen wijd open. 'Maar je was er niet, pap. Dat is nou precies waar het om draait. Je bent er nooit. Zelfs als je er wel bent, ben je er niet echt. Briley is niet je gezin. Ik ben je gezin. *Ik*. Briley is alleen een stomme... een verhouding.'

Pap geeft een ruk aan het stuur en de Lexus slingert met een rotgang de vluchtstrook op. De auto achter ons komt toeterend en met gillende banden tot stilstand, trekt daarna weer op en zwaait om ons heen. De bestuurder werpt boze blikken op pap. Maar pap heeft niets in de gaten. Hij brengt de auto bruusk tot stilstand en stapt uit. Hij beent met lange passen naar mijn kant van de auto, rukt het portier open, grijpt me bij mijn bovenarm en sleurt me de auto uit. Ik slaak een kreet en struikel de berm in.

Hij trekt me naar zich toe tot vlak bij zijn gezicht, zijn vingers diep in het vlees van mijn bovenarm.

'Nou moet jij eens heel goed naar me luisteren, jongedame,' sist hij door zijn opeengeklemde kaken. 'Het wordt tijd dat jij het tot die botte hersens van je door laat dringen dat je een heel goed leven hebt gehad, dat je een verwend nest bent en dat ik het spuug- en spuugzat ben.' Hij schudt met zijn hoofd als hij 'spuug' zegt, en kleine druppeltjes speeksel vliegen tussen zijn knarsende tanden vandaan en komen op mijn kin terecht. 'Ik ben het zo zat dat jij het leven van anderen steeds maar weer verstiert. Of je zorgt dat je je leven op orde krijgt en je gedraagt je vanaf nu, of ik schop je de straat op voor je *verwend nest* kunt zeggen, zo waar als ik hier sta. Gesnopen?'

Ik heb mijn ogen wijd opengesperd en haal hijgend adem. Mijn arm doet pijn waar hij hem vasthad en mijn benen zijn net pap. De woede is verdwenen; ik ben te bang om boos te zijn. Ik knik verdoofd.

Hij ontspant zich een beetje, maar laat me niet los en spreekt nog steeds met opeengeklemde kaken en in korte, staccato zinnetjes. 'Goed. Dan neem ik je mee naar mijn huis. Naar Briley. Die reken ik ook tot mijn gezin. Of je dat nou leuk vindt of niet. Heb het lef niet om het haar moeilijk te maken. En als je denkt dat je het niet aankunt om je één nacht normaal te gedragen, dan breng ik je nu naar huis. Maar dan krijg je vijf minuten om je spullen te pakken. En dan schop ik je eruit. Dit gezin uit. Klaar. En daag me niet uit.'

Er komt een zilvergrijze auto aanrijden die naast ons afremt. Het raampje aan de passagierskant gaat omlaag. In de opening verschijnt het gezicht van een vrouw, nieuws-gierig en bezorgd. 'Alles goed hier?' roept ze. Geen van ons beiden verroert zich aanvankelijk, onze blikken hou-den elkaar gevangen, onze lichamen zijn half verscholen in de donkere schaduw van onze auto.

Pap laat me los en kijkt op, zwaar ademhalend door tril-lende neusgaten. 'Ja. Alles goed,' zegt hij en hij loopt naar de voorkant van de auto.

'Jongedame?' roept ze. 'Gaat het? Moeten we iemand bel-len?'

Langzaam, alsof ik tot aan mijn nek in een zwembad sta, keer ik me in haar richting en kijk haar aan. Ze wuift met een mobieltje en werpt een vlammende blik op pap, die het bestuurdersportier opendoet en instapt. Ergens wil ik het liefst naar haar toe rennen, achter in haar auto sprin-gen en haar smeken me mee te nemen, hiervandaan. Er-gens anders heen.

Maar ik schud mijn hoofd. 'Niks aan de hand,' zeg ik. 'Dank u wel.' Ik strijk daas de kreukels uit mijn shirt, waar paps vingers mijn arm hebben omkneld.

'Zeker weten?' vraagt ze. Haar auto komt langzaam weer in beweging.

Ik knik. 'Ja, hoor,' zeg ik. 'Er is niks.'

'Oké,' zegt ze, niet echt overtuigd. 'Goeienavond dan.' Ze blijft me aankijken tot het raampje helemaal dicht is en de auto rijdt weg en verdwijnt in de nacht.

Ik leun tegen paps auto. Ik beef. Mijn hart bonst en ik ben misselijk. Ik haal een paar keer diep adem en probeer me-zelf tot bedaren te brengen voordat ik de auto weer induik en het portier dichtsla. De rest van de weg naar zijn huis spreken we geen woord.

Bij paps appartement staat Briley met een dikke roze

badjas om zich heen geslagen bij de deur te wachten. Ze werpt een blik op mij en kijkt dan vragend naar pap.

'Wat is er aan de hand?' vraagt ze.

Pap smijt zijn sleutels op het dressoir en loopt langs haar heen. Ik loop schaapachtig achter hem aan en kijk rond. Het ziet eruit als paps plek, al is er niets wat ik herken. Al zijn spullen staan nog bij mij thuis. Maar wat hier staat kon heel goed van hem zijn. In de hoek van de woonkamer staat een flat-screen tv, er staan veel zwartleren meubelen en twee enorme uitpuilende boekenkasten. Op de salontafel staan twee glazen met een bodempje wijn. Ik zie het voor me: zij tweeën in pyjama en badjas op de bank, hand-in-hand kijkend naar David Letterman, en dan gaat de telefoon. Had Briley met haar ogen gerold en geprobeerd op hem in te praten zodat hij niet zou gaan?

Om de hoek hoor ik een koelkastdeur open- en dichtgaan. Ik sta als vastgenageld onder Briley's blikken.

'Hé, kom,' zegt ze. Ze raakt zachtjes mijn schouder aan, een beetje zoals pap haar op zijn kantoor aanraakte. De aanraking die hen verraden heeft. 'Dan pak ik even een pyjama voor je.'

Ze gaat me voor naar een koele, kubusvormige slaapkamer en gebaart me om op het bed te gaan zitten, terwijl zij in een kledingkast rommelt en een pyjama zoekt.

'Alsjeblieft,' zegt ze. Ze zet haar handen op haar heupen en kijkt me aan. 'Hij is je vader,' zegt ze. 'Hij heeft er recht op te weten wat er is gebeurd.'

Ik knipper met mijn ogen en kijk naar de handen in mijn schoot.

'Is het gemakkelijker om het aan mij te vertellen dan?' vraagt ze. Ze klinkt niet overdreven vriendelijk en doet niet extra haar best om aardig te zijn, wat ik wel tof vind.

Was ze op me afgekomen om een haarlok achter mijn oor te strijken of me over mijn rug te wrijven, dan was ik waarschijnlijk dichtgeklapt. Maar ze komt alleen maar naast me zitten, zet haar handen plat naast haar lichaam op het matras en zegt: 'Vertel het mij maar, dan vertel ik het wel aan hem. Hoe dan ook, hij moet het weten. Je kunt hier anders niet blijven. Ik wil je moeder ook wel bellen.'

En ik vertel haar alles. Ze luistert alleen maar, zegt niets en doet ook geen poging om me een knuffel te geven als ik klaar ben. Ze staat op, strijkt de kamerjas glad over haar benen en zegt: 'Je kunt je in de badkamer omkleden, daar links,' en loopt de kamer uit.

Voor ik het weet zit ik met gekruiste benen op de leren bank te luisteren naar de discussie die in de keuken gaande is.

'Ze mag hem niet laten wegkomen met zoiets,' komt Briley's stem door de keukendeur. 'Dat weet je best.'

'Ze is bang. Begrijp dat dan.' Paps stem; hij neemt niet de moeite om te fluisteren. 'En dan nog: ze luistert vanavond toch nergens naar, wat ik ook zeg. Dat lijkt me wel helder.'

Ze maken ruzie. Om mij. Ergens wil ik me daar wel triomfantelijk over voelen; dat ik een wig tussen hen heb gedreven, tussen twee mensen die zich hadden verheugd op een lekker avondje met z'n tweeën. Alsof ik lekker toch de laatste ben die lacht, ondanks paps dreigementen. Maar het gaat niet. Ik voel me verdoofd en hondsmoe. En stom. Onvoorstelbaar stom.

'Ze heeft het al moeilijk genoeg op school. Hij heeft haar niets gedaan. Bovendien is hij allang van die school af,' zegt pap.

'Daar gaat het niet om, Ted. Hij heeft haar bedreigd. Hij

heeft haar de stuipen op het lijf gejaagd. En hij had een pistool.'

'Maar dat was ongeladen. We weten niet eens of het wel echt een pistool was. Dan nog... het is onze zaak niet. Laat haar moeder het maar afhandelen, als ze het haar moeder al vertelt. Jenny heeft haar toestemming gegeven om naar dat feest toe te gaan, dan mag zij het verder regelen ook.'

'Ze heeft nu een ouder nodig, Ted.'

'En dat ben jij niet!' gromt pap.

Mijn mond valt open als hij dat zegt en ik merk zelfs dat ik het vervelend vind voor Briley. Ze moet gereageerd hebben, want zijn stem klinkt opeens lager, alsof hij zijn woede onderdrukt.

'Oké... sorry. Ik weet dat jij graag wilt dat we een gezin zijn, maar dat gaat nu nog niet. Dat is te snel. Jij bent nog geen ouderfiguur voor haar. Dat ben ik.'

'Gedraag je dan ook zo,' komt het gesmoorde antwoord.

Voetstappen daarna, klepperende slippers op de houten vloer van de gang en het geluid van de slaapkamerdeur die zachtjes dichtgaat.

Ik hoor pap zuchten. Opnieuw voetstappen. Pap komt de woonkamer binnen.

'Ik breng je morgen weer thuis,' zegt hij afgemeten. 'Hoe zit het met dat meisje bij wie je zou slapen vannacht? Gaat zij je moeder niet bellen als ze merkt dat jij er niet bent?'

'Ik heb haar al gebeld en gezegd dat ik me niet goed voel en dat jij me hebt opgehaald. Ze weet dat ik niet kom.'

Hij knikt.

'Hoor eens,' zegt hij zuchtend en wrijvend over zijn voorhoofd. 'Ik vind dat je naar de politie moet gaan en er aangifte van moet doen dat die knaap je bedreigd heeft. Dat zeg ik je als advocaat. Kijken wat zij ervan zeggen. En dan staat er bij hen in elk geval iets op papier.'

'Ik zal erover nadenken,' zeg ik.

'Denk er heel goed over na dan,' zegt hij. Hij is even stil. 'En je moet het ook aan je moeder vertellen.'

'Weet ik,' zeg ik, maar ik weet dat ik dat niet zal doen. Dit feest was haar South Dakota. En daarbij: hij had gelijk. Ik heb helemaal geen verstand van wapens. Dat pistool kan best nep geweest zijn, wie zal het zeggen? Ik in elk geval niet.

Hij draait zich om, alsof hij de kamer wil verlaten. 'Duik er maar gauw in,' zegt hij, en hij wijst naar het kussen en de deken die naast de bank liggen. 'Ik heb een drukke dag morgen. We vertrekken vroeg.'

Hij knipt de staande lamp uit en hult de woonkamer in het duister. Ik ga languit op mijn rug liggen en staar naar het plafond tot mijn ogen pijn doen, bang om ze dicht te doen vanwege de beangstigende beelden die dan in mijn hoofd zullen opdoemen. Ik heb er inmiddels zo veel verzameld dat mijn brein ze voor het uitkiezen heeft. Eén ding weet ik: ik ben het verschrikkelijk zat om steeds maar bang te zijn. Maar vanwaar ik nu lig, lijkt elk pad dat ik kan kiezen dood- en doodeng.

En ik weet nog iets anders ook. Pap zal niet bijdraaien. Het heeft geen zin om daar mijn best nog voor te doen. Hij denkt over me zoals hij denkt, hij heeft zijn keuze gemaakt.

In de ochtend brengt pap me in zijn Lexus naar huis. Geen van ons tweeën zegt iets totdat hij de auto langs de stoeprand voor het huis tot stilstand brengt. Het is nog heel vroeg; de lucht is grijs en thuis lijkt alles nog in ruste.

'Zeg tegen Frankie dat ik jullie zaterdagochtend kom ha-

len,' zegt hij. 'Dan gaan we ergens iets eten of zo.'
Ik knik. 'Doe ik. Maar ik denk niet dat ik meekom.'
Hij laat dat even bezinken, en peilt me met zijn blik. Hij
knikt kort. 'Dat verbaast me eigenlijk niet.'

33

*A*ls pap me heeft afgezet, sluip ik de trap op naar mijn kamer en val als een blok op mijn buik in slaap. Na een tijdje komt mam me wekken met de mededeling dat het tijd is voor therapie, maar ik wuif haar weg en beloof dat ik 's avonds dokter Hieler zal bellen. Ik lieg dat het heel erg laat geworden is bij Jessica en dat ik uit moet slapen. Maar als mam is afgedropen, rol ik me op mijn rug en lig voor de zoveelste keer naar het plafond te staren. Het lukt me niet om weer in slaap te komen. Na een hele poos sta ik op en vraag mam of ze me naar Bea wil brengen.

'Sjonge,' zegt Bea, die mijn gezicht bestudeert als ik het atelier binnenkom. 'Lieve help.' Daar laat ze het bij. Ze zet zich weer aan het tafeltje waar ze juwelen aan het maken is en schudt zo nu en dan met haar hoofd en maakt klik-geluiden met haar tong.

Ik zeg ook niets. Ik wil op mezelf zijn. Ik wil schilderen, even nergens aan denken.

Ik neem een leeg doek uit een rek en zet dat op mijn ezel. Ik kijk er lang naar. Zo lang, dat ik het gevoel heb dat mam elk moment weer op de stoep kan staan en dat ik dan nog altijd een leeg doek voor mijn neus heb; een leeg doek met duizend beelden die alleen ik kan zien.

Uiteindelijk neem ik een penseel en houd dat boven het palet, twijfelend over de kleur die ik kiezen zal.

'Weet je,' zegt Bea, terwijl ze met haar nagels een doorzichtige groene kraal voor een armband uit een doosje grabbelt, 'dat de meeste mensen denken dat je met een penseel alleen maar kunt schilderen, meer niet? Zo fantasieloos.'

Ik staar naar het penseel. Mijn handen bewegen uit zichzelf, zoals ze vaker hebben gedaan. Ze keren het penseel om, zodat de haren in mijn handpalm rusten. Ik klem mijn vuist eromheen en voel ze knisperen en kriebelen.

Ik zet het topje van de steel tegen het doek en duw. Eerst zachtjes, daarna harder, tot ik een plopje voel en het canvas hoor scheuren op het moment dat het penseel erdoorheen gaat. Ik trek het penseel terug, kijk even naar wat ik gedaan heb en doe hetzelfde nog een keer, een centimeter of wat naast het eerste gat.

Ik kan niet zeggen dat ik bewust bezig ben iets te maken. Ik werk gedachteloos. Mijn handen gaan hun eigen gang; ik merk alleen dat er bij ieder gaatje dat ze prikken spanning uit mijn lijf vloeit. Het is niet dat ik op zoek ben naar een bepaald gevoel, maar er zit iets in me dat eruit moet. In een mum van tijd zitten er tien gaten in het doek. Ik kleur ze rood. Daaromheen schilder ik pikzwarte vlekken met kleine, waterige puntjes, als tranen.

Ik leun achterover en bestudeer het. Het is lelijk, duister, onvoorspelbaar. Als een monsterlijk gelaat. Misschien wel mijn eigen gezicht. Ik weet het niet goed. Is het een beeld van iets wat boos en kwaadaardig is of een beeld van mijzelf?

'Allebei,' mompelt Bea, alsof ik de vraag hardop gesteld heb. 'Allebei natuurlijk. Maar dat is niet zoals het zou moeten zijn. Helemaal niet.'

Op dat moment weet ik wat me te doen staat. In zekere zin had Troy gelijk. Ik pas er niet bij. Ik pas niet bij Jessica, niet bij Meghan, en zeker niet bij Josh. Ik hoor niet op dat soort feesten. Ik hoor niet in de leerlingenraad. Ik pas niet bij Stacey en Duce. Niet bij mijn ouders, die het zo zwaar hebben. Niet bij Frankie, die zo gemakkelijk vrienden maakt.

Wie houd ik nou voor de gek? Eigenlijk heb ik ook nooit echt bij Nick gepast. Ik heb hem laten vallen als een baksteen, toch? Ik heb hem laten denken dat ik hetzelfde geloofde als hij, dat ik aan zijn kant stond, wat er ook gebeurde, al zou hij ook iemand ombrengen.

Bea heeft het fout. Ik ben niet alleen het droevige meisje, ik ben ook het monster. Die twee kun je niet scheiden.

Ik laat het penseel op de vloer vallen – verf spat op de zomen van mijn broekspijpen – en sluip het atelier uit. Ik doe net of ik Bea, die me nog wat bemoedigende woorden naroept, niet hoor.

34

'Dat kun je niet maken,' zegt Jessica. 'Je kunt je niet nu ineens terugtrekken.' Op haar voorhoofd verschijnt een rimpel. Irritatie. 'We hebben nog maar een paar maanden om dit allemaal voor elkaar te krijgen. Jouw hulp is hard nodig. Je hebt "ja" gezegd.'

'Nou, dan zeg ik nu "nee",' antwoord ik. 'Ik kap ermee.'

Ik sluit mijn kluisje af en liep naar de dubbele glazen deuren.

'Wat heb jij,' sist Jessica, die met grote passen achter me aan komt. Bijna zie ik de oude Jessica weer, ik hoor de echo van haar stem: *waar kijk jij naar, Dooie Dame?* Op de een of andere manier maakt dat het gemakkelijker om te doen wat ik moet doen.

'Wat ik heb? Deze school!' zeg ik tussen mijn opeengeklemde kaken door. 'En die eikels van vrienden van jou. Ik wil rust! Ik wil mijn school afmaken en hier weg, verder niks. Is dat zo moeilijk te begrijpen? Waarom wil iedereen zo graag dat ik iemand word die ik niet ben?' Ik houd mijn pas niet in.

'Hallo, zeg. Wanneer hou jij nou eens op met dat "ik hoor niet bij jullie" gedoe, Valerie? Hoe vaak moet ik je nog zeggen dat je er wel bij hoort? Ik dacht dat wij vriendinnen waren.'

Ik sta stil, draai me bruusk om en kijk haar aan. Dit gaat bijna fout. Ik voel me vreselijk schuldig – ik lees de pijn in

haar ogen – maar ik moet van haar af. En van de leerlingenraad. En van Meghan. En van Alex Gold, die maar wat
graag van mij af wil, zo graag dat hij het bij dat feest van
hem zo had geregeld dat Josh op me zou passen en dat
Troy me de stuipen op het lijf zou komen jagen. Ik wil af
van de verwarring, van de pijn.

Ik kan Jessica niet vertellen wat er gebeurd is. Onmogelijk.
Ze heeft Meghan behoorlijk onder druk gezet om mij te
accepteren en ze is in staat om Troys voordeur in te rammen en hem op te laten sluiten of zoiets. Ik zie het al helemaal gebeuren: ze zal een campagne starten en iedereen
in Garvin dwingen om weer normaal tegen me te doen,
of ze dat nou willen of niet. Maar ik ben het meer dan zat
om het liefdadigheidsproject van school te zijn; om voortdurend door iedereen in de gaten te worden gehouden,
altijd in de schijnwerpers te staan. Ik trek het niet meer.

'Nou, dan heb je het mis. We zijn geen vriendinnen, jij en
ik. Ik voelde me rot over dat schrijfblok, meer niet. Niemand moet me, Jessica. Ik heb er geen zin meer in. Nick
had een verschrikkelijke hekel aan dat groepje van jou.
En ik ook.'

Ze loopt rood aan. 'Ik weet niet of je het in de gaten hebt,
Valerie, maar Nick is dood. Wat hij vond, is niet meer belangrijk. En als je het weten wilt: nooit geweest ook, niet
echt, op een paar minuten in mei na. Ik dacht dat jij anders
was. Beter. Jij hebt mijn leven gered, weet je nog?'

Ik knijp mijn ogen samen, kijk recht in de hare en doe
alsof ik minstens zo veel zelfvertrouwen heb als zij. 'Snap
je het dan nog niet? Het was helemaal niet de bedoeling
om jou te redden,' zeg ik. 'Ik wilde hem tegenhouden,
meer niet. Jij had iedereen kunnen zijn.'

Haar gezicht verraadt geen enkele emotie, ze ademt alleen

wat sneller. Ik zie haar borstkas rijzen en dalen op het ritme van haar ademhaling.

'Dat zeg je nou wel, maar ik geloof je niet,' zegt ze. 'Ik geloof er geen woord van.'

'Moet jij weten. Ik wel. Omdat het zo is. Je doet dat projectje van de LeRa maar mooi zonder mij.'

Ik draai me op mijn hakken om en been weg.

Vlak voordat ik bij de dubbele deuren ben, hoor ik achter mijn rug Jessica's stem. Luid. Galmend door de hal. 'Denk je dat het voor mij gemakkelijk is?' roept ze. Ik sta stil en draai me om. Ze staat nog precies daar waar ik haar heb achtergelaten, haar gezicht verwrongen van emoties. 'Denk je dat?' Ze laat haar rugtas vallen en komt op me af, kalm en vastberaden, een hand op haar borst, vlak onder haar keel. 'Nou, dat is niet zo. Ik heb nog steeds nachtmerries. Ik hoor die schoten nog. Nog altijd zie ik... Nicks gezicht voor me als ik... jou zie.' Ze is gaan huilen, haar kin opgetrokken als die van een verdrietig kind, maar haar stem is vast en krachtig. 'Ik mocht je niet... eerst. Daar kan ik niks meer aan veranderen. Ik heb ruzie met mijn vrienden gemaakt om ervoor te zorgen dat jij mee kunt doen. Ik heb ruzie gemaakt met mijn ouders. Ik doe in elk geval mijn best.'

'Niemand heeft je gevraagd om je best te doen,' zeg ik. 'Niemand heeft tegen je gezegd dat je mijn vriendin moest worden.'

Ze schudt woest met haar hoofd. 'Je hebt geen idee,' zegt ze. 'Twee mei. Twee mei heeft het tegen me gezegd. Ik leef. En dat heeft alles veranderd.'

'Je bent gek,' zeg ik met een onvaste, bevende stem.

'En jij een ontzettende egoïst,' zegt ze. 'Als je nu wegloopt, ben je een ontzettende egoïst, meer niet.'

Ze is me inmiddels tot op een paar passen genaderd en het enige wat in me opkomt is dat ik moet maken dat ik wegkom, egoïst of niet. Ik storm de deuren door, de frisse lucht in. Ik duik mams auto in en plof neer op de voorstoel. Mijn borstkas voelt verkrampt en kil aan. Mijn kin trilt en mijn keel zit dichtgeschroefd.

'Kom, naar huis,' zeg ik, terwijl mam optrekt en wegrijdt.

35

'Nog steeds geen zin om te praten?' vraagt dokter Hieler, terwijl hij zich weer in zijn stoel nestelt. Hij reikt me een blikje cola aan. Ik zwijg. Ik heb al die tijd, vanaf het moment dat hij me in de wachtkamer is komen ophalen, nog niets gezegd. Geen woord. Niet toen hij vroeg of ik cola wilde; niet toen hij zei dat hij even wat drinken voor ons ging halen en zo terug was. Ik zit duf voor me uit te staren op de bank, diep in de kussens weggezakt, met mijn armen over elkaar en een donkere frons op mijn gezicht.

Zo blijven we een tijd lang zitten zonder iets te zeggen.

'Heb je dat schetsblok nog meegenomen? Ik wil je tekeningen graag zien,' zegt hij.

Ik schud mijn hoofd.

'Potje schaken?'

Ik sta op en ga tegenover hem bij het schaakbord zitten.

'Weet je,' zegt hij langzaam, terwijl hij zijn eerste zet doet, 'ik begin toch de indruk te krijgen dat je iets dwarszit.' Hij slaat zijn ogen naar me op en grijnst. 'Ik heb ooit een boek over menselijk gedrag gelezen. Dat is waarom ik zo goed ben! Ik zie het gewoon als iemand niet lekker in z'n vel zit.'

Ik grijns niet terug en houd mijn blik strak op het bord gericht. Ik doe een tegenzet.

We spelen een hele poos in stilte verder. Ik heb mezelf voorgenomen dat ik mijn kiezen op elkaar zal houden.

Dat ik me weer zal afsluiten, zal wegduiken in de vredige stilte waarmee ik me in het ziekenhuis ook heb omhuld; in mezelf gekeerd, onzichtbaar en onbereikbaar. Niet meer praten, met niemand. Het beroerde is alleen dat niets zeggen bij dokter Hieler zo verschrikkelijk moeilijk is. Hij geeft te veel om me. Hij is te betrouwbaar, hij geeft me te veel een gevoel van veiligheid.

'Wil je erover praten?' vraagt hij, en voordat ik er iets aan kan doen rolt er een traan over mijn wang.

'Jessica en ik zijn geen vriendinnen meer,' zeg ik. Ik rol met mijn ogen en veeg nijdig mijn wangen droog. 'En ik heb geen idee waarom ik daarom moet huilen. Echt vriendinnen zijn we nooit geweest. Zo stom, dit.'

'Hoe is dat zo gekomen?' vraagt hij. Hij laat het schaakbord voor wat het is en hangt weer achterover in zijn stoel.

'Vond ze je toch een te grote loser, uiteindelijk?'

'Nee,' zeg ik. 'Dat zou Jesscia nooit zeggen.'

'Wie wel, dan? Meghan?'

'Nee,' zeg ik.

'Ginny?'

'Ginny heb ik sinds die eerste schooldag niet meer gezien.'

'Hm,' zegt hij nadenkend. Hij staart naar het schaakbord en knikt. 'Dan blijft er nog maar één over. Jij. Toch?'

'Zij wil nog steeds vriendinnen zijn,' zeg ik. 'Maar ik trek het niet.'

'Omdat er iets gebeurd is,' zegt hij.

Ik kijk hem scherp aan. Hij heeft zijn armen over elkaar geslagen en strijkt met zijn vinger over zijn onderlip, zoals hij altijd doet wanneer hij weten wil wat er in me leeft.

Ik zucht. 'Dat heeft niks te maken met waarom ik Jessica heb laten vallen.'

'Gewoon toeval,' zegt hij.

Ik geef geen antwoord, schud alleen maar ellendig met mijn hoofd en laat mijn tranen de vrije loop. 'Ik wil dat het ophoudt, dat is alles. Dat heel dat gedoe stopt. Er is toch niemand die me gelooft,' snik ik. ''t Kan geen hond iets schelen.'

Dokter Hieler gaat verzitten. Hij leunt naar voren, zo diep dat hij me recht kan aankijken. 'Ik wel. Alle twee.' Ik geloof hem. Als er iemand is die het zich zou aantrekken wat er op het feest gebeurd is, wat Troy heeft gedaan, dan is het dokter Hieler. En het idee om het voor me te houden, wat een week geleden nog het veiligst had geleken, is ineens onverdraaglijk, zo erg dat het bijna lichamelijk pijn doet. Voor ik het weet, ben ik aan het vertellen. Ik kan het zelf bijna niet geloven. Alsof de stilte niet langer een vriend is.

Ik vertel dokter Hieler alles. Hij zit weggedoken in zijn stoel en luistert, zijn ogen steeds levendiger, zijn lijf steeds actiever, terwijl ik vertel. Samen bellen we de politie om aangifte van bedreiging te doen. We zullen het uitzoeken, zeggen ze. Er is waarschijnlijk niet zo veel wat we kunnen doen, zeker niet als je niet zeker weet dat het een echt pistool was, zeggen ze. Maar ik word niet uitgelachen. Ze zeggen niet dat het mijn eigen schuld is. Ik word niet voor leugenaar uitgemaakt.

Na de sessie loopt dokter Hieler met me mee naar de wachtkamer, waar mam een tijdschrift zit te lezen. 'Nu moet je het je moeder ook vertellen,' zegt hij. Mam kijkt gealarmeerd op. Haar mond vormt een kleine o en ze kijkt van hem naar mij. 'En jij gaat je stinkende best doen om beter te worden,' waarschuwt hij. 'Je gaat het bijltje er niet bij neergooien nu. Dat laat ik niet gebeuren. Daarvoor heb je al veel te hard gewerkt. En er is nog meer te doen.'

Maar ik heb helemaal geen zin om nog hard te werken; thuisgekomen wil ik alleen nog maar op mijn bed liggen en slapen.

Ik heb mam onderweg alles verteld, ook waarmee pap heeft gedreigd nadat hij me langs de snelweg had opgepikt. Ze luistert passief, ongeïnteresseerd lijkt het, en als ik klaar ben zegt ze niets. Maar zodra we thuis zijn belt ze pap. Ik ga naar mijn kamer en hoor dat mams stem een steeds hogere klank krijgt. Ze verwijt hem dat hij het wel weet maar niets heeft gezegd. Dat hij me heeft opgehaald zonder haar iets te vertellen. Dat hij er niet voor ons, voor zijn gezin is.

Na een hele tijd hoor ik de voordeur opengaan en ik hoor mam beneden in de hal iets mompelen. Ik doe zachtjes mijn deur open en gluur naar beneden. Pap staat buiten voor de deur, zijn handen op de heupen, met een geërgerde trek op zijn gezicht.

Hij draagt geen pak. Dat valt me op, want het is een gewone werkdag en pap kwam nooit voor het donker thuis. Dan zie ik verfspatten op zijn shirt en ik maak daaruit op dat hij vandaag thuis is gebleven en Briley's appartement aan het verven is. Om er hun appartement van te maken. Zachtjes doe ik mijn deur weer dicht en kijk uit het raam. Briley zit om de hoek in de auto op hem te wachten.

Ik hoor mam weer sputteren beneden. Hoor hem een antwoord blaffen. 'Wat had ik dan moeten doen?' Stilte. Zijn stem weer: 'Stuur haar naar die verhipte afdeling psychiatrie terug, dat is wat ik vind. De "vooruitgang", waar die zielenknijper de mond zo vol van heeft? Ik geef er geen barst om!' En daarmee slaat de voordeur dicht. Ik haast me weer naar het venster en zie hem in de auto stappen en met Briley wegrijden.

Kort nadat pap vertrokken is, hoor ik beweging en ik kijk met een schuin oog naar mijn deur. Daar staat Frankie. Hij leunt wat onzeker tegen de deurpost. Hij lijkt ouder te zijn geworden, met zijn kortgeknipte warrige haar dat glinstert van de gel, zijn loshangende blouse over een Diesel-T-shirt en een gebleekte spijkerbroek. Hij heeft een ongewoon zacht en onschuldig gezicht met van die bleekrode vlekjes op zijn wangen, waardoor het lijkt of hij altijd een beetje verlegen is. Misschien is hij dat ook wel. Niet zo vreemd, als je bedenkt wat er in zijn leven allemaal gebeurt. Sinds pap het huis uit is, heeft hij zo'n beetje bij Mike gewoond, zijn beste vriend. Ik heb een gesprek opgevangen tussen mam en de moeder van Mike waarin mam zei dat ze heel wat met haar oudste te stellen had en het enorm op prijs stelde dat zij Frankie een tijdje onderdak boden. Frankies verandering heeft vast te maken met zijn verblijf bij Mike. Mikes moeder is een van die moeders op wie nooit iets aan te merken valt; die heeft geen zoon met zijn haren rechtovereind, laat staan een kind dat een schietpartij op school veroorzaakt. En Frankie is een goeie gozer. Dat zie ik zelfs.

'Hé,' zegt hij. 'Alles oké?'

Ik knik en ga zitten. 'Ja, best wel. Alleen moe, denk ik.'

'Sturen ze je echt naar dat ziekenhuis terug?'

Ik rol met mijn ogen. 'Pap is gewoon pissig. Hij heeft last van me en dat irriteert hem.'

'Moet je terug? Ik bedoel: draai je door of zo?'

Ik moet bijna lachen. Bijna. Ik grinnik, meer niet, maar dat bezorgt me al een steek in mijn hoofd. Ik schudde van nee. Nee. Ik draai niet door. Dat denk ik niet in elk geval.

'Ze zijn kwaad,' zeg ik. 'Dat draait wel weer bij.'

'Nou ja, als je toch moet...' begint hij. Hij stopt. Met afgekloven nagels pulkt hij aan mijn bedsprei. 'Als je toch moet, dan zal ik je schrijven,' zegt hij.

Ik wil hem een knuffel geven. Hem troosten. Hem zeggen dat dat niet nodig zal zijn omdat ik van z'n lang zal ze leven niet naar die achterlijke afdeling psychiatrie terugga. Dat ik bij pap uit de buurt blijf en dat hij dan wel weer af zal koelen. Ik wil tegen hem zeggen dat ons gezin wel weer bij elkaar zal komen – dat het uiteindelijk allemaal wel weer goed zal komen, beter dan ooit zelfs.

Maar ik zeg niets. Niets zeggen lijkt me beter dan hem al dat moois voor te spiegelen, menselijker ook. Want wat weet ik nou? Helemaal niks toch?

Als bij toverslag klaart zijn gezicht op. 'Ik krijg een quad van pap!' zegt hij opgewonden. 'Dat zei hij gisteravond. Hij gaat me leren hoe je op zo'n ding moet rijden. Is dat cool of niet?'

'Dat is heel cool,' zeg ik met alle overtuiging die ik op kan brengen. Het is gaaf om Frankies brede grijns en zijn enthousiasme te zien, ook al geloof ik geen seconde dat pap wat dan ook maar voor hem kopen zal. Dat zou... typisch iets voor een vader zijn. En we weten beiden dat onze pap niet zo'n soort vader is.

'Jij mag er ook op natuurlijk,' zegt hij. 'Nou ja... als je bij pap komt dan.'

'Dank je. Gaaf.'

Hij blijft nog wat dralen, niet helemaal op zijn gemak, zoals jongens doen wanneer ze een beetje gespannen zijn. Een goeie zus zou hem laten gaan en tegen hem zeggen dat hij iets leuks moet gaan doen. Maar ik vind het prettig om hem om me heen te hebben. Hij heeft iets wat me een goed gevoel geeft. Hoop.

Maar het duurt niet lang voor hij opstaat. 'Oké. Ik moet

naar Mike. We gaan vanavond naar de kerk.' Hij buigt zijn hoofd, alsof dat iets is waar hij zich voor schaamt. Hij loopt naar de deur.

'Oké... tot later dan,' zeg ik wat aarzelend. En weg is hij.

Ik nestel me in mijn kussens en kijk naar de roerloze paarden op het behang. Ik doe mijn ogen dicht en probeer me voor te stellen dat ik op een ervan wegrijd, zoals ik als kind deed. Maar het lukt me niet. Ik zie alleen maar beelden van bokkende paarden die me afwerpen, met mijn billen op de harde grond. Ze hebben gezichten. Dat van pap, meneer Angerson, Troy, Nick. Dat van mezelf.

Na een poosje ga ik plat op mijn rug liggen en staar naar het plafond. Ineens besef ik dat me iets te doen staat. Ik kan de tijd niet terugdraaien. Aan het verleden kan ik niets veranderen, wat gebeurd is, is gebeurd. Als ik me ooit weer beter wil voelen, dan zal ik dat moeten loslaten. *Morgen*, zeg ik tegen mezelf. *Morgen begint een nieuwe dag.*

36

*I*k ben nog niet bij het graf van Nick geweest, maar ik weet precies waar het is. Alleen al doordat het de eerste twee maanden na de schietpartij om de haverklap op tv was, maar ook omdat ik anderen erover heb gehoord. Ik heb niemand verteld dat ik er vandaag heen ga. Wie had ik het moeten vertellen? Mam? Ze zou in tranen zijn uitgebarsten en het me verboden hebben. Ze zou me, schreeuwend uit het raampje van de auto, achterna gekomen zijn. Pap? Hoe dan? We wisselen geen woord met elkaar. Dokter Hieler? De laatste keer dat ik bij hem was, wist ik niet dat ik dit zou gaan doen, anders had ik het hem wel verteld. Misschien had ik het alsnog moeten doen; hij zou me erheen gereden hebben en dan had mijn dijbeen niet zo veel pijn gedaan. Het is een heel eind lopen. Mijn vrienden? Tja. Die heb ik allemaal op de een of andere manier aan de kant gezet.

Ik slenter langs een rij keurig onderhouden graven met glimmende zerken en boeketten bloemen die nog niet verwelkt zijn, en daar vind ik het, tussen het graf van zijn grootvader Elmer en zijn tante Mazie, van wie ik wel gehoord heb, maar die ik nooit ontmoet heb.

Ik blijf een minuut lang stil staan kijken. De wind, die koning winter nog maar net van zich heeft afgeschud, danst rond mijn kuiten en ik huiver. Het is zoals het zijn moet – mijn wanhoop, een stekende pijn in mijn borst van de inspanning, de kilte, de wind, het grauwe. Zo hoort een kerkhof te zijn, toch? In films zien ze er in elk geval wel zo uit. Koud, vochtig. Schijnt de zon als je de eeuwige rustplaats van een geliefde bezoekt? Ik denk het niet. Nicks graf glimt in het grijze licht van de met wolken overdekte hemel, net als de graven eromheen. Zware schaduwen glijden over de woorden op de steen. Maar ik kan ze nog wel lezen.

Nicholas Anthony Levil
1990-2008
Geliefde zoon

Dat 'Geliefde zoon' overvalt me een beetje. Het staat er in kleine, schuine letters gebeiteld, maar net boven de graszoden. Alsof het een verontschuldiging is. Ik denk aan zijn moeder.
Natuurlijk heb ik haar op tv gezien, maar daar leek ze niet de echte. Ik ken haar als 'ma', zoals Nick haar altijd noemde, en ze is altijd heel relaxed en aardig tegen me geweest. Ze hield zich op de achtergrond en gunde Nick en mij de ruimte om ons ding te doen. Nooit verstikkend, nooit prekerig over wat wel en wat niet hoort. Gewoon cool. Ik mag haar. Ik heb vaak aan haar als schoonmoeder gedacht, een droom die ik gekoesterd heb.
Natuurlijk wilde ma dat Nick als geliefde zoon herdacht wordt. En het is logisch dat ze dat op een zo relaxed mogelijke manier heeft gedaan – kleine letters op de grafsteen, alsof de woorden gefluisterd worden. Je was geliefd, zoon. Door mij. Ook nu, na dit. Ik denk aan jou als

geliefde. En dat zal ik altijd blijven doen.

Op de grafsteen is een metalen vaas bevestigd waaruit een boeket blauwe plastic rozen steekt. Ik buig me voorover en strijk voorzichtig over de iele stampers en helmdraden, terwijl ik me afvraag of Nick wel bloemen op zijn graf gewild zou hebben. Met spijt bedenk ik dat ik dat niet van hem weet; in de drie jaar dat wij samen waren, heb ik hem nooit gevraagd of hij van bloemen hield, misschien het meest van rozen, of wat hij van blauwe nepbloemen vond. En ineens vind ik dat een kleine tragedie op zich; dat ik dat niet weet.

Ik laat me door mijn knieën zakken, mijn dijbeen brandt als vuur. Ik strek mijn hand uit en volg met mijn wijsvinger de lijnen van Nicks naam. *Nicholas*. Ik grinnik, als ik denk aan de keren dat ik hem met die naam heb geplaagd.

'Nicholas,' zong ik, met een ingelijste foto van hem die ik van de schoorsteenmantel had gegrist in mijn handen, dansend van de eetkamer naar de keuken. 'O, Nicholas! Kom toch met me mee, Nicholas!'

'Daar krijg jij spijt van, juffie,' riep hij vanuit de woonkamer. Ik hoorde een glimlach in zijn stem, ook al plaagde ik hem met zijn doopnaam, een naam die hij echt afschuwelijk vond. Hij kwam me achterna, niet omdat hij boos was, maar om te donderjagen. 'Als ik jou te pakken krijg...'

Hij sprong met een triomfantelijk 'aha!' de hoek om. Ik gilde en rende gierend van het lachen weg, de keuken door en de trap op naar de badkamer.

'Nicholas, Nicholas, Nicholas!' riep ik lachend. Ik hoorde hem lachen en grommen, vlak achter me. 'Nicholas Anthony!'

'Nou heb ik je!' riep hij. Hij dook op me af, greep me om mijn middel, werkte me vlak voor de badkamer tegen de vlakte, ging boven op me zitten en kietelde me tot de tranen over mijn wangen liepen.

Het lijkt een eeuwigheid geleden.

Ik strijk nog eens met mijn vinger over zijn naam. En nog eens. Op de een of andere manier voelt het alsof Nick, de oude Nick, de Nick die me op de overloop vlak voor de badkamerdeur gekieteld heeft, meer levend is dan ooit. 'Ik haat je niet,' fluister ik. Ik zeg het nog een keer, luider. 'Ik haat je niet, helemaal niet.' Een merel antwoordt, vanuit een boom ergens links van me. Ik zoek met mijn ogen de kruin af, maar zie hem nergens.

'Dat werd tijd,' zegt opeens een stem achter me.

Ik schrik, draai me in een reflex om, verlies mijn evenwicht en val op mijn achterste. Achter me, voorovergebogen op een betonnen bankje met zijn handen losjes tussen zijn knieën, zit Duce.

'Hoelang zit jij daar al?' wil ik weten. Ik leg mijn handpalm op mijn borstkas in een poging mijn hartslag tot bedaren te brengen.

'Elke dag. Al sinds de dag dat hij stierf. En jij?'

'Dat bedoel ik niet.'

'Weet ik.'

We staren elkaar een tijd lang aan. Duces blik heeft iets uitdagends. Een beetje zoals een hond een andere hond taxeert voordat hij besluit om aan te vallen.

'Wat kom jij hier doen? Nu ineens?' vraagt hij.

Ik houd zijn blik vast, en daag op mijn beurt hem uit. 'Ik laat me door jou niet wegjagen, als je dat soms denkt,' zeg ik. 'En ik snap niet waarom jij mij de hele tijd de schuld geeft. Jij was zijn beste vriend. Jij had hem ook kunnen tegenhouden, net zo goed.'

'Jij had die lijst,' werpt hij tegen.

'En jij hebt twee dagen voor de schietpartij bij hem geslapen,' val ik uit. Dan zeg ik, zachter: 'En zo kunnen we de rest van de dag wel doorgaan. Heel stom. Dat schiet niet op, daar komt niemand mee terug.'

Er komt een auto aangereden waaruit behoedzaam een oude man stapt die met een bos bloemen in zijn hand zijn weg zoekt naar een graf vlakbij. We kijken toe hoe hij stram neerknielt, zijn kin bijna op zijn borst.

'De politie heeft mij ook verhoord,' zegt Duce, zijn ogen nog steeds op de oude man gericht. 'Ze dachten dat ik er misschien iets mee te maken had. Omdat ik zo veel met hem optrok.'

'Echt? Dat hoor ik voor het eerst.'

'Weet ik,' zegt hij met een zuur gezicht. 'Jij was alleen maar met jezelf bezig. Arme Valerie. Neergeschoten. Treurig. Verdachte. Geen tijd om je druk te maken om een ander. Joh, je hebt je geen moment afgevraagd hoe het met ons ging. Je hebt ons gewoon gedumpt.'

Ik kijk hem geschokt aan. Hij heeft gelijk. Ik heb bij dat ene bezoekje van Stacey helemaal niet naar de rest gevraagd. Ik heb nooit iemand gebeld. Niet gemaild. Niets. Het is niet in me opgekomen. 'O, wat vreselijk,' fluister ik, en ineens hoor ik Jessica's stem weer: ... *niets anders dan een ontzettende egoïst, Valerie.* 'Het spijt me. Ik heb geen moment...'

'Die Panzella woonde zo'n beetje bij ons, man. Heeft m'n computer in beslag genomen en zo,' zegt Duce. 'Maar het rotste is... Ik had geen flauw idee, weet je. Nick heeft het nooit over mensen doodschieten gehad, niet met mij in elk geval. Met geen woord. Geen waarschuwing of zo, helemaal niets.'

'Ik had ook geen flauw idee,' zeg ik, maar mijn stem is amper nog een fluistering. 'Ik vind het verschrikkelijk, Duce. Het spijt me zo.'

Duce knikt, friemelt wat in zijn jaszak en haalt een sigaret tevoorschijn. Het duurt even voor hij hem aan heeft. 'Ik heb me een hele tijd ontzettend stom gevoeld. Dat ik niets in de gaten heb gehad. Ik dacht dat we misschien toch niet zulke goeie vrienden waren als ik dacht. Ik voelde me schuldig ook. Ik had het moeten weten, dan had ik iets kunnen doen. Hem helpen, misschien. Maar nu... ik weet het niet. Misschien heeft hij wel expres niks gezegd. Om ons te sparen of zo.'

Ik kreun een tikje sarcastisch. 'Om ons te sparen? Nou, dat is hem dan niet best gelukt.'

Duce grinnikt zacht. 'Je meent het.'

De oude man komt moeizaam overeind, trekt zijn jas wat vaster om zich heen en sjokt weer naar de auto. Ik kijk hem na. 'Weet je nog, die keer dat we met zijn allen naar Serendipity geweest zijn? Het waterpark?' vraag ik.

Duce lacht zachtjes. 'Ja. Wat was jij een draak die dag, zeg. Je liep de hele tijd te zeuren dat je het koud had, dat je honger had en bladiebladiebla. Er was voor hem echt geen lol aan.'

'Ja, klopt,' zeg ik. Ik kijk weer naar het graf. Nicholas Anthony. 'En dat jullie er aan het eind van de dag vandoor waren. Stacey en ik hebben jullie echt overal gezocht en toen zaten jullie daar ergens een pak Chocoprinsen leeg te kanen met een paar van die blonde grieten van Mount Pleasant...'

Duces grijns wordt breder. 'Die meiden waren cool.'

Ik knik. 'Ja, tuurlijk. En weet je nog wat ik toen tegen Nick zei?'

Ik kijk Duce aan. Hij schudt zijn hoofd. Glimlachend, met zijn handen tussen zijn knieën. 'Ik zei dat ik hem haatte. Dat zei ik. Die woorden. "Ik haat jou, Nick".' Ik raap een dor blad van de grond en begin het tussen mijn vingers te verkruimelen. 'Denk je dat hij wist dat ik dat niet meende? Denk je dat hij dacht dat ik een hekel aan hem had, toen hij stierf? Ik bedoel, dat was een eeuwigheid daarvoor, en we hebben het die dag meteen weer goed gemaakt. Maar soms vraag ik me af of het hem nog weleens bezighield, dat ik dat gezegd heb. En dat hij op de dag... van de schietpartij... toen ik probeerde hem tegen te houden, dat hij toen nog wist dat ik gezegd heb dat ik hem haatte, daar bij Serendipity. Dat hij zichzelf daarom heeft doodgeschoten. Omdat hij dacht dat ik hem echt haatte.'

'Misschien doe je dat ook wel.'

Ik denk daar even over na en schud mijn hoofd. 'Ik hield van hem. Heel veel.' Ik lach een tikje overdreven, nog steeds met mijn hoofd schuddend. 'Mijn tragische zwakte.' Zo zou Nick me beschreven hebben als ik een droevige hoofdpersoon uit een van zijn geliefde Shakespeare-drama's was geweest.

Ik hoor iets over beton schrapen. Duce is opgeschoven en tikt met een vlakke hand op het beton naast hem. Ik kom overeind en ga naast hem zitten. Hij neemt mijn hand in de zijne. Hij draagt handschoenen en ik voel de warmte van zijn hand door mijn hele lichaam vloeien.

'Denk je dat hij het voor mij heeft gedaan?' vraag ik zachtjes.

Duce denkt daarover na en spuugt tussen zijn voeten op

de grond. 'Ik denk dat 'ie zelf niet wist wat 'ie deed, joh.'
Die mogelijkheid is nog nooit in me opgekomen. Misschien had ik niet geweten, maar ook niet kunnen weten wat Nick van plan was, omdat hij het zelf nooit geweten had.

Duce laat mijn hand los, die meteen weer koud wordt, en slaat een arm om me heen. Dat voelt een beetje gek, maar niet op een vervelende manier. In zekere zin is Duce zo dicht bij Nick als ik ooit nog zal zijn. Op een bepaalde manier lijkt het daarom Nicks arm wel achter me, Nicks warmte naast me. Ik leg mijn hoofd tegen Duces schouder.

'Mag ik je iets vragen?' zegt hij.

Ik knik.

'Als je zo veel van hem hield, waarom ben je hier dan nooit eerder geweest?'

Ik bijt op mijn lip en denk erover na. 'Omdat ik niet echt het idee had dat hij hier zou zijn. Ik zie hem nog steeds overal, overal waar ik kijk; het leek me nogal onzinnig omdat ik hier niets van hem zou kunnen vinden.'

'Hij was mijn beste vriend,' zegt Duce. 'Weet je?'

'De mijne ook,' zeg ik.

'Dat weet ik,' zegt hij. Zijn stem heeft een rauw randje, nauwelijks hoorbaar. 'Nou ja. Dat denk ik.'

We zitten een tijd lang zwijgend naast elkaar naar Nicks graf te kijken. De wind wakkert wat aan, de lucht wordt dreigender en de bladeren ritselen in steeds heviger wordende vlagen langs mijn schenen. Ze kietelen. Als ik even huiver, haalt Duce zijn arm weg van mijn schouders en gaat staan.

'Ik moet ervantussen.'

Ik knik. 'Zie je.'

Als Duce weg is, blijf ik nog een paar minuten zitten. Ik

staar naar Nicks graf tot mijn ogen tranen en mijn voeten ijsklompjes zijn. Dan, na een hele poos, sta ik op. Ik veeg met mijn teen een blaadje van de deksteen. 'Dag, Romeo,' zeg ik zachtjes.

Ik loop rillend weg, zonder om te kijken, ook al weet ik dat ik nooit meer naar zijn graf terug zal gaan. Hij is ma's 'Geliefde zoon'. Die in graniet gebeitelde woorden zeggen helemaal niets over mij.

37

Er staat een politiewagen op de inrit als ik thuiskom. Paps auto staat erachter, en daarachter staat een oude, gedeukte Jeep. Ik word bang. Ik loop aarzelend de inrit op en stap het huis binnen.

'O, God zij dank!' huilt mam, die vanuit de woonkamer de hal in komt stuiven. Ze werpt haar armen om mijn hals. 'Mam...?' zeg ik. 'Wat is er...?'

In haar kielzog komt een agent in uniform de hal in. Hij lijkt niet zo blij te zijn. Achter hem komt pap die nog minder vrolijk kijkt dan de agent. Ik gluur de woonkamer in en zie dokter Hieler zitten; de lijnen in zijn gezicht geven hem een hard en vermoeid voorkomen.

'Wat is er aan de hand?' vraag ik, terwijl ik mezelf uit mams omhelzing bevrijd. 'Dokter Hieler...? Is er iets gebeurd?'

'We stonden op het punt een Amber-alert de wereld in te sturen,' zegt pap, zijn stem hees van woede. 'Tsjonge. Wat zal het volgende zijn?'

'Een Amber-alert? Waarom dan?'

De agent sloft op me toe. 'Goed. Da's dan één weggelopen tiener minder om te zoeken,' zegt hij tegen me. 'Je wordt bedankt.'

'Weggelopen? Ik ben helemaal niet... Mam...'

Hij stapt de voordeur uit en mam gaat hem achterna, hem uitvoerig bedankend, zich hevig verontschuldigend. De ontvanger op zijn schouder kraakt, maar ik versta bijna niets van wat ze zeggen.

Dokter Hieler staat op en hijst zich in zijn jas. Hij komt naar me toe; op zijn gezicht lees ik verwarring, boosheid en opluchting, alles tegelijk. Opnieuw moet ik denken aan zijn gezin. Wat voor gezellige dingen heb ik hem nu weer door de neus geboord? Is zijn vrouw thuis, stilletjes hopend dat ik voorgoed ben weggelopen? 'Het graf?' vraagt hij heel rustig. Mam noch pap hoort het. Ik knik. Hij knikt. 'Zie je zaterdag,' zegt hij. 'Praten we dan wel.' En dan staat ook hij bij de deur met mam te praten – dit keer verontschuldigingen van hen beiden – en paps hand te schudden voor hij gaat. Ik kijk toe hoe de agent wegscheurt in zijn auto en dokter Hieler in de Jeep klimt en zonder verdere poeha wegrijdt.

'Ik moet terug,' zegt pap tegen mam. 'Laat het me weten als je iets nodig hebt. En je weet hoe ik erover denk. Ze heeft meer hulp nodig dan ze nu krijgt, Jenny. Dit moet echt stoppen. Ze maakt ons allemaal gek zo.'

Zijn ogen priemen mijn kant uit. Ik kijk weg.

'Ik heb je gehoord, Ted,' zegt mam met een zucht. 'Ik heb je gehoord.'

Pap legt een hand op mams schouder en geeft haar vlug een klopje voor hij door de voordeur verdwijnt.

Mam en ik staan elkaar in de lege hal aan te kijken. 'Dat was me het circus wel weer,' zegt ze bitter. 'Alweer. Er stonden journalisten in de tuin. Alweer. Dokter Hieler heeft ze moeten wegjagen. Ik heb je het voordeel van de twijfel gegeven, Valerie, en kijk eens wat ervan komt. Misschien heeft je vader wel gelijk. Als ik je een vinger geef, neem je de hele hand.'

'Het spijt me,' zeg ik. 'Ik had geen idee. Ik zweer je dat

ik niet ben weggelopen. Ik heb alleen maar een eind ge-
wandeld.'
'Je bent uren weg geweest, Valerie. Niemand wist waar
je uithing. Ik dacht dat je gekidnapt was. Of erger. Of dat
die Troy je toch iets had aangedaan, na die dreigementen
van hem.'
'Het spijt me,' zeg ik. 'Daar heb ik geen moment bij stil-
gestaan.'
'Flauwekul,' komt een stem van de overloop. We kijken
omhoog. Daar staat Frankie in een boxer en een T-shirt,
zijn haar naar één kant rechtovereind.
'Frankie,' zegt mam waarschuwend, maar hij onderbreekt
haar.
'Pap heeft gelijk. Ze veroorzaakt alleen maar ellende.'
'Ik zeg toch dat het me spijt,' herhaal ik. Het lijkt het enige
wat ik doen kan. 'Ik probeer helemaal niets te veroorza-
ken. Ik ben naar het kerkhof geweest en daar kwam ik
Duce tegen en toen ben ik de tijd vergeten, meer niet. Ik
had even moeten bellen.'
Mam kijkt me onthutst aan. 'Duce Barnes?'
Ik sla mijn ogen neer.
'O, Valerie, hij is er net zo een,' steunt mam. 'Ook zo'n
Nick-type. Heb je dan niks geleerd? Kun jij nog iets anders
dan met de verkeerde jongens rondhangen en moeilijkheden veroorzaken?'
'Maar zo is het helemaal niet,' zeg ik.
'Ik had selectiewedstrijden vandaag,' schreeuwt Frankie
van boven aan de trap. 'Maar ik kon niet weg omdat mam
en pap hier aan het flippen waren omdat jij zoek was.
Barst! Ik doe mijn stinkende best om aan jouw kant te
staan, maar jij denkt alleen maar aan jezelf. Je deed altijd
maar of de hele wereld tegen jullie was, tegen jou en

Nick,' zegt hij. 'En nu Nick dood is maak je ons nog steeds het leven zuur. Het is altijd wat. Pap heeft gewoon gelijk: het is altijd wat met jou. Ik ben het zat dat mijn leven altijd maar weer om jou draait.' Hij gaat stampvoetend naar zijn kamer en smijt de deur keihard achter zich dicht.

'Heel erg leuk,' zegt mam met een gebaar naar de lege plek boven aan de trap, waar Frankie zonet nog stond. 'Kun je ons nou niet eens een dagje rust gunnen? Ik vertrouwde je en...'

'En ik heb niks verkeerds gedaan,' onderbreek ik haar, schreeuwend bijna. 'Ik ben een stuk gaan lopen, mam. Ik heb je dag helemaal niet verknald. Dat heb je helemaal zelf gedaan door me niet gewoon te vertrouwen.' Mams mond hangt open, haar ogen heeft ze wijd opengesperd. 'Wanneer dringt het tot jullie door? Ik heb niemand doodgeschoten! Ik heb het niet gedaan! Hou op me als een crimineel te behandelen. Ik ben het zat om telkens maar van alles hier de schuld te krijgen.' Ik hoor Frankies deur krakend op een kiertje opengaan, maar ik kijk niet op. In plaats daarvan doe ik mijn ogen even dicht en haal diep adem om wat rustiger te worden. Ik wil niet nog meer gedoe, voor Frankie. Ik doe mijn ogen weer open en kijk mam aan. 'Ik ben afscheid gaan nemen. Lopend,' zeg ik vlak. 'Daar zou je blij om moeten zijn. Nick is uit mijn leven nu, officieel en voorgoed. Misschien helpt dat om me nou eindelijk een keer echt te gaan vertrouwen.'

Mam doet haar mond dicht en laat haar handen langs haar lichaam vallen. 'Nou, ja,' zegt ze na een tijdje, 'er is in elk geval niks gebeurd.' Ze draait zich om en loopt de trap op, waarbij ze mij alleen achterlaat in de hal. Ik hoor boven me Frankies deur met een klik weer dichtgaan. Ja, denk ik. Er is niks gebeurd.

38

*F*rankie is door de week bij pap gaan wonen en is alleen nog in de weekenden thuis. Mam bezweert me dat het niets met mij te maken heeft, maar dat vind ik moeilijk te geloven na de stennis die hij geschopt heeft, ook al omdat hij is vertrokken zonder een woord te zeggen. Ik voel me er heel schuldig over. Het is nooit mijn bedoeling geweest om Frankie pijn te doen. Het is nooit mijn bedoeling geweest dat zijn leven beheerst zou worden door het mijne. Maar het lijkt wel of het aan me vastgeplakt zit: anderen onbedoeld pijn doen.

Tegen de tijd dat de lente echt doorbreekt, heeft hij zijn kapsel aangepast aan dat van de rest van zijn voetbalteam en draagt hij een bril; een metamorfose in een keurig joch dat ik nooit achter hem had gezocht.

Hij praat weinig met me. Alleen zo nu en dan, als mam niet in de buurt is, doet hij verslag van de situatie bij pap en Briley. 'Pap heeft een nieuwe auto,' zegt hij dan, of: 'Briley is echt heel aardig, Val. Geef haar een kans. Ze luistert naar punk, dat geloof je toch niet? Zie jij mam al naar punk luisteren?'

Ik doe net of het me geen bal kan schelen, maar als Frankie een keer onder de douche staat haal ik zijn mobiel uit zijn rugtas en scrol door de foto's die hij erop heeft staan. Ik vind er ook een aantal van hen. Ik ga op de grond zitten en bekijk ze totdat het voelt of ik zand in mijn ogen heb.

321

De scheiding is er bijna door. Het valt me alleen op dat Mel, mams advocaat, vaak 's avonds laat nog langskomt, soms met warme broodjes, andere keren met een flesje wijn. En het valt me ook op dat mam make-up draagt als hij komt en dat ze als betoverd aan de keukentafel zit, om de paar minuten luid lachend, waarbij ze dan met haar vingertoppen telkens licht zijn onderarm aanraakt. Ik gruw bij de gedachte, maar ik ontkom er niet aan om me zo nu en dan af te vragen wat voor stiefvader Mel zou zijn. Ik breng het onderwerp een keer ter sprake, maar mam bloost en antwoordt alleen: 'Ik ben nog altijd met je vader getrouwd, Valerie.' Daarna loopt ze dromerig weg, een beetje alsof ze zweeft, friemelend aan de ketting die ze draagt en met een geheimzinnig glimlachje, als Assepoester de ochtend na het bal.

Duce en ik hebben bij Nicks graf dan wel een soort wapenstilstand gesloten, maar op school verandert er niets. We wisselen geen woord met elkaar. Samenkomen op de tribunes, 's ochtends, is er nog altijd niet bij. In de pauzes zitten we nog steeds apart. Ik krijg het bij mevrouw Tate gedaan dat ik op haar kamer mag lunchen; de afspraak is dat ik daar dan folders van opleidingen en scholen zal bekijken.

Het is het jaargetijde waarin schooldagen verschrikkelijk saai zijn en ongewoon lang duren. Door de open ramen horen we buiten de vogels fluiten en om de een of andere reden glijden de uren traag als stroop voorbij. En zo vlak voor het eindexamen lijkt wat je voor school nog moet doen bij voorbaat al onzinnig. We hebben alles wel gehad inmiddels. Er valt toch niets meer te leren. Waarom laten ze ons niet gewoon gaan? Hebben eindexamenkandidaten geen recht op een break?

Twee mei komt en gaat zonder al te veel heisa. 's Ochtends wordt er een minuut stilte gehouden en aansluitend worden over de intercom de namen van de slachtoffers voorgelezen. 's Avonds zijn er herdenkingsbijeenkomsten in een paar plaatselijke kerken. Maar de meeste mensen gaan gewoon verder met hun leven. Nu al. Nog maar één jaar later. Iedereen heeft het over het eindexamen. Over de feesten die daarna zullen losbarsten. Over de vreselijke familiefeestjes die eraan voorafgaan. Over welke kleren je aan moet, hoe je ervoor moet zorgen dat die afstudeerbaret blijft zitten, welke geintjes er met meneer Angerson uitgehaald zullen worden.

Op onze school is het traditie om de directeur iets kleins te geven wanneer hij je bij de diploma-uitreiking een hand geeft. Dat zijn weleens pinda's geweest bijvoorbeeld. Of, een paar jaar later, centen. Het waren ook al eens stuiterballen. Angerson kan niets anders doen dan wat hij in handen gedrukt krijgt in zijn zakken proppen en aan het eind van de rit heeft hij dan zo'n zevenhonderd pinda's of centen of stuiterballen in zijn zakken, die natuurlijk bijna barsten. Er wordt gefluisterd dat het dit jaar condooms zullen zijn, maar daar komen de cheerleaders tegen in opstand. Zij willen kleine belletjes, zodat hij geen stap kan zetten zonder geluid te maken. Dat vind ik wel een geinig idee. Of gewoon niets. Misschien is dat wel het beste wat wij hem kunnen geven. Een flinke handvol niets.

En als we zijn uitgepraat over het eindexamen gaat het over vervolgopleidingen. Wie gaat er naar de universiteit? Wie naar het buitenland? Wie gaat helemaal niet studeren? En heeft iedereen al gehoord dat J.P. naar het Vredeskorps wil? Wat is dat, het Vredeskorps? Loopt hij dan de kans om malaria op te lopen, misschien zelfs dood te gaan? Of om door een stelletje inboorlingen gekidnapt en achter een paar hutjes met een dak van bananenbladeren onthoofd te worden? Er wordt honderduit gekletst; er komt geen eind aan. Mevrouw Tate laat me tijdens de pauze geen moment met rust. Ze wil weten wat ik met mijn toekomst ga doen. 'Het is nog niet te laat. Je kunt nog steeds voor een beurs gaan, Valerie,' zegt ze dan met een zorgelijke blik in haar ogen.

Ik schud met mijn hoofd. 'Nee.'

'Wat ga je dan doen?' vraagt ze me op een dag, terwijl we samen zitten te lunchen.

Geloof me, daar heb ik echt wel over nagedacht. Wat wil ik, als het eindexamen erop zit en ik mijn diploma op zak heb? Waar wil ik naartoe? Hoe moet het verder? Blijf ik nog een tijdje thuis wonen en afwachten of mam en Mel misschien zullen trouwen? Of zal ik bij pap en Briley en Frankie intrekken en kijken of er toch nog iets te repareren valt aan de relatie die pap volgens mij toch niet meer wil? Zal ik op kamers gaan en een baan zoeken? Met of zonder een kamergenoot? Zal ik weer verliefd worden?

'Herstellen,' heb ik gezegd. En dat meende ik ook. Ik heb tijd nodig om echt beter te worden. Daarna zal ik wel verder over mijn toekomst nadenken, als Garvin High van me afgegleden is als een winterjas in een warme kamer en de gezichten van mijn klasgenoten beginnen te vervagen. Troys gezicht. Dat van Nick. Als ik de geur van kruit en bloed heb afgeschud. Als ik dat ooit zal kunnen.

Het gaat aardig goed, tot op een regenachtige vrijdag. De geur van nat gras vult de gangen, buiten trekken zware wolkenluchten voorbij waardoor het in school wel avond lijkt. De laatste bel is net gegaan en het gonst op de gangen. Ik houd me op de achtergrond, zoals altijd weggedoken in mijn zeepbel, en kan niet wachten om thuis op de kalender een kruis door deze dag te zetten – weer een dag dichter bij de diploma-uitreiking.

Ik sta bij mijn kluisje en verwissel mijn wiskundeboek voor het werkboek van natuurkunde en scheikunde.

'Wie is die griet dan, die zichzelf bijna van kant heeft gemaakt?' hoor ik een meisje vragen dat een stukje verderop staat. Ik spits mijn oren en kijk.

'Hoe bedoel je?' vraagt haar vriendin.

Het meisje spert haar ogen wijd open. 'Heb je dat niet gehoord dan? Het was een van de eindexamenkandidaten. Met pillen geloof ik, of ze heeft haar polsen doorgesneden, dat weet ik niet zeker. Ginny... nog iets.'

Ik schrik hevig. 'Ginny Baker?' vraag ik hardop.

De meisjes kijken naar me met een verwarde blik op hun gezicht.

'Wat?' vraagt een van hen.

Ik zet een paar passen in hun richting. 'Dat meisje dat een zelfmoordpoging heeft gedaan. Je zei dat ze Ginny heette. Was dat Ginny Baker?'

Ze knipt met haar vingers. 'Ja, die was het. Ken je haar?'

'Ja,' zeg ik. Ik ga vlug naar mijn kluisje terug, prop mijn boeken erin, smijt het ding dicht en loop zo snel ik kan naar de administratie. Ik negeer de secretaresses en loop regelrecht mevrouw Tates kamer in. Ze schrikt op van haar papierwerk en kijkt me vragend aan.

'Ik hoor het net, van Ginny,' zeg ik. Ik wacht even om op adem te komen. 'Wilt u me bij het ziekenhuis afzetten?'

39

*D*e lift stopt op de vierde verdieping, bij de afdeling psychiatrie van Garvin General. Ik bijt nerveus in mijn handpalmen en stap met een knoop in mijn maag uit de lift. Ik heb het gevoel dat ik niets geks moet doen, omdat ik dan zo iemand op mijn nek heb om me in een dwangbuis te hijsen en naar mijn oude kamer af te voeren; dat ik hier dan moet blijven en weer naar die verschrikkelijke groepssessies moet, dokter Dentleys idiote 'Laat me herhalen wat ik zojuist gehoord heb, jongedame, zeg me maar of het klopt' weer moet aanhoren.

Ik loop naar de zusterspost. Een verpleegster met kortgeknipt haar kijkt naar me op. Ik herken haar niet, tot mijn verrassing, waaruit ik opmaak dat ik hier flink onder de medicijnen heb gezeten of dat zij nieuw is. Het lijkt er niet op dat ze mij herkent, dus het zal het laatste wel zijn.

'Ja?' vraagt ze, met de onderzoekende en wat argwanende blik die alle verpleegkundigen op psychiatrie hebben, alsof ik iemand zal helpen ontsnappen of op een andere manier de rust kom verstoren.

'Ik kom voor Ginny Baker,' zeg ik.

'Ben je familie?' vraagt ze. Ze bladert door een stapel paperassen op haar bureau alsof ik lucht ben.

'Haar halfzus,' lieg ik. Ik sta er zelf van te kijken hoe gemakkelijk het over mijn lippen komt.

De verpleegster kijkt op. Ik lees in haar blik dat ze er

geen spat van gelooft dat ik Ginny's halfzus ben, maar wat moet ze? Ze kan moeilijk een DNA-test afnemen. Ze slaakt een diepe zucht, maakt een knikkende beweging met haar hoofd over haar linkerschouder en zegt: 'Viereenentwintig, daar links.'

Ze buigt zich weer over haar papierwerk en ik schuifel langs de zusterspost heen de gang op, biddend dat ik niet iemand zal tegenkomen die heel zeker weet dat ik Ginny's halfzus niet ben, dokter Dentley bijvoorbeeld. Ik adem diep in en duik vlug kamer vier-eenentwintig binnen, voordat ik er te lang bij stilsta en me misschien nog bedenk.

Ginny hangt half rechtop tegen een paar kussens die achter haar rug gepropt zijn op het bed. Ze ligt aan een hele batterij infusen en monitors en staart met een lege blik naar een flikkerend tv-scherm. Op de plank van haar kastje, die over haar bed geschoven is, staat een bekertje van piepschuim met een gestreept rietje erin. Naast het bed zit haar moeder ook naar de tv te kijken, waarop een of ander heftig praatprogramma te zien is. Ze spreken niet. Het lijkt of ze zich geen van beiden gewassen hebben. Ik stap de kamer binnen. Mevrouw Baker is de eerste die opkijkt. Zodra ze me herkent, verstart haar lijf, en haar mond gaat een klein beetje open.

'Sorry dat ik stoor,' zeg ik. Tenminste, dat denk ik. Mijn stem is nauwelijks meer dan een schor gepiep.

Dan kijkt Ginny naar me. Opnieuw schrik ik van haar misvormde gezicht, van de verbrijzelde jukbeenderen, de slap hangende lippen. Opnieuw voel ik medelijden.

'Wat moet jij hier nou?' mompelt ze.

'Sorry dat ik stoor,' zeg ik nog eens. 'Ik wil je graag spreken.'

Ginny's moeder is opgestaan en staat nu achter haar stoel, bijna alsof ze daar een schuilplaats zoekt. Ze houdt de leuning omkneld, klaar om het ding op te tillen alsof ze elk moment de aanval van een dolle hond moet kunnen afslaan of zo.

Ginny's ogen vliegen heen en weer van haar moeder naar mij, maar geen van beiden zeggen ze iets. Ik loop een paar passen verder de kamer in.

'Ik zat in kamer vier-zestien,' zeg ik. Ik heb geen idee waarom dat belangrijk is, maar het rolt automatisch over mijn lippen en het klopt, op de een of andere manier. 'Hier lig je wel goed. Verderop, na kamer vier-vijftig, liggen de lui met een slaapstoornis.'

Juist op dat moment hoor ik een bekende stem en het gepiep van goedkope schoenen op de vloer van de gang. Ik zet me schrap. Ik zal er zo wel uitgegooid worden en daar baal ik van; ik weet niet precies wat ik tegen Ginny wil zeggen maar ik weet wel dat ik het nog niet gezegd heb.

'Wel, wel, hoe is het dan met Ginny vandaag?' zegt de stem die achter me de kamer binnen komt zweven. Dokter Dentley.

Hij beent op het bed af en pakt Ginny's pols om haar hartslag te meten, ononderbroken zanikend over de geweldige groepssessie die ze die ochtend hebben gehad. Hij vraagt haar of ze soms rusteloos is en of ze wel goed geslapen heeft, voordat hij in de gaten krijgt dat de beide Bakers hun blikken nog altijd op mij gericht hebben. Hij keert zich om. Op zijn gelaat verschijnt een verraste glans. 'Valerie,' zegt hij. 'Wat doe jij nou hier?'

'Hallo, dokter Dentley,' zeg ik. 'Ik ben alleen maar op bezoek.'

Hij wendt zich naar Ginny, legt een hand tussen mijn

schouderbladen en begint me zachtjes in de richting van de deur te duwen. 'Ik denk niet, gelet op de omstandigheden, dat het zo'n goed idee is dat jij hier bent. Juffrouw Baker heeft tijd nodig om...'

'Het is oké,' zegt Ginny. Dokter Dentley houdt op met duwen. 'Ik vind het niet erg dat ze er is.'

Zowel dokter Dentley als Ginny's moeder kijken haar aan alsof ze nu echt krankzinnig geworden is. Ik vraag me af of dokter Dentley al overweegt om haar naar de afdeling voor zwaar gestoorde patiënten te verplaatsen.

'Echt,' zegt Ginny.

'Nou ja,' begint dokter Dentley, 'hoe dan ook, ik moet een paar onderzoekjes doen.'

'Ik wacht wel even op de gang,' zeg ik.

Ginny knikt zorgelijk, alsof ze er helemaal geen behoefte aan heeft om alleen te zijn met dokter Dentley.

Ik slof de kamer uit en voel me een stuk vrijer, nu ik herkend en welkom ben. Ik laat me op de grond zakken en luister naar het geluid van de basstem van dokter Dentley, dat door de deur van Ginny's kamer heen komt.

Ik hoor voetstappen en Ginny's moeder komt naar buiten. Als ze mij ziet houdt ze in, heel even maar. Als ik niet goed had opgelet, was het me niet opgevallen. Ze schraapt haar keel, kijkt naar de vloer en loopt door. Ze ziet er hondsmoe uit. Alsof ze in geen jaren geslapen heeft. Alsof ze een heel leven lang geen fatsoenlijke nacht heeft gehad. Alsof ze zich in kamer vier-zesenvijftig, naast Ronald die 's nachts urenlang schilfers van zijn elleboog pulkt en oude Motown-liedjes zingt, helemaal thuis zou voelen.

Even lijkt het of ze langs me heen zal lopen, maar ze bedenkt zich. Met een uitdrukkingsloos gezicht kijkt ze me aan.

'Ik heb het niet aan zien komen,' zegt ze.

Ik staar haar aan, niet zeker of ze een reactie verwacht.

Mevrouw Baker kijkt weer voor zich uit. Haar stem is mat, alsof hij versleten is en het niet goed meer doet.

'Ik denk dat ik je moet bedanken dat je de schietpartij hebt gestopt,' zegt ze, voordat ze bij me vandaan loopt, de gang op. Ze werpt een blik op de zusterspost, beent recht op de dubbele deuren af die met een klap opengaan en verdwijnt. Ze denkt dat ze... maar dat deed ze niet. Niet echt. Toch. Het was bijna goed genoeg.

Kort daarna komt ook dokter Dentley fluitend naar buiten. Ik ga staan.

'Dokter Hieler vertelde me dat het goed met je gaat,' zegt hij. 'Ik hoop wel dat je je medicijnen nog inneemt.'

Ik reageer niet. Niet dat hij daarop wacht; hij loopt al door, de gang op, en roept over zijn schouder: 'Ze moet goed rusten vandaag. Niet te lang blijven.'

Ik adem een paar keer in en uit en stap de kamer weer binnen. Ginny veegt met een tissue haar ogen droog.

Ik schuifel naar een stoel, de stoel die het verst van haar bed staat, en ga zitten.

'Die vent is gestoord,' zegt ze. 'Ik wil weg hier. Maar hij vertikt het om me te laten gaan. Hij beweert dat ik een gevaar voor mezelf ben en dat de wet zegt dat ik dan moet blijven. Idioot.'

'Ja,' zeg ik. 'Als je een zelfmoordpoging hebt gedaan, moet je drie dagen blijven. Zoiets. Maar meestal blijf je langer, omdat je ouders helemaal door het lint gaan natuurlijk. Hoe is het met je moeder?'

Ginny lacht grimmig en snuit haar neus. 'Erger dan door het lint,' zegt ze. 'Je moest eens weten.'

We zitten een tijdje naar de tv te staren, waar nu een of

andere nieuwsshow op is. Ze tonen de foto van een donkerharig tieneridool. Ze straalt weinig bijzonders uit en lijkt niet echt gelukkig. Ze ziet eruit als elk ander kind. Ik vind dat ze zelfs wel een beetje op mij lijkt.

'Toen Nick hier kwam wonen, zijn we een tijdje bevriend geweest,' zegt Ginny ineens, de stilte verbrekend. 'Hij zat bij mij in de brugklas.'

'O ja?' Nick heeft daar nooit iets over gezegd. 'Dat wist ik helemaal niet.'

Ze knikt. 'We praatten heel veel, elke dag wel, denk ik. Ik mocht hem. Hij was ontzettend slim. En lief. Dat zit me dwars. Hij was echt lief.'

'Ik weet het,' zeg ik. Het lijkt ineens of Ginny en ik een hele wereld gemeen hebben. Ik ben niet de enige. Er is nog iemand die Nicks goeie kanten zag. Ondanks haar mismaakte gezicht.

Ze legt haar hoofd achterover in de kussens en sluit haar ogen. Onder haar oogleden wellen tranen op die naar beneden rollen. Ze doet geen enkele poging om ze weg te vegen. We zwijgen een tijdje, tot ik me vooroverbuig, een tissue uit het doosje op de stoel naast me pak en dat op haar gezicht leg, vlak onder haar gesloten ogen.

Ze trekt even met haar gezicht, maar houdt haar ogen dicht en weert me niet af. Langzaam dep ik haar wangen met groeiend vertrouwen en ik volg met mijn vingers de verwrongen littekens onder het vochtige papier tot haar gezicht droog is. Ik laat me weer in mijn stoel zakken.

Ze begint te praten, met een gebroken stem. 'Aan het eind van dat jaar kreeg ik wat met Chris Summers. Chris zag me een keer met Nick praten en sloeg helemaal door. Zo verschrikkelijk jaloers. Volgens mij is het toen begonnen. Als ik geen vrienden met Nick was geweest, had Chris hem

helemaal niet zien staan, denk ik. Hij deed zo gemeen tegen Nick de hele tijd.'

'Ginny, ik...' begin ik, maar ze schudt haar hoofd.

'Ik moest wel kappen met Nick. Ik moest. Chris had het er
nooit bij laten zitten. *Wat moet jij met zo'n freak,*' zegt ze
met een lage stem, bedoeld om die van Chris na te doen.
'Maar Chris heeft...' zeg ik, maar ze onderbreekt me opnieuw.

'Ik blijf er maar over malen, weet je... Als Nick en ik nou
geen vrienden waren geweest... of als ik tegen Chris had
gezegd dat 'ie het maar moest bekijken... dan had de
schietpartij...' Haar stem sterft weg, haar gezicht vertrekt.
'En nu zijn ze dood, allebei.'

De nieuwsshow laat beelden zien van een rapper van wie
ik nog nooit gehoord heb. Hij draagt zo'n gouden dol-
larteken om zijn nek en maakt een of ander vaag hand-
gebaar naar de camera. Ginny doet eindelijk haar ogen
open, snuit haar neus en kijkt naar hem.

'Het was niet jouw schuld, Ginny,' zeg ik. 'Jij hebt dit niet
veroorzaakt. En ik... eh, ik vind het verschrikkelijk, van
Chris. Ik weet dat je Chris heel graag mocht.' Met andere
woorden, denk ik, Ginny heeft ook de goede kant van
Chris gezien. Dat maakt haar in zekere zin een beter mens
dan ik, want dat kan ik niet zeggen. Daarmee waren de
overeenkomsten tussen Chris en Nick misschien wel groter dan de verschillen: beiden hebben immers maar één
kant van zichzelf laten zien; niet de enige en ook niet de
beste.

Ginny wendt haar vochtige ogen af van het tv-scherm en
kijkt me recht in de ogen. 'Al vanaf de dag dat Nick me
dit heeft aangedaan, wil ik dood,' zegt ze. Ze wijst naar
haar gezicht. 'Je wilt niet weten hoeveel operaties ik al

gehad heb, en moet je zien. Toen hij begon te schieten wilde ik niet dood, weet je. Ik heb gebeden, je weet wel, dat hij me niet zou vermoorden. Maar soms wou ik dat hij me wel had doodgemaakt. Als ik buiten ben, hoor ik constant mensen praten en als ze denken dat ik het niet kan horen, zeggen ze altijd iets van: "Wat erg. Ze was zo'n knap meisje." Was. Verleden tijd, weet je? Niet dat knap zijn het allerbelangrijkste is, maar...' Ze keert zich weer in zichzelf, maar ze hoeft die zin ook niet af te maken. Ik weet wel wat ze denkt: knap zijn is niet alles, maar lelijk zijn soms wel.

Ik weet niet wat ik zeggen moet. Ze is zo open geweest, zo recht-voor-zijn-raap. Ik kijk naar mijn spijkerbroek. Er zit een gaatje in de pijp, ter hoogte van mijn dijbeen. Ik stop mijn pink erin.

'Weet je,' zegt ze, 'ik kan me niet meer alles herinneren wat er die dag gebeurd is. Maar ik weet wel dat jij er niets mee te maken had. Dat heb ik ook tegen de politie gezegd. Ik ben met Jessica naar het bureau geweest en alles. Mijn ouders waren woedend. Ik denk dat zij graag een zondebok wilden, eentje die nog in leven was. Ze bleven maar zeggen dat ik lang niet alles wist, ook al dacht ik van wel. Dat ik heel gemakkelijk van alles vergeten kon zijn, weet je. Maar ik wist zeker dat jij niet geschoten hebt. Ik zag dat je achter hem aan rende om hem tegen te houden. Ik heb ook gezien dat je bij Christy Bruter neerknielde en probeerde haar te helpen.'

Ik friemel met mijn pink achter het gaatje in mijn spijkerbroek. Ginny leunt achterover in haar kussens en sluit haar ogen weer, alsof ze dodelijk vermoeid is. En ik heb het vermoeden dat ze dat ook echt is.

'Dank je,' zeg ik. Heel zacht, meer tegen het gaatje in

mijn spijkerbroek dan tegen haar. 'En het spijt me ook. Ik bedoel: ik vind het echt heel, heel erg wat er met je gebeurd is. Niet dat het ertoe doet, maar ik vind je nog steeds mooi.'

'Dank je,' zegt ze. Ze legt haar hoofd in een kussen, haar ogen blijven dicht. Haar ademhaling wordt heel kalm en gelijkmatig; ze dommelt langzaam weg.

Mijn oog valt op een krant die in de stoel ligt waarop Ginny's moeder gezeten heeft. Ik lees een schreeuwerige kop.

Zelfmoordpoging slachtoffer schietincident
Schooldirecteur noemt proces van herstel
op Garvin High nog steeds 'effectief'

Het is een artikel van Angela Dash. Natuurlijk, van wie anders? Plotseling krijg ik een idee. Ik buig opzij, pak de krant, vouw hem op en stop hem in mijn rugtas.

'Ik ga en laat jou slapen,' zeg ik. 'Ik moet iets doen. Ik kom later wel terug,' zeg ik een beetje schaapachtig.

'Ja, da's goed,' zegt Ginny. Ik loop naar de deur, zij houdt haar ogen dicht.

40

'Ik vind dat je het moet doen,' zegt dokter Hieler, terwijl hij een half kopje koffie in de gootsteen van het piep-kleine kantoorkeukentje mikt.

Ik heb het ziekenhuis verlaten en ben rechtstreeks naar zijn kantoor gegaan, omdat ik niet weet waar ik anders heen moet en absoluut met iemand moet praten. Hij heeft net een afspraak gehad en wacht op de volgende, maar heeft wel een paar minuutjes tijd. Hij brengt zijn kamer weer op orde, smijt lege blikjes van vorige cliënten in een prullenmand, ordent wat papieren op zijn bureau en ik hobbel achter hem aan.

'Schrijf iets. Dat hoeft geen verontschuldiging te zijn of zo. Gewoon iets wat over jouw leerjaar gaat, zoals jij het beleefd hebt.'

'Een gedicht of zo?'

'Een gedicht is prima. Iets.' Hij beent zijn kantoor weer in en ik volg in zijn kielzog.

'En dan door laten schemeren dat ik dat gedicht, of wat het dan ook is, tijdens de diploma-uitreiking zal voorlezen?'

'Yep.' Hij veegt met zijn hand chipskruimels van zijn bureau in de prullenbak die eronder staat.

'Ik.'

'Jij.'

'Maar vergeet u nou niet dat ik de Dooie Dame ben? Het meisje aan wie iedereen een hekel heeft?'

Hij stopt even en leunt over zijn bureau. 'Juist daarom moet je het doen. Want dat ben jij helemaal niet, Val. Nooit geweest, ook.' Hij werpt een blik op zijn horloge. 'Er zit iemand te wachten...'

'Ja, oké,' zeg ik. 'Bedankt voor het advies.'

'Geen advies,' zegt hij, terwijl hij de gang op loopt met mij op zijn hielen. 'Huiswerk.'

41

'*K*un je even op me wachten?' vraag ik mam. 'Ik ben zo weer terug.'

'Hier? Bij de redactie van de krant?' vraagt ze. 'Wat moet je daar nou?' Ze tuurt door de voorruit naar het stenen gebouw met de woorden SUN-TRIBUNE op de gevel.

'Het gaat om een schoolproject,' zeg ik. 'Het herdenkingsproject. Ik heb wat informatie nodig van een dame die hier werkt.'

Waarschijnlijk gaan alle alarmbellen in mams hoofd nu af. Ze kwam pas laat van haar werk, heeft me onverwacht bij dokter Hieler op moeten pikken en moest meteen doorrijden naar het kantoor van de *Sun-Tribune* met als enige verklaring: *ik vertel je alles later wel, dat beloof ik je.*

Ze lijkt er weinig vertrouwen in te hebben dat ik echt ga doen wat ik zeg, maar is kennelijk zo blij dat er geen politieauto's achter ons aan zitten en dat ik nog niet in de boeien geslagen ben, dat ze het maar zo laat.

'Mam, maak je geen zorgen,' zeg ik, met mijn hand op de klink. 'Vertrouw me maar.'

Ze kijkt me een heel tijdje schattend aan en strijkt een haarlok van mijn schouder. 'Dat doe ik,' zegt ze. 'Ik vertrouw je.'

Ik glimlach. 'Zo terug.'

'Doe wat je moet doen,' zegt ze, terwijl ze zich in haar stoel nestelt. 'Ik wacht hier wel.'

Ik stap uit en loop naar de dubbele deuren van het kantoor van de *Sun-Tribune*. Achter de receptie zit een beveiliger die zonder een woord naar een bezoekerslijst wijst. Ik schrijf mijn naam op de lijst en geef hem terug. Hij keert hem om en leest mijn naam hardop.

'En je komt hier voor...?' zegt hij.

'Ik kom voor Angela Dash.'

'Verwacht ze jou?' vraagt hij.

'Nee,' geef ik toe. 'Maar ze heeft aardig wat over me geschreven, dus ik denk dat ze me wel wil spreken.'

Hij kijkt of hij daar nog niet zo zeker van is, maar grijpt de telefoon en brabbelt wat in de hoorn.

Een paar minuten later komt er een vadsige brunette op me af stappen, gekleed in een te strak spijkerrokje en met een paar ouderwetse laarzen aan haar voeten. Ze houdt een deur voor me open en laat me de kantoorruimte binnen.

'Ik ben Valerie Leftman,' zeg ik.

'Ik weet wie jij bent,' antwoordt ze. Ze heeft een volle, wat mannelijke stem. Ze spurt een gang door en ik moet mijn best doen om haar half hinkend bij te houden. Ze duikt een schemerig kantoortje in waar de grijzige gloed van een computerscherm de enige verlichting is. Ik volg haar.

Ze gaat achter haar bureau zitten. 'Meid, wat heb ik een moeite gedaan om jou te pakken te krijgen,' zegt ze, met haar blik op het scherm gericht en driftig klikkend met haar muis. 'Die ouders van je waken over je als een stel wolven.'

'Ik ben er pas heel laat achter gekomen dat ze al mijn telefoontjes hebben opgevangen,' zeg ik. 'Maar ik had waarschijnlijk toch niet met je willen praten. Ik praatte met niemand in die dagen. Zelfs niet met die wakende ouders van me.'

Ze kijkt even op van het scherm, niet erg geïnteresseerd.

'Wat brengt je nu dan hier? Wil je eindelijk praten? In dat geval: ik denk niet dat we je nog nodig hebben. Er is al meer dan genoeg aandacht aan dit verhaal besteed. Behalve die zelfmoordpoging valt er weinig meer te melden. We zijn er wel klaar mee. Dat schietincident is oud nieuws.'

Angela Dash' uiterlijk past niet bij het beeld dat ik van haar had, maar haar houding des te beter. Dat maakt me alleen maar zekerder van mijn zaak. Ik rits mijn rugtas open en haal de krant tevoorschijn die ik uit Ginny's kamer heb meegenomen. Ik smijt hem op haar bureau.

'Ik wil dat je ophoudt met dit soort dingen te schrijven,' zeg ik. 'Alsjeblieft.'

Ze stopt met klikken. Ze neemt haar bril af en gebruikt de zoom van haar shirt om hem schoon te poetsen. Ze zet hem weer op en knippert met haar ogen. 'Pardon?'

Ik wijs naar de krant. 'Wat jij schrijft, klopt niet. Jouw artikelen kloppen totaal niet met hoe het werkelijk is. Je laat iedereen geloven dat wij ons leven weer op de rit hebben en dat het één vredige bedoening is bij ons op school, maar dat is helemaal niet zo.'

Met grote ogen kijkt ze me aan. 'Ik heb nooit iets over een vredige bedoening gezegd…'

'Zo maak je van Ginny Baker een freak met zelfmoordneigingen die nog helemaal niet klaar is met alles wat er gebeurd is, terwijl wij de draad allang weer hebben opgepakt,' zeg ik. 'En dat is helemaal niet waar. Je hebt niet eens met Ginny Baker gepraat. Nog nooit. Je hebt alleen met meneer Angerson gesproken, verder met niemand, en je schrijft de verhalen op die hij je op de mouw speldt. Die man is doodsbang voor zijn baantje en doet net of het allemaal koek en ei is op Garvin High.'

Ze leunt voorover op haar ellebogen en grijnst. 'Verhalen,

hè? En waar haal jij je informatie dan vandaan?' vraagt ze.
'Ik leef erin, er middenin,' zeg ik. 'Ik kom elke dag op die school. Ik zie wat mensen elkaar daar nog steeds aandoen. Ik zie dat Ginny Baker niet de enige is die er nog lang niet klaar mee is. Ik zie dat wat meneer Angerson weet en wat hij wil weten twee totaal verschillende dingen zijn. Jij bent er nooit geweest. Geen dag. Je bent nooit bij mij thuis geweest. Je bent nooit bij een football- of atletiekwedstrijd of op een schoolfeest geweest. Je bent niet in het ziekenhuis geweest om eens te kijken hoe het nou echt met Ginny Baker gaat.'
Ze gaat staan. 'Jij weet helemaal niet waar ik wel en niet geweest ben,' zegt ze.
'Hou op met hierover te schrijven,' zeg ik. 'Hou op met over ons te schrijven. Over Garvin. Laat ons met rust.'
'Ik zal je advies in overweging nemen,' zegt ze op een overdreven, zogenaamd vriendelijke toon. 'Maar ik hoop dat je het me niet kwalijk neemt dat ik toch eerst naar mijn hoofdredacteur luister en dan pas naar jou.'
Het valt me ineens op hoe in elkaar gedoken ze achter dat bureau zit – en ik heb haar altijd voor een groot journalist gehouden, eentje met heel veel macht.
'Ik ben bezig met een verhaal,' zegt ze. 'Als jij zo graag "de waarheid" op schrift wilt, moet je een boek schrijven. Dan help ik je wel, als je wilt.'
En ik weet ineens dat het verhaal dat Angerson over Garvin High de wereld in wil hebben, verteld zal worden. Dat Angela Dash een slechte en gemakzuchtige journalist is die gewoon zal schrijven wat hij wil dat ze schrijft. Dat de waarheid over Garvin High nooit bekend zal worden. En dat er niets is wat ik daaraan kan doen.
Of toch?

Ik been vastberaden weer naar buiten, waar mam om de bocht op me staat te wachten.

'Heb je wat je hebben wilde?' vraagt ze, me onderzoekend aankijkend. 'Alle informatie?'

'Ja, die heb ik,' zeg ik. 'Volgens mij heb ik precies wat ik zocht.'

42

*I*k weet niet of het te laat is om nog bij het LeRa-project aan te haken, maar ik wil het in elk geval proberen. Het schooljaar zal nog maar een paar weken duren en ik wil mijn ideeën voor de herdenking met Jessica bespreken. Ik loop aarzelend het lokaal in, terwijl ik me schrap zet voor de confrontatie met de voltallige leerlingenraad, maar er is niemand, behalve Jessica die over een stapel paperassen gebogen zit.

'Hé,' zeg ik vanuit de deuropening. Ze kijkt op. 'Waar is iedereen? Ik dacht dat er een vergadering zou zijn.'

'O, hé,' zegt ze. 'Afgezegd. Stone heeft griep. Ik zit te leren voor de laatste rekentoets.' Ze wrijft over haar ellebogen en kijkt me vragend aan. 'Jij wilde naar de vergadering? Ik dacht dat je ermee gekapt was.'

'Ik heb een idee voor de presentatie van de gedenkplaats,' zeg ik. Ik loop het lokaal in, ga aan het tafeltje naast haar zitten, pak het vel papier erbij waaraan ik de halve nacht heb zitten werken – een overzicht van mijn plan – en geef het haar. Ze pakt het aan en begint te lezen.

'Ja,' zegt ze, met een glimlach die langzaam breder wordt. 'Ja. Dit is goed. Dit is echt goed, Val.' Ze kijkt me schuin van opzij aan. 'Zal ik je een lift geven?'

Ik grinnik. 'Oké.'

We rijden eerst naar het huis van meneer Kline. Een gezellig, klein, bruin huis met een wilde tuin vol bloemen aan de voorkant. Op de treden naar de veranda zit een magere rode kat.

Jessica rijdt de inrit op en zet de motor af.

'Ben jij er klaar voor?' vraagt ze. Ik knik. De waarheid is dat ik er waarschijnlijk nooit klaar voor zal zijn, maar dit is iets wat ik gewoon moet doen.

Zie de dingen zoals ze werkelijk zijn, houd ik mezelf voor. *Zie wat er werkelijk is.*

We stappen uit en lopen het trapje naar de voordeur op. De kat miauwt klaaglijk naar ons en duikt onder een struik. Ik bel aan.

Pal achter de deur slaat een hondje fel aan en er klinken wat sussende geluiden die geen enkel effect hebben. Het duurt een tijdje voor de deur opengaat en een muizig dametje met warrig haar en een enorme bril op ons argwanend bekijkt. Naast haar staat een kindje met de ogen te knipperen en op een lolly te zuigen.

Ze zet de hordeur op een kier.

'Wat kan ik voor jullie doen?' vraagt ze.

'Dag,' zeg ik nerveus. 'Eh, mevrouw Kline? Ik ben Val...'

'Ik weet wie jij bent,' zegt ze vlak. 'Wat wil je?'

De woorden klinken kil als blokjes ijs en ik voel de moed in mijn schoenen zinken. Jessica kijkt me aan. Ze heeft in de gaten dat ik bang ben, want ze valt me bij.

'Sorry dat we u lastigvallen,' zegt ze. 'Maar we vroegen ons af of we even met u kunnen praten. Het gaat over een project dat ook uw man betreft.'

'Een gedenkplaats,' voeg ik eraan toe. Ik word vuurrood, want ik schaam me ineens. Ik noem hier zomaar, zonder erbij na te denken, de dood van haar man. Dit dappere vrouwtje zal haar kinderen alleen moeten grootbrengen en nu ik dat zo hardop heb uitgesproken, lijkt het wel of het er allemaal nog veel echter op wordt.

Ze kijkt ons een tijd lang zwijgend aan. Ze wekt de indruk dat ze overal zorgvuldig over nadenkt. Of misschien is ze wel gewoon bang dat ik een pistool bij me heb en dat ze het risico loopt neergeknald te worden zodat haar kinderen als wezen achterblijven.

'Oké,' zegt ze, terwijl ze de deur verder openduwt. Ze stapt opzij om Jessica en mij de ruimte te geven om de overvolle woonkamer binnen te stappen. 'Ik heb een paar minuten, meer niet.'

'Dank u wel,' zegt Jessica ademloos, en we gaan het huis binnen.

Veertig minuten later staan we voor het huis van Abby Dempsey, wat voor Jessica behoorlijk emotioneel is omdat zij en Abby vriendinnen waren en ze haar ouders sinds de begrafenis niet meer heeft gezien. Een uur daarna zitten we op tuinstoelen in de garage te praten met de oudere zus van Max Hill, Hannah.

Het is al bijna avond als we ten slotte aan Ginny Bakers ziekenhuisbed zitten en zij tranen met tuiten huilt en het ene na het andere zakdoekje vol snuit. Ginny heeft een rotdag gehad. Ze wil dolgraag naar huis, maar gisteravond heeft ze een zakspiegeltje stukgebroken en geprobeerd met een scherf haar polsen door te snijden. Dat betekent dat ze nog wel een poosje zal moeten blijven, en daar is ze niet blij mee. We praten ook nog een tijdje met haar moeder in de wachtkamer.

Het loopt inmiddels tegen achten en we krijgen honger, maar we hebben nog één bezoek te gaan. Jessica stopt bij een pompstation en we proppen ons vol met Bifi-worstjes en een paar zakken chips. Ik bel mam en laat haar weten dat ik wat later thuis zal zijn. Ik huil bijna van blijdschap als ze zegt dat dat prima is, als ik maar voorzichtig ben en haar nog even welterusten kom zeggen als ik weer thuis ben. Zoiets zou ze voor de schietpartij ook gezegd hebben. We blijven nog wat hangen bij het pompstation.

'Misschien is dit toch niet zo'n heel goed idee,' zeg ik, een beetje misselijk van de schranspartij.

'Maak je nou een geintje?' vraagt Jessica, en duwt een kaasstengel in haar mond. 'Het is een geweldig idee! En we zijn bijna rond. Nou niet zelf gaan twijfelen, hoor.'

'Ik vraag me af of het niet meer kwaad dan goed zal doen. Ik denk dat...'

'Jij denkt dat je het eng vindt om naar Christy Bruter te gaan. Kan ik me voorstellen, Val, maar we gaan wel.'

'Het is allemaal bij haar begonnen. Die mp3-speler...'

'Het is niet bij haar begonnen. Het is bij Nick begonnen. Of het was het lot, of wat dan ook. Het maakt ook niet uit, we gaan.'

'Ik weet het niet...'

Ze frommelt een lege chipszak tot een bal, smijt die op de achterbank, draait de contactsleutel om en brengt de auto tot leven. 'Ik wel. We gaan.'

'Soms doet het nog wel pijn,' zegt Christy, die tussen haar vader en moeder in op de bank zit. Ze kijkt alleen Jessica aan. Ik neem haar dat niet kwalijk. Ik vind het zelf ook lastig om naar haar te kijken. 'Pijn is eigenlijk niet het goede woord. Niet meer. Een heel raar gevoel is het. Alsof mijn lijf niet mee wil.

Het lastigst vind ik het eerlijk gezegd dat ik niet meer kan softballen. Ik had al een beurs, weet je. Mijn vader was mijn coach, maar nu...'

Haar vader pakt haar knie en onderbreekt haar. 'Nu is hij

blij dat hij je al die jaren heeft kunnen coachen,' zegt hij. 'Nu is hij er heel blij mee dat hij een dochter heeft die nog leeft en die gaat studeren.'

Christy's moeder maakt een geluidje dat klinkt als 'amen' en tipt met een vingertop haar ooghoek aan.

Mevrouw Bruter heeft nog niet zo veel gezegd. Ze zit naast Christy en klopt haar dochter zo nu en dan op een knie of knikt bij de dingen die ze zegt, met een wat onzeker en beverig glimlachje om haar mond. Ze knikt opnieuw als Christy's vader zegt dat hij altijd heeft gebeden dat zijn dochter lang en gelukkig zal leven, niet dat ze een softbalkampioene zal worden.

'Heb je...' flap ik eruit, maar ik aarzel, onzeker over wat ik wil vragen. *Heb je mij de schuld gegeven? Heb je me gehaat, en doe je dat nu nog? Heb je gedacht dat het eerlijker zou zijn als Nick mij had doodgeschoten? Heb je nachtmerries, en kom ik daar ook in voor?* Ik open en sluit mijn mond een paar keer. Ik slik.

Meneer Bruter moet in de gaten hebben hoe ongemakkelijk ik me voel, want hij leunt voorover, met zijn ellebogen op zijn knieën, en brengt zijn ogen op gelijke hoogte met de mijne. Zijn handen bungelen tussen zijn benen.

'We hebben in de afgelopen tijd een heleboel over vergeving geleerd,' zegt hij. 'Dit drama heeft veel leed gebracht; genoeg leed, wat ons betreft. We wensen niemand nog meer verdriet en ellende toe. Niemand.'

Christy staart naar haar handen in haar schoot. Jessica schuift iets dichter naar me toe.

'Een aantal helden is gestorven voor hun school,' zegt meneer Bruter zacht. 'Er zijn ook helden die bijna voor hun school gestorven zijn. En er zijn helden die het schieten gestopt hebben. Die 112 belden toen Christy viel. Die haar buik hebben dichtgedrukt om het bloeden te stelpen. Helden die... die geliefden zijn kwijtgeraakt. Voor ons zijn het helden, de helden van Garvin High. Allemaal.'

Jessica leunt naar mijn kant en raakt mijn arm aan. Ik voel me geborgen. Ik voel me – hoe kan dat nou? – trots.

Als ik thuiskom, helemaal op, zitten mam en Mel op de bank tv te kijken.

'Het is al laat,' zegt mam, die zich in Mels armen genesteld heeft, haar benen opgetrokken aan één kant. Ze lijkt volkomen op haar gemak, op een manier zoals ik dat tussen haar en pap nooit heb gezien. 'Ik was een beetje ongerust.'

'Sorry,' zeg ik. 'Dit project moet af zijn voordat de examens beginnen.'

'En, is het klaar?' vraagt Mel. Ik merk tot mijn eigen verrassing dat ik het niet erg vind dat hij me die vraag stelt. Mel is zo kwaad nog niet. Hij maakt mam een stuk vrolijker en wat mij betreft is hij alleen daarom al best een aardige gozer.

'Nou, het onderzoek is klaar,' zeg ik. 'Ik heb alle interviews in elk geval gehad.'

Hij knikt goedkeurend.

'Ik heb wat eten bewaard,' zegt mam. 'Het staat in de oven.'

'Hoeft niet, dank je,' zeg ik. 'Jess en ik hebben samen al wat gegeten.' Ik stap verder de kamer in en ga achter de bank staan. 'Ik denk dat ik maar naar bed ga.' Ik geef mam een kus op haar wang, iets wat ik al in geen jaren gedaan heb. Ze kijkt verrast op. 'Slaap lekker, mam,' zeg ik. Ik keer me om en liep naar de trap. 'Welterusten, Mel.'

'Trusten,' roept Mel luid terug, en overstemt daarmee wat mam zegt.

43

*H*et is mijn laatste sessie bij dokter Hieler. Ik val helemaal hyper zijn kamer binnen.
'Volgens mij begin ik in de gaten te krijgen wie ik ben,'
zeg ik. Ik plof op de bank en trek met een gelukzalige
glimlach een blikje cola open.
'Wie ben je dan?' vraagt dokter Hieler met een brede grijns.
Hij laat zich in zijn stoel vallen en legt, zoals altijd, een
been over de armleuning.
'Ja, ik bedoel, het klinkt stom, maar de gesprekken met
die mensen hebben me geholpen om weer te zien wie ik
eigenlijk ben.'
'En wie ben jij dan? Wat heb je gezien?'
'Nou,' zeg ik. Ik kom van de bank en begin door de kamer
op en neer te lopen. 'Om te beginnen dat ik school leuk
vond. Echt leuk. Ik vond het leuk om mijn vriendinnen te
zien en wat rond te hangen, om naar basketbalwedstrijden
te gaan, dat soort dingen. Ik was slim en best fanatiek,
weet u? Ik wilde gaan studeren.'
Dokter Hieler knikt en duwt een wijsvinger tegen zijn lippen. 'Oké,' zegt hij. 'Daar kan ik het helemaal mee eens
zijn.'
Ik stop met heen en weer lopen en ga weer op de bank
zitten, één bonk opwinding en energie. 'En de Hate List
was echt. De boosheid was echt. Het was geen show voor
Nick of zo. Ik bedoel, ik was niet zo boos als hij. Ik wist

niet eens hoe boos hij werkelijk was, maar ik was wel boos. Over dat pesten en dat getreiter de hele tijd, die scheldwoorden… mijn ouders, mijn leven… Eén grote puinhoop leek het, zo zinloos ook en daar was ik ontzettend pissig over. Kan best zijn dat ik in die tijd een beetje suïcidaal was, zonder dat ik dat zelf in de gaten had.'

'Kan zijn,' zegt hij. 'Je had een bende redenen om boos te zijn.'

Ik spring weer overeind. 'Ziet u? Ik deed niet alsof. Niet echt.' Ik draai me om en kijk uit het raam. Er komt mist opzetten, de auto's op de parkeerplaats zijn al niet meer zo goed te zien. 'Ik was niet nep,' zeg ik, starend naar de waterdruppels op de auto's. 'Dat in elk geval niet.'

'Klopt,' zegt hij. 'Maar kun jij inmiddels een salto achterover?'

'Nee. Nog steeds niet.'

'Echt niet? Ik wel.'

'Helemaal niet. U kletst uit uw nek.'

'Daar ben ik verschrikkelijk goed in,' zegt hij. 'En ik ben heel erg trots op jou, Val. Dat is geen geklets.'

We gaan tegenover elkaar aan het schaakbord zitten, zoals we altijd doen. Hij wint, zoals hij altijd doet.

44

'Je hebt er een hekel aan als ik nou vreselijk enthousiast ga doen, dat weet ik,' zegt mevrouw Tate. Op het bureaublad voor haar ligt een half opgegeten donut. En er staat een dampende kop koffie. Het ruikt lekker in de kamer van mevrouw Tate, zo vroeg in de ochtend. Het ruikt zoals wakker worden ruiken moet: vol en rijk en aangenaam. 'Maar ik kan het niet helpen. Dit is goed nieuws!'

'Geen nieuws,' zeg ik, nog wat slaperig. Ik zit in de stoel aan de andere kant van haar bureau. 'Ik zeg dat ik die catalogi graag mee wil nemen, meer niet. Voor later.'

Ze knikt heftig. 'Natuurlijk! Natuurlijk, voor later! Zeker. Wie zal je dat kwalijk nemen? Later is prima. Wanneer later?'

Ik haal mijn schouders op. 'Dat weet ik niet. Zolang het duurt. Ik heb tijd nodig om dingen op een rijtje te zetten. Maar u hebt gelijk, ik heb altijd willen studeren en ik moet trouw blijven aan wie ik ben.' Nu ik weet wie ik niet ben, ben ik vastbesloten om uit te zoeken wie ik dan wel ben. Wie ik zal worden.

Mevrouw Tate trekt een archiefla open en haalt er een aantal dikke catalogi uit. 'Ik kan je niet zeggen hoe trots ik op je ben, Valerie,' zegt ze, nog steeds stralend. 'Alsjeblieft. Keuze genoeg. Je weet dat je me altijd kunt bellen als je vragen hebt of advies wilt.'

Ze reikt me het stapeltje aan en ik buig me voorover om het aan te pakken. Het is zwaar. Prettig zwaar. Eindelijk heeft de toekomst meer gewicht dan het verleden.

Deel vier

Wie treft de blaam van deze bloed'ge daad?
Shakespeare

45

*I*k kan niet zeggen dat ik niet een beetje zenuwachtig word van al die tv-camera's. Het zijn er nogal wat. We verwachtten er wel een aantal, rekenden er zelfs op, maar zo veel? Ik probeer iets te zeggen, maar mijn keel is droog en kriebelt.

Het is warm voor mei en de toga kleeft aan mijn benen. De diploma-uitreiking vindt sinds mensenheugenis plaats op het uitgestrekte grasveld aan de oostkant van het schoolgebouw. Ooit zal ze in een groot auditorium gehouden moeten worden, zo heeft de financiële afdeling van de school gewaarschuwd, om de groei van de school te kunnen bijhouden en vanwege het onvoorspelbare weer in het Midwesten. Maar ooit is niet vandaag. Vandaag doen we het zoals de traditie het wil. En dat past ons, geplaagde lichting van 2009 die we zijn, eigenlijk ook het beste. Traditie voelt veilig.

Ik zie mijn familie zitten, Frankie tussen mam en pap in, ergens aan de zijkant, vrij achteraan. Briley zit aan de andere kant naast pap.

Mam kijkt stuurs en werpt vernietigende blikken op een cameraman. Ineens ben ik haar dankbaar dat ze er al die tijd in geslaagd is om de camera's en pers op afstand te houden. Angela Dash is de enige journalist die ik over de schietpartij ooit gesproken heb, en dat was op mijn eigen initiatief. Met iets van een schok realiseer ik me dat mam, ondanks de beschuldigingen en het wantrouwen van het afgelopen jaar, niet alleen de wereld tegen mij in bescherming heeft genomen maar wel degelijk ook mij tegen de wereld heeft beschermd. Onder al het geworstel ligt toch altijd die diepere laag van liefde, die veilige plek waar je altijd weer thuiskomt.

Pap zit er wat mistroostig bij, zo ingekneld tussen mam en Briley, maar telkens als onze ogen elkaar vinden, zie ik opluchting op zijn gezicht. En die opluchting is echt, dat weet ik zeker. Ik lees hoop in zijn blik en ik weet tamelijk zeker dat we elkaar, ondanks de dingen die we gezegd hebben, uiteindelijk zullen vergeven. Al zullen we het niet vergeten. Het heeft gewoon tijd nodig.

Zo nu en dan buigt Briley zich naar hem toe en fluistert iets in zijn oor, dan glimlacht hij. Ik ben er blij om, dat hij iets heeft om te glimlachen. Ergens had ik het leuk gevonden als Mel met mam meegekomen was. Dan had zij ook een reden gehad om te glimlachen.

Frankie kijkt verveeld, maar ik heb zo het vermoeden dat dat een bestudeerde blik is. Volgend jaar struint hij door de gangen van Garvin High. Dan is het zijn beurt om de spiedende blik van Angerson te ontwijken. Om plaats te nemen in het kantoortje van mevrouw Tate, geschokt maar ergens ook met een prettig gevoel vanwege de puinhoop die het daar was. Ik denk dat Frankie er zijn draai wel zal vinden. Ondanks alles.

Dokter Hieler is er ook. Hij zit in de rij achter die van mam en pap, met zijn arm om zijn vrouw heen geslagen. Zij ziet er in niets uit zoals ik me haar heb voorgesteld. Niet knap, niet chic; ook niet de Maria-achtige trekken van eindeloos geduld en gratie die ik verwachtte. Ze kijkt voortdurend op haar horloge en knijpt haar ogen dicht tegen de felle zon. Een paar keer blaft ze iets in haar gsm. Ik vind mijn versie van haar leuker. Ik wil heel graag dat gezinnen zoals ik me die bij hen heb voorgesteld echt bestaan, zeker voor hem.

Achter dokter Hieler is het paars, heel erg paars. Daar zit Bea, met hoog opgestoken haar en behangen met zo veel paarse prullen dat ze rinkelt als ze ook maar een vinger verroert. Ze draagt een half doorschijnend paars jasje en houdt een paarse handtas zo groot als een kleine koffer klemvast op haar schoot. Ze grijnst naar me, haar gezicht sereen en prachtig, als een geschilderd portret.

Angerson staat op en maant de menigte tot stilte ten teken dat de ceremonie zal beginnen. Hij steekt een korte toespraak af, iets over doorzettingsvermogen, maar lijkt niet goed te weten wat hij over onze jaargroep zeggen moet. De mooie woorden die hij in andere jaren altijd gebruikt, gaan nu niet op. Wat moet hij over de toekomst zeggen tegen ouders die nog helemaal niet klaar zijn met het verleden? Tegen ouders die de hoop voor hun kind in rook hebben zien opgaan, tegen ouders van de kinderen die iets meer dan nog maar een jaar geleden van de aardbodem zijn verdwenen en nooit meer terug zullen komen? Wat moet hij zeggen tegen de rest van ons, die voor het leven getekend zijn door wat er zich achter de gewijde muren van dit machtige onderwijsinstituut heeft afgespeeld, dit instituut dat we zo goed kennen en waar we eens van hielden? Over de mooie herinneringen ligt een inktzwarte schaduw. Een reünie in de toekomst is niet waarschijnlijk, dat zou behoorlijk traumatisch zijn.

Hij geeft het woord al snel aan Jessica, die blakend van zelfvertrouwen van haar stoel opstaat en het trapje naar het podium beklimt. Ze spreekt op een rustige, kalme toon over de school en het onderwijs, over algemene en saaie thema's waar niemand warm of koud van wordt. Dan stokt ze, haar hoofd gebogen over de papieren die ze vastheeft.

Het blijft zo lang stil dat mensen beginnen te kuchen en ongedurig heen en weer schuiven. Het wordt steeds onrustiger. Het lijkt bijna of ze aan het bidden is en, ik weet het niet, misschien doet ze dat ook wel. Angerson raakt wat in paniek en probeert een paar keer met wuivende gebaren haar aandacht te trekken, alsof hij haar een por wil geven om door te gaan of anders het podium te verlaten. Als ze eindelijk weer opkijkt, heeft ze een heel andere uitdrukking op haar gezicht. Zachter op de een of andere manier, niet meer de voorzitter van de leerlingenraad, maar het meisje dat mij een klopje op mijn arm gaf toen Christy Bruters vader het over vergeving had.

'Onze jaargroep,' begint Jessica, 'zal altijd in het teken van één kalenderdatum staan: twee mei 2008. Niemand van ons zal die dag ooit nog beleven zonder te denken aan iemand van wie hij of zij hield en die er nu niet meer is. Zonder terug te denken aan de beelden en de geluiden van die ochtend. Zonder weer stil te staan bij de verwarring, de pijn, het verlies, de rouw. Zonder stil te staan bij vergeving. Zonder stil te staan. Wij, de jaargroep van 2009, willen Garvin High een plaats geven waar de herinnering...' Haar stem breekt bij dat woord. Ze stopt en buigt opnieuw haar hoofd om zich te herstellen. Ze kijkt weer op; haar neus is rood en haar stem beeft. '... waar de herinnering aan de slachtoffers van die dag levend gehouden kan worden. De herinnering aan diegenen die wij nooit zullen vergeten.'

Meghan staat op van haar stoel en loopt naar een groot

object, vlak bij het podium, dat een eind boven het maai-veld uitsteekt. Het is afgedekt met een laken. Ze grijpt een van de hoeken van het laken en trekt het eraf. Er komt een betonnen bank onder vandaan, oogverblindend wit bijna, die boven een vierkant gat in de grond staat, ongeveer zo groot als een flink televisietoestel. Naast het gat ligt een hoopje verse aarde en er staat een metalen kist, de tijd-capsule, met het deksel open. Vanaf mijn zitplaats kan ik goed zien dat er allerlei voorwerpen inzitten: felgekleurde pompons, een dobbelsteen van stof, foto's.

Jessica knikt naar me en ik sta op. Ik beklim de treden naar het podium met benen als van stopverf. Jessica doet een stap opzij, maar buigt zich naar me toe op het moment dat ik naast haar sta en slaat haar armen om me heen. Ik laat haar, zo lang ze wil. Ik voel hoe mijn toga haar warm-te absorbeert waardoor hij nog erger gaat plakken, maar dat kan me weinig schelen.

Ik herinner me hoe ze in de gang op me is toegelopen op de dag dat ik met dit project van de leerlingenraad wilde kappen. Haar ogen nat van tranen, haar hand op de borst, haar stem zwaar en vol. *Ik leef. En dat heeft alles veranderd*, zei ze. Ik antwoordde dat ze gek was, toen, maar nu, nu het project af is en we elkaar hier op het podium, waar onze diploma's zo dadelijk uitgereikt zullen worden, omarmen, nu weet ik wat ze bedoelde en dat ze gelijk had. Die dag heeft alles veranderd. Wij zijn vriendin-nen geworden. Niet omdat we daar bewust voor gekozen hebben, maar omdat we op de een of andere manier niet anders konden. Je mag zeggen dat ik gek ben, maar het is bijna alsof we vriendinnen zijn geworden omdat dat zo is voorbestemd.

Ik voel meer dan dat ik het zie dat in de verte flitsers van

camera's oplichten. Ik hoor het gemurmel van verslaggevers op de achtergrond. Jessica en ik laten elkaar los en ik
stap het spreekgestoelte op en schraap mijn keel.

Ik kijk naar mijn vroegere vrienden: Stacey, Duce, David
en Mason. Ik kijk naar Josh en Meghan en ook naar Troy,
die achterin bij Meghans ouders zit. Ik kijk naar iedereen,
naar die hele deinende zee van emoties en droefenis; iedereen die daar zit draagt zijn eigen verdriet, heeft een eigen verhaal, het ene niet minder tragisch of triomfantelijk
dan het andere. Nick had gelijk, in zekere zin: op een dag
kan iedereen een winnaar zijn. Maar wat hij niet begreep
is dat je dan ook een verliezer bent. Het een kan niet zonder het ander.

Mevrouw Tate kijkt naar me en bijt op haar nagels. Mam
zit met haar ogen dicht. Het lijkt of ze haar adem inhoudt.
Even, een kort moment maar, overweeg ik toch maar af te
gaan op mijn instinct en deze kans aan te grijpen om mijn
verontschuldigingen aan te bieden. Heel officieel. Aan de
wereld. Misschien ben ik hun dat verschuldigd, meer dan
wat ik hun zo direct zal geven.

Maar ik voel dat Jessica haar hand in de mijne schuift,
haar schouder raakt die van mij, en op datzelfde moment
zie ik hoe Angela Dash haar hoofd over een schrijfblok
buigt en begint te schrijven. Ik werp een blik op mijn
speech.

'We zijn dit jaar op Garvin High op een keiharde manier
geconfronteerd met de werkelijkheid. Er heerst haat. Dat
is de werkelijkheid. Mensen haten en worden gehaat en
koesteren wrok en willen dat er wordt gestraft.' Ik kijk
schuin naar meneer Angerson, die op het puntje van zijn
stoel zit, klaar om op te springen en me de mond te snoe-
ren als ik het te bont maak. Ik voel een siddering door

mijn lijf gaan en aarzel een moment. Jessica pakt mijn hand wat steviger vast. Ik ga verder. 'In de media wordt beweerd dat er hier geen haat meer is.'

Angela Dash gaat achteruit op haar stoel zitten, met de armen gekruist, haar pen en schrijfblok vergeten. Ze loert met een vuile blik naar me, en heeft haar lippen op elkaar geperst. Ik knipper met mijn ogen, slik en dwing mezelf om verder te gaan.

'Ik weet niet of het mogelijk is om haat uit mensen weg te nemen. Zelfs uit mensen als wij, die aan den lijve hebben ondervonden waartoe haat kan leiden. Wij lijden daaronder. Dat is nog lang niet voorbij. En meer dan wie ook, waarschijnlijk, zullen wij dagelijks zoeken naar een nieuwe werkelijkheid. Een betere.' Ik kijk langs mijn ouders heen naar dokter Hieler. Hij heeft zijn armen voor zijn borst gevouwen, een vinger rust tegen zijn lippen. Hij knikt naar me, zo'n klein gebaar dat het amper een knik is.

Ik schuif een pas opzij. Jessica buigt zich naar de microfoon zonder mijn hand los te laten.

'Wij weten dat je de werkelijkheid wel kunt veranderen,' zegt ze. 'Dat is niet gemakkelijk en veel mensen nemen de moeite dan ook niet, maar het kan wel. Een werkelijkheid van haat kun je doorbreken door een vriend in vertrouwen te nemen. Door iemand die je vijand is te redden.' Jessica kijkt naar me. Ze glimlacht. Ik glimlach terug, een tikje verdrietig. Ik vraag me af of onze vriendschap zal blijven bestaan, ook hierna. Of we elkaar na vandaag zullen blijven zien.

'Als je de werkelijkheid wilt veranderen, moet je bereid zijn je ogen open te doen en te leren. Te luisteren. Echt te luisteren.

Als voorzitter van de leerlingenraad en de jaargroep van 2009, wil ik jullie allemaal vragen om de slachtoffers van de schietpartij van twee mei te gedenken en te luisteren naar wie zij werkelijk waren.'

Ik schraap mijn keel.

'Veel van de mensen die gestorven zijn, zijn dood omdat de schutter...' Mijn stem breekt. Ik durf dokter Hieler niet eens aan te kijken die, dat weet ik wel zeker, bemoedigend naar me zit te knikken en de tranen uit zijn ogen veegt. '... mijn vriend, Nick Levil, en ik dachten dat het slechte mensen waren. Wij zagen alleen maar wat we wilden zien en we...' Ik veeg iets uit mijn ooghoek. Jessica laat mijn hand los en begint zachtjes over mijn rug te wrijven. 'Eh... we wisten... Nick en ik wisten... wisten niet... wie zij werkelijk waren.'

Jessica buigt zich weer een stukje naar voren.

'Abby Dempsey,' zegt ze, 'was gek van paardrijden. Ze had een eigen paard, Nietzsche, waarop ze iedere zaterdagochtend ging rijden. Ze zou deze zomer een optreden bij de Knofton Junior Rodeo hebben. Ze had het over niets anders. Zij was mijn beste vriendin,' voegt ze er met een hese stem aan toe. 'We hebben een lok van Nietzsches manen in de tijdcapsule gestopt. Namens Abby.'

Ze doet een pas achteruit en ik stap weer naar voren. Ik houd met trillende vingers het stapeltje kaarten met de aantekeningen vast en het lukt me nog steeds niet om op te kijken. Maar het wordt gemakkelijker als ik de gezichten van de ouders met wie Jessica en ik gesproken hebben weer voor me zie. Al die ouders aan wie ik, na een hele tijd, mijn verontschuldigingen heb aangeboden. Al die ouders die mijn verontschuldigingen hebben aanvaard, sommigen die me hebben vergeven. Sommigen die dat niet hebben gedaan, die hebben gezegd dat ik hun niets schuldig was. We hebben samen gehuild en zij hebben met vreugde verhalen over hun kinderen verteld. De meesten van hen zitten nu in het publiek, vermoed ik.

'Christy Bruter,' zeg ik, 'is ingeloot op de Notre Dame University voor de studie psychologie. Zij wil gaan werken met mensen die een traumatische ervaring hebben gehad en is op dit moment bezig met een boek over haar eigen bijna-doodervaring. Christy heeft een softbal in de tijdcapsule gelegd.'

Jessica buigt zich voorover. 'Jeff Hicks was op de ochtend van twee mei eerst nog in het ziekenhuis geweest om daar voor het eerst zijn pasgeboren broertje te bewonderen. Hij was te laat op school, maar dolblij met de geboorte van nog een jongen in het gezin. Hij heeft zelfs een naam genoemd: Damon, naar de bekende footballspeler. Uit respect voor Jeff hebben zijn ouders hun nieuwe baby Damon Jeffrey genoemd. We hebben, namens Jeff, het polsbandje dat zijn broertje in het ziekenhuis omhad in de tijdcapsule gelegd.'

'Ginny Baker,' zeg ik. Ik adem diep in. Er is zo veel wat ik over Ginny wil zeggen. Ginny, die zo veel heeft geleden. Die nog steeds lijdt. Die hier niet kan zijn omdat ze te druk is met het verzinnen van manieren om Nicks werk af te maken. Om zichzelf te straffen voor het getreiter waarmee zij begonnen is, vindt ze. 'Ginny won al een missverkiezing toen ze nog maar twee jaar oud was. Haar moeder vertelde ons dat ze dat geweldig vond, die verkiezingen. Ze was zes toen ze zichzelf leerde hoe je een majorettenstok moet laten draaien. Ginny heeft...' Ik zwijg en dring mijn tranen terug. '... ervoor gekozen om niets in de tijdcapsule te plaatsen.' Ik buig mijn hoofd.

Zo gaan we verder, om beurten anekdotes en verhalen vertellend over Lin Yong en Amanda Kinney en Max Hills en alle anderen. De weduwe van meneer Kline snikt het uit als we voor hem een muntje van twintig cent in de tijdcapsule leggen, als symbool voor de gewoonte die hij had om een muntje van twintig naar een leerling te gooien als die het goede antwoord gegeven had. Een van zijn dochters verbergt haar gezicht in de plooien van haar moeders jurk, bewegingloos.

We komen bij de laatste en daarna loop ik het trapje af en naar mijn plaats. Ik probeer oogcontact te vermijden. Overal snuiten mensen hun neus, het geluid is oorverdovend.

Jessica blijft alleen op het podium achter, haar voeten stevig op de planken, haar neus rood maar met vuur in haar ogen. Haar blonde haren wapperen als spinrag in de lucht. 'Er zijn er nog twee,' zegt ze in de microfoon. Ik trek mijn wenkbrauwen op, en tel de namen na op mijn vingers. Ik dacht dat we iedereen gehad hadden. Jessica haalt diep adem.

'Nick Levil,' zegt ze, 'hield van Shakespeare.' Ik houd mijn adem in. Wanneer is ze bij zijn ouders geweest? En waarom? Zonder mij. Is dat expres? Ik tuur naar de betonnen bank. En, jawel, daar staat Nicks naam, als laatste in de rij slachtoffers. Er komt een raar geluid ergens achter uit mijn keel, en ik sla een hand voor mijn mond. Nu kan ik de tranen niet meer tegenhouden, zeker niet als Jessica het versleten exemplaar van *Hamlet*, waaruit hij mij zo vaak heeft voorgelezen, in de tijdcapsule legt.

Haar volgende woorden hoor ik amper. 'Valerie Leftman is een held. Moediger dan iedereen hier, dan iedereen die ik ooit heb gekend. De kogel in haar been is nog het minst enge wat zij in het afgelopen jaar heeft mee-gemaakt. Valerie heeft mijn leven gered, helemaal alleen. Zij was het die een einde maakte aan de schietpartij van twee mei, die anders nog bloediger was geworden dan nu al het geval is. En ik voel me heel rijk, met haar als vriendin. Valerie wil een schetsboek met tekeningen in de tijdcapsule plaatsen.' Ze haalt mijn zwarte schrijfblok tevoorschijn, die met de spiraal, en legt hem boven op Nicks *Hamlet*. Mijn werkelijkheid en Nicks vlucht... het een boven op het ander.

Jessica bedankt het publiek en zoekt haar stoel op. Eerst klapt er niemand. Maar dan, als een enorme ketel water die op het punt van koken staat, barst er een donderend applaus los dat overgaat in een ritmisch handgeklap. Een paar mensen, diegenen die zichzelf nog een beetje in de hand hebben, gaan staan.

Ik draai mijn hoofd om en kijk. Mam en pap klappen alle-bei en vegen de tranen uit hun ogen. Dokter Hieler is gaan staan en laat de tranen vrijuit over zijn wangen stromen.

Meneer Angerson klimt het podium weer op en leidt de plechtigheid terug naar waar het vandaag ook om gaat: de diploma-uitreiking. En daarmee naar het leven dat voor ons ligt.

Ik denk aan de koffer die thuis open op mijn bed ligt. Met mijn spullen er netjes in gepakt. De foto van Nick op de rots bij Blue Lake onder het stapeltje ondergoed en bh's. Het boek dat dokter Hieler voor me gekocht heeft, *The Gift of Fear*, met de aansporing om de 'werkelijkheid te blijven zien'. Het stapeltje telefoonkaarten dat pap me afgelopen zaterdag, toen hij Frankie kwam halen, zonder verder iets te zeggen in handen heeft gedrukt. De catalogi die ik van mevrouw Tate gekregen heb.

Ik denk aan de trein die ik de volgende ochtend zal nemen – bestemming onbekend – en aan mam die op het station waarschijnlijk zal huilen en me nog een laatste keer zal smeken om niet te gaan, niet zonder een plan in elk geval. Aan pap die waarschijnlijk opgelucht zal zijn op het moment dat hij de steeds kleiner wordende trein nakijkt. En dat ik hem dat niet kwalijk zal nemen.

Ik probeer me voor te stellen wat ik zal missen. Zullen mam en Mel zonder mij trouwen? Zal ik Frankies eerste baantje missen, als badmeester in het zwembad om de hoek misschien? Zal ik de aankondiging dat Briley zwanger is missen? Het kan allemaal. Het kan heel goed dat ik al dat soort dingen zal missen en misschien heb ik dan, als ik het later te horen krijg, het gevoel dat ze het ook wel verdienen dat ik niet bij al die blije dingen ben geweest.

'Weet je dit heel zeker?' heeft dokter Hieler me tijdens de laatste sessie gevraagd. 'Heb je genoeg geld?'

Ik knik. 'En uw nummer.' Maar ik denk dat wij beiden wel weten dat ik nooit zal bellen, al lig ik met een bonzend been en de stem van Nick keihard in mijn oren ergens op de slaapzaal van een louche jeugdherberg. Zelfs niet als uit de diepte van mijn wazige brein de beelden weer opdoemen van Nick die zichzelf voor mijn ogen een kogel door het hoofd jaagt. Ook niet om hem een fijne Kerst of een gezellige verjaardag toe te wensen of te zeggen dat het goed met me gaat; ook niet om hulp te vragen.

Hij omhelsde me en legde zijn kin op mijn hoofd. 'Je rooit het wel,' fluisterde hij, maar ik weet niet zeker of hij het nou tegen mij of tegen zichzelf zei.

Ik ben naar huis gegaan en heb mijn koffer gepakt. De koffer was met het deksel open op het bed blijven staan, naast het behang met de paarden die – en dat is natuurlijk nooit anders geweest – met levenloze ogen bewegingloos toekijken.